Frauen, heißt es in einer dieser Erzählungen, seien »mit den Ur-elementen verwandter als die Männer und daher von Anbeginn dazu geschaffen, das Unabänderliche mit Ruhe hinzunehmen«. Zur Tat, zu forscher Reaktion, vor allem jedoch zur Rettung ihrer eigenen Ehre fühlen sich dagegen hier Männer veranlaßt, sobald sie glauben, in eine dunkle und ungewisse, wenn nicht gar »die verhängnisvollste Epoche« ihres Lebens eingetreten zu sein. Mag das individuelle wie das allgemeine Verhalten beider Geschlechter in Egoismus wurzeln, so geht die Selbstüberschätzung der Männer nicht selten noch darüber hinaus. Dann sind sie auch bereit, in äußerlich wirkungsvoller Weise Dinge zu tun, die im Hinblick auf das Ziel eigentlich umsonst sind. Die Frauen verhalten sich in außergewöhnlichen Situationen weit weniger spektakulär, jedoch nicht minder wirkungsvoll. Leutnant Gustl z. B. ist der Ansicht, seine durch einen nicht satisfaktions-fähigen Bäckermeister mißachtete Ehre nur mit seinem Selbst-mord sühnen zu können; Albert von Webeling (›Die Fremde‹) ist, nachdem seine Frau ihn, ohne ihn ihrer Rückkehr zu ver-sichern, anderer Erwartungen wegen verlassen hat, zu gleicher Tat entschlossen. Solches bewußte oder doch halbbewußte Zu-sammenspiel beider Weisen, sozusagen der männlichen und der weiblichen, findet im immer bereiten, aber letztlich inaktiven Bewunderer sein Opfer: ›Das Schicksal des Freiherrn von Lei-senbohg‹.

Arthur Schnitzler wurde am 15. Mai 1862 in Wien geboren. Noch bevor er auf das Akademische Gymnasium kam, als Neunjähriger, versuchte er, seine ersten Dramen zu schreiben. Nach dem Abitur studierte er Medizin, wurde 1885 Aspirant und Sekundararzt; 1888 bis 1893 war er Assistent seines Vaters in der Allgemeinen Poliklinik in Wien; nach dessen Tod eröffnete er eine Privatpraxis. 1886 die ersten Veröffentlichungen in Zeitschriften, 1888 das erste Bühnenmanuskript, 1893 die erste Uraufführung, 1895 das erste Buch, die Erzählung ›Sterben‹ bei S. Fischer in Berlin. Beginn lebenslanger Freundschaften mit Hugo von Hofmannsthal, Felix Salten, Richard Beer-Hofmann und Hermann Bahr. Das dramatische und das erzählerische Werk entstehen parallel. Stets bildet der einzelne Mensch, die individuelle Gestalt »in ihrem Egoismus oder ihrer Hingabe, ihrer Bindungslosigkeit oder Opferbereitschaft, in ihrer Wahrhaftigkeit oder Verlogenheit« (Reinhard Urbach), den Mittelpunkt seiner durchweg im Wien der Jahrhundertwende angesiedelten Stoffe. Arthur Schnitzler hat, von Reisen abgesehen, seine Geburtsstadt nie verlassen; am 21. Oktober 1931 ist er dort gestorben.

Arthur Schnitzler
Das erzählerische Werk

In chronologischer Ordnung

Arthur Schnitzler
Der blinde Geronimo und sein Bruder

Erzählungen
1900–1907

Fischer
Taschenbuch
Verlag

12.–14. Tausend: Juli 1994

Ungekürzte, nach den ersten Buchausgaben durchgesehene Ausgabe
Veröffentlicht im Fischer Taschenbuch Verlag GmbH,
Frankfurt am Main, Mai 1989

Lizenzausgabe mit freundlicher Genehmigung
des S. Fischer Verlags GmbH, Frankfurt am Main
Für die Erzählung ›Der Leuchtkäfer‹:
© S. Fischer Verlag GmbH, Frankfurt am Main 1977
Für alle anderen Erzählungen:
© S. Fischer Verlag GmbH, Frankfurt am Main 1961
Umschlagentwurf: Buchholz / Hinsch / Hensinger
unter Verwendung des Gemäldes von Egon Schiele
›Sitzender Mann in orangefarbenem Pullover‹, 1915
Gesamtherstellung: Clausen & Bosse, Leck
Printed in Germany
ISBN 3-596-29404-5

Gedruckt auf chlor- und säurefreiem Papier

Inhalt

Leutnant Gustl

Wie lang' wird denn das noch dauern? Ich muß auf die Uhr schauen... schickt sich wahrscheinlich nicht in einem so ernsten Konzert. Aber wer sieht's denn? Wenn's einer sieht, so paßt er gerade so wenig auf, wie ich, und vor dem brauch' ich mich nicht zu genieren... Erst viertel auf zehn?... Mir kommt vor, ich sitz' schon drei Stunden in dem Konzert. Ich bin's halt nicht gewohnt... Was ist es denn eigentlich? Ich muß das Programm anschauen.. Ja, richtig: Oratorium! Ich hab' gemeint: Messe. Solche Sachen gehören doch nur in die Kirche! Die Kirche hat auch das Gute, daß man jeden Augenblick fortgehen kann. – Wenn ich wenigstens einen Ecksitz hätt'! – Also Geduld, Geduld! Auch Oratorien nehmen ein End'! Vielleicht ist es sehr schön, und ich bin nur nicht in der Laune. Woher sollt' mir auch die Laune kommen? Wenn ich denke, daß ich hergekommen bin, um mich zu zerstreuen... Hätt' ich die Karte lieber dem Benedek geschenkt, dem machen solche Sachen Spaß; er spielt ja selber Violine. Aber da wär' der Kopetzky beleidigt gewesen. Es war ja sehr lieb von ihm, wenigstens gut gemeint. Ein braver Kerl, der Kopetzky! Der einzige, auf den man sich verlassen kann... Seine Schwester singt ja mit unter denen da oben. Mindestens hundert Jungfrauen, alle schwarz gekleidet; wie soll ich sie da herausfinden? Weil sie mitsingt, hat er auch das Billett gehabt, der Kopetzky... Warum ist er denn nicht selber gegangen? – Sie singen übrigens sehr schön. Es ist sehr erhebend – sicher! Bravo! Bravo!... Ja, applaudieren wir mit. Der neben mir klatscht wie verrückt. Ob's ihm wirklich so gut gefällt? – Das Mädel drüben in der Loge ist sehr hübsch. Sieht sie mich an oder den Herrn dort mit dem blonden Vollbart?... Ah, ein Solo! Wer ist das? Alt: Fräulein Walker, Sopran: Fräulein Michalek... das ist wahrscheinlich Sopran... Lang' war ich schon nicht in der Oper. In der Oper unterhalt' ich mich immer, auch wenn's langweilig ist. Übermorgen könnt' ich eigentlich wieder hinein-geh'n, zur ›Traviata‹. Ja, übermorgen bin ich vielleicht schon eine tote Leiche! Ah, Unsinn, das glaub' ich selber nicht! Warten S' nur, Herr Doktor, Ihnen wird's vergeh'n, solche Bemerkun-gen zu machen! Das Nasenspitzel hau' ich Ihnen herunter...

Wenn ich die in der Loge nur genau sehen könnt'! Ich möcht' mir den Operngucker von dem Herrn neben mir ausleih'n, aber der frißt mich ja auf, wenn ich ihn in seiner Andacht stör'... In welcher Gegend die Schwester vom Kopetzky steht? Ob ich sie erkennen möcht'? Ich hab' sie ja nur zwei- oder dreimal gesehen, das letztemal im Offizierskasino... Ob das lauter anständige Mädeln sind, alle hundert? O jeh!... »Unter Mitwirkung des Singvereins«! – Singverein... komisch! Ich hab' mir darunter eigentlich immer so was Ähnliches vorgestellt, wie die Wiener Tanzsängerinnen, das heißt, ich hab' schon gewußt, daß es was anderes ist!.. Schöne Erinnerungen! Damals beim ›Grünen Tor‹... Wie hat sie nur geheißen? Und dann hat sie mir einmal eine Ansichtskarte aus Belgrad geschickt... Auch eine schöne Gegend! – Der Kopetzky hat's gut, der sitzt jetzt längst im Wirtshaus und raucht seine Virginia!...

Was guckt mich denn der Kerl dort immer an? Mir scheint, der merkt, daß ich mich langweil' und nicht herg'hör'... Ich möcht' Ihnen raten, ein etwas weniger freches Gesicht zu ma-chen, sonst stell' ich Sie mir nachher im Foyer! – Schaut schon weg!... Daß sie alle vor meinem Blick so eine Angst hab'n... »Du hast die schönsten Augen, die mir je vorgekommen sind!« hat neulich die Steffi gesagt... O Steffi, Steffi, Steffi! – Die Steffi ist eigentlich schuld, daß ich dasitz' und mir stundenlang vorla-mentieren lassen muß. – Ah, diese ewige Abschreiberei von der Steffi geht mir wirklich schon auf die Nerven! Wie schön hätt' der heutige Abend sein können. Ich hätt' große Lust, das Brieferl von der Steffi zu lesen. Da hab' ich's ja. Aber wenn ich die Brief-tasche herausnehm', frißt mich der Kerl daneben auf! – Ich weiß ja, was drinsteht... sie kann nicht kommen, weil sie mit »ihm« nachtmahlen gehen muß... Ah, das war komisch vor acht Ta-gen, wie sie mit ihm in der Gartenbaugesellschaft gewesen ist, und ich vis-à-vis mit'm Kopetzky; und sie hat mir immer die Zeichen gemacht mit den Augerln, die verabredeten. Er hat nichts gemerkt – unglaublich! Muß übrigens ein Jud' sein! Freilich, in einer Bank ist er, und der schwarze Schnurrbart... Reserveleutnant soll er auch sein! Na, in mein Regiment sollt' er nicht zur Waffenübung kommen! Überhaupt, daß sie noch immer so viel Juden zu Offizieren machen – da pfeif' ich auf'n ganzen Antisemitismus! Neulich in der Gesellschaft, wo die G'schicht' mit dem Doktor passiert ist bei den Mannheimers... die Mannheimer selber sollen ja auch Juden sein, getauft natürlich... denen merkt man's aber gar nicht an – besonders die Frau... so blond, bildhübsch die Figur... War sehr amüsant im ganzen. Famoses Essen, großartige Zigarren... Na ja, wer hat's Geld?...

Bravo, bravo! Jetzt wird's doch bald aus sein? – Ja, jetzt steht die ganze G'sellschaft da droben auf... sieht sehr gut aus – imposant! – Orgel auch?... Orgel hab' ich sehr gern... So, das laß' ich mir g'fall'n – sehr schön! Es ist wirklich wahr, man sollt' öfter in Konzerte gehen... Wunderschön ist's g'wesen, werd' ich dem Kopetzky sagen... Werd' ich ihn heut' im Kaffeehaus treffen? – Ah, ich hab' gar keine Lust, ins Kaffeehaus zu geh'n; hab' mich gestern so gegiftet! Hundertsechzig Gulden auf einem Sitz verspielt – zu dumm! Und wer hat alles gewonnen? Der Ballert, grad' der, der's nicht notwendig hat... Der Ballert ist eigentlich schuld, daß ich in das blöde Konzert hab' geh'n müssen... Na ja, sonst hätt' ich heut' wieder spielen können, vielleicht doch was zurückgewonnen. Aber es ist ganz gut, daß ich mir selber das Ehrenwort gegeben hab', einen Monat lang keine Karte anzurühren... Die Mama wird wieder ein G'sicht machen, wenn sie meinen Brief bekommt! –

Ah, sie soll zum Onkel geh'n, der hat Geld wie Mist; auf die paar hundert Gulden kommt's ihm nicht an. Wenn ich's nur durchsetzen könnt', daß er mir eine regelmäßige Sustentation gibt... aber nein, um jeden Kreuzer muß man extra betteln. Dann heißt's wieder: Im vorigen Jahr war die Ernte schlecht!... Ob ich heuer im Sommer wieder zum Onkel fahren soll auf vierzehn Tag'? Eigentlich langweilt man sich dort zum Sterben... Wenn ich die... wie hat sie nur geheißen?... Es ist merkwürdig, ich kann mir keinen Namen merken!... Ah, ja: Etelka!... Kein Wort deutsch hat sie verstanden, aber das war auch nicht notwendig... hab' gar nichts zu reden brauchen!... Ja, es wird ganz gut sein, vierzehn Tage Landluft und vierzehn Nächt' Etelka oder sonstwer... Aber acht Tag' sollt' ich doch auch wieder beim Papa und bei der Mama sein... Schlecht hat sie ausg'seh'n heuer zu Weihnachten... Na, jetzt wird die Kränkung schon überwunden sein. Ich an ihrer Stelle wär' froh, daß der Papa in Pension gegangen ist. – Und die Klara wird schon noch einen Mann kriegen... Der Onkel kann schon was hergeben... Achtundzwanzig Jahr', das ist doch nicht so alt... Die Steffi ist sicher nicht jünger... Aber es ist merkwürdig: die Frauenzimmer erhalten sich länger jung. Wenn man so bedenkt: die Maretti neulich in der ›Madame Sans-Gêne‹ – siebenunddreißig Jahr' ist sie sicher, und sieht aus... Na, ich hätt' nicht Nein g'sagt! – Schad', daß sie mich nicht g'fragt hat...

Heiß wird's! Noch immer nicht aus? Ah, ich freu' mich so auf die frische Luft! Werd' ein bißl spazieren geh'n, übern Ring... Heut' heißt's: früh ins Bett, morgen nachmittag frisch sein! Komisch, wie wenig ich daran denk', so egal ist mir das! Das erstemal hat's mich doch ein bißl aufgeregt. Nicht, daß ich Angst g'habt hätt'; aber nervos bin ich gewesen in der Nacht vorher... Freilich, der Oberleutnant Bisanz war ein ernster Gegner. – Und doch, nichts ist mir g'scheh'n!... Auch schon anderthalb Jahr' her. Wie die Zeit vergeht! Und wenn mir der Bisanz nichts getan hat, der Doktor wird mir schon gewiß nichts tun! Obzwar, gerade diese ungeschulten Fechter sind manchmal die gefährlichsten. Der Doschintzky hat mir erzählt, daß ihn ein Kerl, der das erstemal einen Säbel in der Hand gehabt hat, auf ein Haar abgestochen hätt'; und der Doschintzky ist heut' Fechtlehrer bei der Landwehr. Freilich – ob er damals schon so viel können hat... Das Wichtigste ist: kaltes Blut. Nicht einmal einen rechten Zorn hab' ich mehr in mir, und es war doch eine Frechheit – unglaublich! Sicher hätt' er sich's nicht getraut, wenn er nicht Champag-

ner getrunken hätt' vorher... So eine Frechheit! Gewiß ein So-
zialist! Die Rechtsverdreher sind doch heutzutag' alle Sozialisten! Eine Bande... am liebsten möchten sie gleich 's ganze Militär abschaffen; aber wer ihnen dann helfen möcht', wenn die
Chinesen über sie kommen, daran denken sie nicht. Blödisten! –
Man muß gelegentlich ein Exempel statuieren. Ganz recht hab'
ich g'habt. Ich bin froh, daß ich ihn nimmer auslassen hab' nach
der Bemerkung. Wenn ich dran denk', werd' ich ganz wild!
Aber ich hab' mich famos benommen; der Oberst sagt auch, es
war absolut korrekt. Wird mir überhaupt nützen, die Sache. Ich
kenn' manche, die den Burschen hätten durchschlüpfen lassen.
Der Müller sicher, der wär' wieder objektiv gewesen oder so
was. Mit dem Objektivsein hat sich noch jeder blamiert...
»Herr Leutnant!«.. schon die Art, wie er »Herr Leutnant« gesagt hat, war unverschämt!... »Sie werden mir doch zugeben
müssen«... – Wie sind wir denn nur d'rauf gekommen? Wieso
hab' ich mich mit dem Sozialisten in ein Gespräch eingelassen?
Wie hat's denn nur angefangen?... Mir scheint, die schwarze
Frau, die ich zum Büfett geführt hab', ist auch dabei gewesen...
und dann dieser junge Mensch, der die Jagdbilder malt – wie
heißt er denn nur?... Meiner Seel', der ist an der ganzen Geschichte schuld gewesen! Der hat von den Manövern geredet;
und dann erst ist dieser Doktor dazugekommen und hat irgendwas g'sagt, was mir nicht gepaßt hat, von Kriegsspielerei oder
so was – aber wo ich noch nichts hab' reden können... Ja, und
dann ist von den Kadettenschulen gesprochen worden... ja, so
war's... und ich hab' von einem patriotischen Fest erzählt...
und dann hat der Doktor gesagt – nicht gleich, aber aus dem Fest
hat es sich entwickelt – »Herr Leutnant, Sie werden mir doch
zugeben, daß nicht alle Ihre Kameraden zum Militär gegangen
sind, ausschließlich um das Vaterland zu verteidigen!« So eine
Frechheit! Das wagt so ein Mensch einem Offizier ins Gesicht zu
sagen! Wenn ich mich nur erinnern könnt', was ich d'rauf geant-
wortet hab'?... Ah ja, etwas von Leuten, die sich in Dinge
dreinmengen, von denen sie nichts versteh'n... Ja, richtig...
und dann war einer da, der hat die Sache gütlich beilegen wollen,

ein älterer Herr mit einem Stockschnupfen... Aber ich war zu wütend! Der Doktor hat das absolut in dem Ton gesagt, als wenn er direkt mich gemeint hätt'. Er hätt' nur noch sagen müssen, daß sie mich aus dem Gymnasium hinausg'schmissen haben und daß ich deswegen in die Kadettenschul' gesteckt worden bin... Die Leut' können eben unserein'n nicht versteh'n, sie sind zu dumm dazu... Wenn ich mich so erinner', wie ich das erstemal den Rock angehabt hab', so was erlebt eben nicht ein jeder... Im vorigen Jahr' bei den Manövern – ich hätt' was drum gegeben, wenn's plötzlich Ernst gewesen wär'... Und der Mirovic hat mir g'sagt, es ist ihm ebenso gegangen. Und dann, wie Seine Hoheit die Front abgeritten sind, und die Ansprache vom Obersten – da muß einer schon ein ordentlicher Lump sein, wenn ihm das Herz nicht höher schlägt... Und da kommt so ein Tintenfisch daher, der sein Lebtag nichts getan hat, als hinter den Büchern gesessen, und erlaubt sich eine freche Bemerkung!... Ah, wart' nur, mein Lieber – bis zur Kampfunfähigkeit... jawohl, du sollst so kampfunfähig werden...

Ja, was ist denn? Jetzt muß es doch bald aus sein?... »Ihr, seine Engel, lobet den Herrn«... – Freilich, das ist der Schlußchor... Wunderschön, da kann man gar nichts sagen. Wunderschön! – Jetzt hab' ich ganz die aus der Loge vergessen, die früher zu kokettieren angefangen hat. Wo ist sie denn?... Schon fortgegangen... Die dort scheint auch sehr nett zu sein... Zu dumm, daß ich keinen Operngucker bei mir hab'! Der Brunnthaler ist ganz gescheit, der hat sein Glas immer im Kaffeehaus bei der Kassa liegen, da kann einem nichts g'scheh'n... Wenn sich die Kleine da vor mir nur einmal umdreh'n möcht'! So brav sitzt s' alleweil da. Das neben ihr ist sicher die Mama. – Ob ich nicht doch einmal ernstlich ans Heiraten denken soll? Der Willy war nicht älter als ich, wie er hineingesprungen ist. Hat schon was für sich, so immer gleich ein hübsches Weiberl zu Haus vorrätig zu haben... Zu dumm, daß die Steffi grad' heut' keine Zeit hat! Wenn ich wenigstens wüßte, wo sie ist, möcht' ich mich wieder vis-à-vis von ihr hinsetzen. Das wär' eine schöne G'schicht', wenn ihr der draufkommen möcht', da hätt' ich sie am Hals... Wenn ich so denk', was dem Fließ sein Verhältnis mit der Winterfeld kostet! Und dabei betrügt sie ihn hinten und vorn. Das nimmt noch einmal ein Ende mit Schrecken... Bravo, bravo! Ah, aus!... So, das tut wohl, aufsteh'n können, sich rühren... Na, vielleicht! Wie lang' wird der da noch brauchen, um sein Glas ins Futteral zu stecken?

»Pardon, pardon, wollen mich nicht hinauslassen?«...

Ist das ein Gedränge! Lassen wir die Leut' lieber vorbeipassieren... Elegante Person... ob das echte Brillanten sind?... Die da ist nett... Wie sie mich anschaut!... O ja, mein Fräulein, ich möcht' schon!... O, die Nase! – Jüdin... Noch eine... Es ist doch fabelhaft, da sind auch die Hälfte Juden... nicht einmal ein Oratorium kann man mehr in Ruhe genießen... So, jetzt schließen wir uns an... Warum drängt denn der Idiot hinter mir? Das werd' ich ihm abgewöhnen... Ah, ein älterer Herr!... Wer grüßt mich denn dort von drüben?... Habe die Ehre, habe die Ehre! Keine Ahnung hab' ich, wer das ist... Das Einfachste wär', ich ging gleich zum Leidinger hinüber nachtmahlen... oder soll ich in die Gartenbaugesellschaft? Am End' ist die Steffi auch dort? Warum hat sie mir eigentlich nicht geschrieben, wohin sie mit ihm geht? Sie wird's selber noch nicht gewußt haben. Eigentlich schrecklich, so eine abhängige Existenz... Armes Ding! – So, da ist der Ausgang... Ah, die ist aber bildschön! Ganz allein? Wie sie mich anlacht. Das wär' eine Idee, der geh' ich nach!... So, jetzt die Treppen hinunter: Oh, ein Major von Fünfundneunzig... Sehr liebenswürdig hat er gedankt... Bin doch nicht der einzige Offizier herin gewesen... Wo ist denn das hübsche Mädel? Ah, dort... am Geländer steht sie... So, jetzt heißt's noch zur Garderobe.. Daß mir die Kleine nicht auskommt... Hat ihm schon! So ein elender Fratz! Läßt sich da von einem Herrn abholen, und jetzt lacht sie noch auf mich herüber! – Es ist doch keine was wert... Herrgott, ist das ein Gedränge bei der Garderobe!... Warten wir lieber noch ein bisserl... So! Ob der Blödist meine Nummer nehmen möcht'?...

»Sie, zweihundertvierundzwanzig! Da hängt er! Na, hab'n Sie keine Augen? Da hängt er! Na, Gott sei Dank!... Also bitte!«..

Der Dicke da verstellt einem schier die ganze Garderobe..
»Bitte sehr!« ...

»Geduld, Geduld!«

Was sagt der Kerl?

»Nur ein bisserl Geduld!«

Dem muß ich doch antworten... »Machen Sie doch Platz!«

»Na, Sie werden's auch nicht versäumen!«

Was sagt er da? Sagt er das zu mir? Das ist doch stark! Das
kann ich mir nicht gefallen lassen! »Ruhig!«

»Was meinen Sie?«

Ah, so ein Ton! Da hört sich doch alles auf!

»Stoßen Sie nicht!«

»Sie, halten Sie das Maul!« Das hätt' ich nicht sagen solln, ich
war zu grob... Na, jetzt ist's schon g'scheh'n!

»Wie meinen?«

Jetzt dreht er sich um... Den kenn' ich ja! – Donnerwetter,
das ist ja der Bäckermeister, der immer ins Kaffeehaus
kommt... Was macht denn der da? Hat sicher auch eine Tochter
oder so was bei der Singakademie... Ja, was ist denn das? Ja, was
macht er denn? Mir scheint gar... ja, meiner Seel', er hat den
Griff von meinem Säbel in der Hand... Ja, ist der Kerl verrückt?... »Sie, Herr...«

»Sie, Herr Leutnant, sein S' jetzt ganz stad.«

Was sagt er da? Um Gottes willen, es hat's doch keiner gehört?
Nein, er red't ganz leise... Ja, warum läßt er denn meinen Säbel
net aus?... Herrgott noch einmal... Ah, da heißt's rabiat
sein... ich bring' seine Hand vom Griff nicht weg... nur keinen
Skandal jetzt!... Ist nicht am End' der Major hinter mir?... Bemerkt's nur niemand, daß er den Griff von meinem Säbel hält?
Er red't ja zu mir! Was red't er denn?

»Herr Leutnant, wenn Sie das geringste Aufsehen machen, so
zieh' ich den Säbel aus der Scheide, zerbrech' ihn und schick' die
Stück' an Ihr Regimentskommando. Versteh'n Sie mich, Sie
dummer Bub?«

Was hat er g'sagt? Mir scheint, ich träum'! Red't er wirklich zu
mir? Ich sollt' was antworten... Aber der Kerl macht ja Ernst –

der zieht wirklich den Säbel heraus. Herrgott – er tut's!... Ich spür's, er reißt schon d'ran! Was red't er denn?... Um Gottes willen, nur kein' Skandal – – Was red't er denn noch immer?

»Aber ich will Ihnen die Karriere nicht verderben... Also, schön brav sein!... So, hab'n S' keine Angst, 's hat niemand was gehört... es ist schon alles gut... so! Und damit keiner glaubt, daß wir uns gestritten haben, werd' ich jetzt sehr freundlich mit Ihnen sein! – Habe die Ehre, Herr Leutnant, hat mich sehr gefreut – habe die Ehre!«

Um Gottes willen, hab' ich geträumt?... Hat er das wirklich gesagt?... Wo ist er denn?... Da geht er... Ich müßt' ja den Säbel ziehen und ihn zusammenhauen – – Um Gottes willen, es hat's doch niemand gehört?... Nein, er hat ja nur ganz leise geredet, mir ins Ohr... Warum geh' ich denn nicht hin und hau' ihm den Schädel auseinander?... Nein, es geht ja nicht, es geht ja nicht... gleich hätt' ich's tun müssen... Warum hab' ich's denn nicht gleich getan?... Ich hab's ja nicht können... er hat ja den Griff nicht auslassen, und er ist zehnmal stärker als ich... Wenn ich noch ein Wort gesagt hätt', hätt' er mir wirklich den Säbel zerbrochen... Ich muß ja noch froh sein, daß er nicht laut geredet hat! Wenn's ein Mensch gehört hätt', so müßt' ich mich ja stante pede erschießen... Vielleicht ist es doch ein Traum gewesen... Warum schaut mich denn der Herr dort an der Säule so an? – Hat der am End' was gehört?... Ich werd' ihn fragen... Fragen? – Ich bin ja verrückt! – Wie schau' ich denn aus? – Merkt man mir was an? – Ich muß ganz blaß sein. – Wo ist der Hund?... Ich muß ihn umbringen!... Fort ist er... Überhaupt schon ganz leer... Wo ist denn mein Mantel?... Ich hab' ihn ja schon angezogen... Ich hab's gar nicht gemerkt... Wer hat mir denn geholfen?... Ah, der da... dem muß ich ein Sechserl geben... So!... Aber was ist denn das? Ist es denn wirklich gescheh'n? Hat wirklich einer so zu mir geredet? Hat mir wirklich einer »dummer Bub« gesagt? Und ich hab' ihn nicht auf der Stelle zusammengehauen?... Aber ich hab' ja nicht können... er hat ja eine Faust gehabt wie Eisen... ich bin ja dagestanden wie angenagelt... Nein, ich muß den Verstand verloren gehabt haben, sonst hätt' ich mit der anderen Hand... Aber da hätt' er ja meinen Säbel herausgezogen und zerbrochen, und aus wär's gewesen – Alles wär' aus gewesen! Und nachher, wie er fortgegangen ist, war's zu spät... ich hab' ihm doch nicht den Säbel von hinten in den Leib rennen können...

Was, ich bin schon auf der Straße? Wie bin ich denn da herausgekommen? – So kühl ist es... ah, der Wind, der ist gut... Wer ist denn das da drüben? Warum schau'n denn die zu mir herüber? Am End' haben die was gehört... Nein, es kann niemand was gehört haben... ich weiß ja, ich hab' mich gleich nachher umgeschaut! Keiner hat sich um mich gekümmert, niemand hat was gehört... Aber gesagt hat er's, wenn's auch niemand gehört hat; gesagt hat er's doch. Und ich bin dagestanden und hab' mir's gefallen lassen, wie wenn mich einer vor den Kopf geschlagen hätt'!... Aber ich hab' ja nichts sagen können, nichts tun können; es war ja noch das einzige, was mir übrig geblieben ist: stad sein, stad sein!... 's ist fürchterlich, es ist nicht zum Aushalten; ich muß ihn totschlagen, wo ich ihn treff'!... Mir sagt das einer! Mir sagt das so ein Kerl, so ein Hund! Und er kennt mich... Herrgott noch einmal, er kennt mich, er weiß, wer ich bin!... Er kann jedem Menschen erzählen, daß er mir das g'sagt hat!... Nein, nein, das wird er ja nicht tun, sonst hätt' er auch nicht so leise geredet... er hat auch nur wollen, daß ich es allein hör'!... Aber wer garantiert mir, daß er's nicht doch erzählt, heut' oder morgen, seiner Frau, seiner Tochter, seinen Bekannten im Kaffeehaus. – – Um Gottes willen, morgen seh' ich ihn ja wieder! Wenn ich morgen ins Kaffeehaus komm', sitzt er wieder dort wie alle Tag' und spielt seinen Tapper mit dem Herrn Schlesinger und mit dem Kunstblumenhändler... Nein, nein, das geht ja nicht, das geht ja nicht... Wenn ich ihn seh', so hau' ich ihn zusammen... Nein, das darf ich ja nicht... gleich hätt' ich's tun müssen, gleich!... Wenn's nur gegangen wär'!... Ich werd' zum Obersten geh'n und ihm die Sache melden... ja, zum Obersten... Der Oberst ist immer sehr freundlich – und ich werd' ihm sagen: Herr Oberst, ich melde gehorsamst, er hat den Griff gehalten, er hat ihn nicht aus'lassen; es war genau so, als wenn ich ohne Waffe gewesen wäre... – Was wird der Oberst sagen? – Was er sagen wird? – Aber da gibt's ja nur eins: quittieren mit Schimpf und Schand' – quittieren!... Sind das Freiwillige da drüben?... Ekelhaft, bei der Nacht schau'n sie aus, wie Offiziere... sie salutieren! – Wenn die wüßten – wenn die wüßten!... – Da ist das Café Hochleitner... Sind jetzt gewiß ein paar Kameraden drin... vielleicht auch einer oder der andere, den ich kenn'... Wenn ich's dem ersten Besten erzählen möcht', aber so, als wär's einem andern passiert?... – Ich bin ja schon ganz irrsinnig... Wo lauf' ich denn da herum? Was tu' ich denn auf der Straße? – Ja, aber wo soll ich denn hin? Hab' ich nicht zum Leidinger wollen? Haha, unter Menschen mich niedersetzen... ich glaub', ein jeder müßt' mir's ansehn... Ja, aber irgendwas muß doch geschehn... Was soll denn geschehn?... Nichts, nichts – es hat ja niemand was gehört... es weiß ja niemand was... in dem Moment weiß niemand was... Wenn ich jetzt zu ihm in die Wohnung ginge und ihn beschwören möchte, daß er's niemandem erzählt?... – Ah, lieber gleich eine Kugel vor den Kopf, als so was!... Wär' so das Gescheiteste!... Das Gescheiteste? Das Gescheiteste? – Gibt ja überhaupt nichts anderes... gibt nichts anderes... Wenn ich den Oberst fragen möcht', oder den Kopetzky – oder den Blany – oder den Friedmaier: – jeder möcht' sagen: Es bleibt dir nichts anderes übrig!... Wie wär's, wenn ich mit dem Kopetzky spräch'?... Ja, es wär' doch das Vernünftigste... schon wegen morgen... Ja, natürlich – wegen morgen... um vier in der Reiterkasern'... ich soll mich ja morgen um vier Uhr schlagen... und ich darf's ja nimmer, ich bin satisfaktionsunfähig... Unsinn! Unsinn! Kein Mensch weiß was, kein Mensch weiß was! – Es laufen viele herum, denen ärgere Sachen passiert sind, als mir... Was hat man nicht alles von dem Deckener erzählt, wie er sich mit dem Rederow geschossen hat... und der Ehrenrat hat entschieden, das Duell darf stattfinden... Aber wie möcht' der Ehrenrat bei mir entscheiden? – Dummer Bub – dummer Bub... und ich bin dagestanden –! Heiliger Himmel, es ist doch ganz egal, ob ein anderer was weiß!... ich weiß es doch, und das ist die Hauptsache! Ich spür', daß ich jetzt wer anderer bin, als vor einer Stunde – Ich weiß, daß ich satisfaktionsunfähig bin, und darum muß ich mich totschießen... Keine ruhige Minute hätt' ich mehr im Leben... immer hätt' ich die Angst, daß es doch einer erfahren könnt', so oder so... und daß mir's einer einmal ins Gesicht sagt, was heut' abend gescheh'n ist! – Was für ein glücklicher Mensch bin ich vor einer Stund' gewesen... Muß mir der Kopetzky die Karte schenken – und die Steffi muß mir absagen, das Mensch! – Von so was hängt man ab... Nachmittag war noch alles gut und schön, und jetzt bin ich ein verlorener Mensch und muß mich totschießen... Warum renn' ich denn so? Es lauft mir ja nichts davon... Wieviel schlagt's denn?... 1, 2, 3, 4, 5, 6, 7, 8, 9, 10, 11... elf, elf... ich sollt' doch nachtmahlen geh'n! Irgendwo muß ich doch schließlich hingeh'n... ich könnt' mich ja in irgendein Beisl setzen, wo mich kein Mensch kennt – schließlich, essen muß der Mensch, auch wenn er sich nachher gleich totschießt... Haha, der Tod ist ja kein Kinderspiel... wer hat das nur neulich gesagt?... Aber das ist ja ganz egal...

Ich möcht' wissen, wer sich am meisten kränken möcht'?... Die Mama, oder die Steffi?... Die Steffi... Gott, die Steffi... die dürft' sich ja nicht einmal was anmerken lassen, sonst gibt »er« ihr den Abschied... Arme Person! – Beim Regiment – kein Mensch hätt' eine Ahnung, warum ich's getan hab'... sie täten sich alle den Kopf zerbrechen... warum hat sich denn der Gustl umgebracht? – Darauf möcht' keiner kommen, daß ich mich hab' totschießen müssen, weil ein elender Bäckermeister, so ein niederträchtiger, der zufällig stärkere Fäust' hat... es ist ja zu dumm, zu dumm! – Deswegen soll ein Kerl wie ich, so ein junger, fescher Mensch... Ja, nachher möchten's gewiß alle sagen: das hätt' er doch nicht tun müssen, wegen so einer Dummheit; ist doch schad'!... Aber wenn ich jetzt wen immer fragen tät', jeder möcht' mir die gleiche Antwort geben... und ich selber, wenn ich mich frag'... das ist doch zum Teufelholen... ganz wehrlos sind wir gegen die Zivilisten... Da meinen die Leut', wir sind besser dran, weil wir einen Säbel haben... und wenn schon einmal einer von der Waffe Gebrauch macht, geht's über uns her, als wenn wir alle die geborenen Mörder wären... In der Zeitung möcht's auch steh'n... »Selbstmord eines jungen Offiziers«... Wie schreiben sie nur immer?... »Die Motive sind in Dunkel gehüllt«... Haha!... »An seinem Sarge trauern...« – Aber es ist ja wahr... mir ist immer, als wenn ich mir eine Geschichte erzählen möcht'... aber es ist wahr... ich muß mich umbringen, es bleibt mir ja nichts anderes übrig – ich kann's ja nicht d'rauf ankommen lassen, daß morgen früh der Kopetzky und der Blany mir ihr Mandat zurückgeben und mir sagen: wir können dir nicht sekundieren!... Ich wär' ja ein Schuft, wenn ich's ihnen zumuten möcht'... So ein Kerl wie ich, der dasteht und sich einen dummen Buben heißen läßt... morgen wissen's ja alle Leut'... das ist zu dumm, daß ich mir einen Moment einbilde, so ein Mensch erzählt's nicht weiter... überall wird er's erzählen... seine Frau weiß's jetzt schon... morgen weiß es das ganze Kaffeehaus... die Kellner werd'n's wissen... der Herr Schlesinger – die Kassierin – – Und selbst, wenn er sich vorgenommen hat, er red't nicht davon, so sagt er's übermorgen... und wenn er's übermorgen nicht sagt, in einer Woche... Und wenn ihn heut' nacht der Schlag trifft, so weiß ich's... ich weiß es... und ich bin nicht der Mensch, der weiter den Rock trägt und den Säbel, wenn ein solcher Schimpf auf ihm sitzt!... So, ich muß es tun, und Schluß! – Was ist weiter dabei? – Morgen nachmittag könnt' mich der Doktor mit 'm Säbel erschlagen... so was ist schon einmal dagewesen... und der Bauer, der arme Kerl, der hat eine Gehirnentzündung 'kriegt und war in drei Tagen hin... und der Brenitsch ist vom Pferd gestürzt und hat sich 's Genick gebrochen... und schließlich und endlich: es gibt nichts anderes – für mich nicht, für mich nicht! – Es gibt ja Leut', die's leichter nähmen... Gott, was gibt's für Menschen!... Dem Ringeimer hat ein Fleischselcher, wie er ihn mit seiner Frau erwischt hat, eine Ohrfeige gegeben, und er hat quittiert und sitzt irgendwo auf'm Land und hat geheiratet... Daß es Weiber gibt, die so einen Menschen heiraten!... – Meiner Seel', ich gäb' ihm nicht die Hand, wenn er wieder nach Wien käm'... Also, hast's gehört, Gustl: – aus, aus, abgeschlossen mit dem

Leben! Punktum und Streusand d'rauf!... So, jetzt weiß ich's, die Geschichte ist ganz einfach... So! Ich bin eigentlich ganz ruhig... Das hab' ich übrigens immer gewußt: wenn's einmal dazu kommt, werd' ich ruhig sein, ganz ruhig... aber daß es so dazu kommt, das hab' ich doch nicht gedacht... daß ich mich umbringen muß, weil so ein... Vielleicht hab' ich ihn doch nicht recht verstanden... am End' hat er ganz was anderes gesagt... Ich war ja ganz blöd von der Singerei und der Hitz'... vielleicht bin ich verrückt gewesen, und es ist alles gar nicht wahr?... Nicht wahr, haha, nicht wahr! – Ich hör's ja noch... es klingt mir noch immer im Ohr... und ich spür's in den Fingern, wie ich seine Hand vom Säbelgriff hab' wegbringen wollen... Ein Kraftmensch ist er, ein Jagendorfer... Ich bin doch auch kein Schwächling... der Franziski ist der einzige im Regiment, der stärker ist als ich...

Die Aspernbrücke... Wie weit renn' ich denn noch? – Wenn ich so weiterrenn', bin ich um Mitternacht in Kagran... Haha! – Herrgott, froh sind wir gewesen, wie wir im vorigen September dort eingerückt sind. Noch zwei Stunden, und Wien... todmüd' war ich, wie wir angekommen sind... den ganzen Nachmittag hab' ich geschlafen wie ein Stock, und am Abend waren wir schon beim Ronacher... der Kopetzky, der Ladinser und... wer war denn nur noch mit uns? – Ja, richtig, der Freiwillige, der uns auf dem Marsch die jüdischen Anekdoten erzählt hat... Manchmal sind's ganz nette Burschen, die Einjährigen... aber sie sollten alle nur Stellvertreter werden – denn was hat das für einen Sinn? Wir müssen uns jahrelang plagen, und so ein Kerl dient ein Jahr und hat genau dieselbe Distinktion wie wir... es ist eine Ungerechtigkeit! – Aber was geht mich denn das alles an? – Was scher' ich mich denn um solche Sachen? – Ein Gemeiner von der Verpflegsbranche ist ja jetzt mehr als ich: ich bin ja überhaupt nicht mehr auf der Welt... es ist ja aus mit mir... Ehre verloren, alles verloren!... Ich hab' ja nichts anderes zu tun, als meinen Revolver zu laden und... Gustl, Gustl, mir scheint, du glaubst noch immer nicht recht d'ran? Komm' nur zur Besinnung... es gibt nichts anderes... wenn du auch dein Gehirn zermarterst, es gibt nichts anderes! – Jetzt heißt's nur mehr, im letzten Moment sich anständig benehmen, ein Mann sein, ein Offizier sein, so daß der Oberst sagt: Er ist ein braver Kerl gewesen, wir werden ihm ein treues Angedenken bewahren!... Wieviel Kompagnien rücken denn aus beim Leichenbegängnis von einem Leutnant?... Das müßt' ich eigentlich wissen... Haha! Wenn das ganze Bataillon ausrückt, oder die ganze Garnison, und sie feuern zwanzig Salven ab, davon wach' ich doch nimmer auf! – Vor dem Kaffeehaus, da bin ich im vorigen Sommer einmal mit dem Herrn von Engel gesessen, nach der Armee-Steeple-Chase... Komisch, den Menschen hab' ich seitdem nie wieder geseh'n... Warum hat er denn das linke Aug' verbunden gehabt? Ich hab' ihn immer d'rum fragen wollen, aber es hätt' sich nicht gehört... Da geh'n zwei Artilleristen... die denken gewiß, ich steig' der Person nach... Muß sie mir übrigens anseh'n... O schrecklich! – Ich möcht' nur wissen, wie sich so eine ihr Brot verdient... da möcht' ich doch eher... Obzwar, in der Not frißt der Teufel Fliegen... in Przemysl – mir hat's nachher so gegraust, daß ich gemeint hab', nie wieder rühr' ich ein Frauenzimmer an... Das war eine gräßliche Zeit da oben in Galizien... eigentlich ein Mordsglück, daß wir nach Wien gekommen sind. Der Bokorny sitzt noch immer in Sambor und kann noch zehn Jahr' dort sitzen und alt und grau werden.. Aber wenn ich dort geblieben wär', wär' mir das nicht passiert, was mir heut' passiert ist... und ich möcht' lieber in Galizien alt und grau werden, als daß... als was? Als was? – Ja, was ist denn? Was ist denn? – Bin ich denn wahnsinnig, daß ich das immer vergeß'? – Ja, meiner Seel', vergessen tu' ich's jeden Moment... ist das schon je erhört worden, daß sich einer in ein paar Stunden eine Kugel durch'n Kopf jagen muß, und er denkt an alle möglichen Sachen, die ihn gar nichts mehr angeh'n? Meiner Seel', mir ist geradeso, als wenn ich einen Rausch hätt'! Haha! Ein schöner Rausch! Ein Mordsrausch! Ein Selbstmordsrausch! – Ha! Witze mach' ich, das ist sehr gut! – Ja, ganz gut aufgelegt bin ich – so was muß doch angeboren sein... Wahrhaftig, wenn ich's einem erzählen möcht', er würd' es nicht glauben. – Mir scheint, wenn ich das Ding bei mir hätt'... jetzt würd' ich abdrücken – in einer Sekunde ist alles vorbei... Nicht jeder hat's so gut – andere müssen sich monatelang plagen... meine arme Cousin', zwei Jahr' ist sie gelegen, hat sich nicht rühren können, hat die gräßlichsten Schmerzen g'habt – so ein Jammer!... Ist es nicht besser, wenn man das selber besorgt? Nur Obacht geben heißt's, gut zielen, daß einem nicht am End' das Malheur passiert, wie dem Kadett-Stellvertreter im vorigen Jahr... Der arme Teufel, gestorben ist er nicht, aber blind ist er geworden... Was mit dem nur geschehen ist? Wo er jetzt lebt? – Schrecklich, so herumlaufen, wie der – das heißt: herumlaufen kann er nicht, g'führt muß er werden – so ein junger Mensch, kann heut' noch keine Zwanzig sein.. seine Geliebte hat er besser getroffen... gleich war sie tot... Unglaublich, weswegen sich die Leut' totschießen! Wie kann man überhaupt nur eifersüchtig sein?... Mein Lebtag hab' ich so was nicht gekannt... Die Steffi ist jetzt gemütlich in der Gartenbaugesellschaft; dann geht sie mit »ihm« nach Haus... Nichts liegt mir d'ran, gar nichts! Hübsche Einrichtung hat sie – das kleine Badezimmer mit der roten Latern'. – Wie sie neulich in dem grünseidenen Schlafrock hereingekommen ist... den grünen Schlafrock werd' ich auch nimmer seh'n – und die ganze Steffi auch nicht... und die schöne, breite Treppe in der Gußhausstraße werd' ich auch nimmer hinaufgeh'n... Das Fräulein Steffi wird sich weiter amüsieren, als wenn gar nichts gescheh'n wär'... nicht einmal erzählen darf sie's wem, daß ihr lieber Gustl sich umgebracht hat... Aber weinen wirds' schon – ah ja, weinen wirds'... Überhaupt, weinen werden gar viele Leut'... Um Gottes willen, die Mama! – Nein, nein, daran darf ich nicht denken. – Ah, nein, daran darf absolut nicht gedacht werden... An Zuhaus wird nicht gedacht, Gustl, verstanden? – Nicht mit dem allerleisesten Gedanken...

Das ist nicht schlecht, jetzt bin ich gar im Prater... mitten in der Nacht... das hätt' ich mir auch nicht gedacht in der Früh', daß ich heut' nacht im Prater spazieren geh'n werd'... Was sich der Sicherheitswachmann dort denkt?... Na, geh'n wir nur weiter... es ist ganz schön... Mit'm Nachtmahlen ist's eh' nichts, mit dem Kaffeehaus auch nichts; die Luft ist angenehm, und ruhig ist es.. sehr.. Zwar, ruhig werd' ich's jetzt bald haben, so ruhig, als ich's mir nur wünschen kann. Haha! – Aber ich bin ja ganz außer Atem... ich bin ja gerannt wie nicht g'scheit... langsamer, langsamer, Gustl, versäumst nichts, hast gar nichts mehr zu tun – gar nichts, aber absolut nichts mehr! – Mir scheint gar, ich fröstel'? – Es wird halt doch die Aufregung sein... dann hab' ich ja nichts gegessen... Was riecht denn da so eigentümlich?... Es kann doch noch nichts blühen?... Was haben wir denn heut'? – Den vierten April... freilich, es hat viel geregnet in den letzten Tagen... aber die Bäume sind beinah' noch ganz kahl... und dunkel ist es, hu! Man könnt' schier Angst kriegen... Das ist eigentlich das einzigemal in meinem Leben, daß ich Furcht gehabt hab', als kleiner Bub, damals im Wald... aber ich war ja gar nicht so klein... vierzehn oder fünfzehn... Wie lang' ist das jetzt her? – Neun Jahr'... freilich – mit achtzehn war ich Stellvertreter, mit zwanzig Leutnant... und im nächsten Jahr werd' ich... Was werd' ich im nächsten Jahr? Was heißt das überhaupt: nächstes Jahr? Was heißt das: in der nächsten Woche? Was heißt das: übermorgen?... Wie? Zähneklappern? Oho! – Na, lassen wir's nur ein biss'l klappern... Herr Leutnant, Sie sind jetzt allein, brauchen niemandem einen Pflanz vorzumachen... es ist bitter, es ist bitter...

Ich will mich auf die Bank setzen... Ah! – Wie weit bin ich denn da? – So eine Dunkelheit! Das da hinter mir, das muß das zweite Kaffeehaus sein.. bin ich im vorigen Sommer auch einmal gewesen, wie unsere Kapelle konzertiert hat... mit'm Kopetzky und mit'm Rüttner – noch ein paar waren dabei.. – Ich bin aber müd'... nein, ich bin müd', als wenn ich einen Marsch von zehn Stunden gemacht hätt'... Ja, das wär' sowas, da einschlafen. – Ha! Ein obdachloser Leutnant.. Ja, ich sollt' doch eigentlich nach Haus... was tu' ich denn zu Haus? Aber was tu' ich denn im Prater? – Ah, mir wär' am liebsten, ich müßt' gar nicht aufsteh'n – da einschlafen und nimmer aufwachen... ja, das wär' halt bequem! – Nein, so bequem wird's Ihnen nicht gemacht, Herr Leutnant.. Aber wie und wann? – Jetzt könnt' ich mir doch endlich einmal die Geschichte ordentlich überlegen... überlegt muß ja alles werden... so ist es schon einmal im Leben... Also überlegen wir... Was denn?... – Nein, ist die Luft gut... man sollt' öfters bei der Nacht in' Prater geh'n... Ja, das hätt' mir eben früher einfallen müssen, jetzt ist's aus mit'm Prater, mit der Luft und mit'm Spazierengeh'n... Ja, also was ist denn? – Ah, fort mit dem Kappl; mir scheint, das drückt mir aufs Gehirn... ich kann ja gar nicht ordentlich denken... Ah... so!... Also jetzt Verstand zusammennehmen, Gustl... letzte Verfügungen treffen! Also morgen früh wird Schluß gemacht... morgen früh um sieben Uhr... sieben Uhr ist eine schöne Stund'. Haha! – Also um acht, wenn die Schul' anfangt, ist alles vorbei... der Kopetzky wird aber keine Schul' halten können, weil er zu sehr erschüttert sein wird.. Aber vielleicht weiß er's noch gar nicht... man braucht ja nichts zu hören... Den Max Lippay haben sie auch erst am Nachmittag gefunden, und in der Früh' hat er sich erschossen, und kein Mensch hat was davon gehört... Aber was geht mich das an, ob der Kopetzky Schul' halten wird oder nicht?... Ha! – Also um sieben Uhr! – Ja... na, was denn noch?... Weiter ist ja nichts zu überlegen. Im Zimmer schieß' ich mich tot, und dann is basta! Montag ist die Leich'... Einen kenn' ich, der wird eine Freud' haben: das ist der Doktor... Duell kann nicht stattfinden wegen Selbstmord des einen Kombattanten... Was sie bei Mannheimers sagen werden? – Na, er wird sich nicht viel d'raus machen... aber die Frau, die hübsche, blonde... mit der war was zu machen... O ja, mir scheint, bei der hätt' ich Chance gehabt, wenn ich mich nur ein bissl zusammengenommen hätt'... ja, das wär' doch was anders gewesen, als die Steffi, dieses Mensch... Aber faul darf man halt nicht sein... da heißt's: Cour machen, Blumen schicken, vernünftig reden... das geht nicht so, daß man sagt: Komm' morgen nachmittag zu mir in die Kasern'!... Ja, so eine anständige Frau, das wär' halt was g'wesen... Die Frau von meinem Hauptmann in Przemysl, das war ja doch keine anständige Frau... ich könnt' schwören: der Libitzky und der Wermutek und der schäbige Stellvertreter, der hat sie auch g'habt...

Aber die Frau Mannheimer... ja, das wär' was anders, das wär'
doch auch ein Umgang gewesen, das hätt' einen beinah' zu
einem andern Menschen gemacht – da hätt' man doch noch
einen andern Schliff gekriegt – da hätt' man einen Respekt vor
sich selber haben dürfen. – – Aber ewig diese Menscher... und
so jung hab' ich ang'fangen – ein Bub war ich ja noch, wie ich
damals den ersten Urlaub gehabt hab' und in Graz bei den Eltern
zu Haus war... der Riedl war auch dabei – eine Böhmin ist es
gewesen... die muß doppelt so alt gewesen sein wie ich – in der
Früh bin ich erst nach Haus gekommen... Wie mich der Vater
ang'schaut hat... und die Klara... Vor der Klara hab' ich mich
am meisten g'schämt... Damals war sie verlobt... warum ist
denn nichts d'raus geworden? Ich hab' mich eigentlich nicht viel
d'rum gekümmert... Armes Hascherl, hat auch nie Glück gehabt – und jetzt verliert sie noch den einzigen Bruder... Ja, wirst
mich nimmer seh'n, Klara – aus! Was, das hast du dir nicht gedacht, Schwesterl, wie du mich am Neujahrstag zur Bahn begleitet hast, daß du mich nie wieder seh'n wirst? – Und die
Mama... Herrgott, die Mama... nein, ich darf daran nicht denken... wenn ich daran denk', bin ich imstand', eine Gemeinheit
zu begehen... Ah... wenn ich zuerst noch nach Haus fahren
möcht'... sagen, es ist ein Urlaub auf einen Tag... noch einmal
den Papa, die Mama, die Klara seh'n, bevor ich einen Schluß
mach'... Ja, mit dem ersten Zug um sieben kann ich nach Graz
fahren, um eins bin ich dort... Grüß dich Gott, Mama... Servus, Klara! Na, wie geht's euch denn?... Nein, das ist eine
Überraschung!... Aber sie möchten was merken... wenn niemand anders... die Klara... die Klara gewiß... Die Klara ist ein
so gescheites Mädel... Wie lieb sie mir neulich geschrieben hat,
und ich bin ihr noch immer die Antwort schuldig – und die guten Ratschläge, die sie mir immer gibt... ein so seelengutes Geschöpf... Ob nicht alles ganz anders geworden wär', wenn ich
zu Haus geblieben wär'? Ich hätt' Ökonomie studiert, wär' zum
Onkel gegangen... sie haben's ja alle wollen, wie ich noch ein
Bub war... Jetzt wär' ich am End' schon verheiratet, ein liebes,
gutes Mädel... vielleicht die Anna, die hat mich so gern ge-

habt... auch jetzt hab' ich's noch gemerkt, wie ich das letztemal zu Haus war, obzwar sie schon einen Mann hat und zwei Kinder... ich hab's g'sehn', wie sie mich ang'schaut hat... Und noch immer sagt sie mir »Gustl« wie früher... Der wird's ordentlich in die Glieder fahren, wenn sie erfährt, was es mit mir für ein End' genommen hat – aber ihr Mann wird sagen: Das hab' ich vorausgesehen – so ein Lump! – Alle werden meinen, es ist, weil ich Schulden gehabt hab'... und es ist doch gar nicht wahr, es ist doch alles gezahlt... nur die letzten hundertsechzig Gulden – na, und die sind morgen da... Ja, dafür muß ich auch noch sorgen, daß der Ballert die hundertsechzig Gulden kriegt... das muß ich niederschreiben, bevor ich mich erschieß'... Es ist schrecklich, es ist schrecklich!... Wenn ich lieber auf und davon fahren möcht' – nach Amerika, wo mich niemand kennt... In Amerika weiß kein Mensch davon, was hier heut' abend gescheh'n ist... da kümmert sich kein Mensch d'rum... Neulich ist in der Zeitung gestanden von einem Grafen Runge, der hat fortmüssen wegen einer schmutzigen Geschichte, und jetzt hat er drüben ein Hotel und pfeift auf den ganzen Schwindel... Und in ein paar Jahren könnt' man ja wieder zurück... nicht nach Wien natürlich... auch nicht nach Graz... aber aufs Gut könnt' ich... und der Mama und dem Papa und der Klara möcht's doch tausendmal lieber sein, wenn ich nur lebendig blieb'... Und was geh'n mich denn die andern Leut' an? Wer meint's denn sonst gut mit mir? – Außer'm Kopetzky könnt' ich allen gestohlen werden... der Kopetzky ist doch der einzige... Und grad der hat mir heut' das Billett geben müssen... und das Billett ist an allem schuld... ohne das Billett wär' ich nicht ins Konzert gegangen, und alles das wär' nicht passiert... Was ist denn nur passiert?... Es ist grad, als wenn hundert Jahr' seitdem vergangen wären, und es kann noch keine zwei Stunden sein... Vor zwei Stunden hat mir einer »dummer Bub« gesagt und hat meinen Säbel zerbrechen wollen... Herrgott, ich fang' noch zu schreien an mitten in der Nacht! Warum ist denn das alles gescheh'n? Hätt' ich nicht länger warten können, bis's ganz leer wird in der Garderobe? Und warum hab' ich ihm denn nur gesagt: »Halten Sie's Maul!«? Wie ist mir denn das nur ausgerutscht? Ich bin doch sonst ein höflicher Mensch.. nicht einmal mit meinem Burschen bin ich sonst so grob... aber natürlich, nervos bin ich gewesen – alle die Sachen, die da zusammengekommen sind... das Pech im Spiel und die ewige Absagerei von der Steffi – und das Duell morgen nachmittag – und zu wenig schlafen tu' ich in der letzten Zeit – und die Rackerei in der Kasern' – das halt't man auf die Dauer nicht aus!... Ja, über kurz oder lang wär' ich krank geworden – hätt' um einen Urlaub einkommen müssen... Jetzt ist es nicht mehr notwendig – jetzt kommt ein langer Urlaub – mit Karenz der Gebühren – haha!...

Wie lang werd' ich denn da noch sitzen bleiben? Es muß Mitternacht vorbei sein... hab' ich's nicht früher schlagen hören? – Was ist denn das... ein Wagen fährt da? Um die Zeit? Gummiradler – kann mir schon denken... Die haben's besser wie ich – vielleicht ist es der Ballert mit der Bertha... Warum soll's grad der Ballert sein? – Fahr' nur zu! – Ein hübsches Zeug'l hat Seine Hoheit in Pzremysl gehabt... mit dem ist er immer in die Stadt hinunterg'fahren zu der Rosenberg... Sehr leutselig war Seine Hoheit – ein echter Kamerad, mit allen auf du und du.. War doch eine schöne Zeit.. obzwar.. die Gegend war trostlos und im Sommer zum Verschmachten... an einem Nachmittag sind einmal drei vom Sonnenstich getroffen worden... auch der Korporal von meinem Zug – ein so verwendbarer Mensch... Nachmittag haben wir uns nackt aufs Bett hingelegt. – Einmal ist plötzlich der Wiesner zu mir hereingekommen; ich muß grad geträumt haben und steh' auf und zieh' den Säbel, der neben mir liegt... muß gut ausg'schaut haben... der Wiesner hat sich halbtot gelacht – der ist jetzt schon Rittmeister... – Schad', daß ich nicht zur Kavallerie gegangen bin... aber das hat der Alte nicht wollen – wär' ein zu teurer Spaß gewesen – jetzt ist es ja doch alles eins... Warum denn? – Ja, ich ich weiß schon: sterben muß ich, darum ist es alles eins – sterben muß ich... Also wie? – Schau, Gustl, du bist doch extra da herunter in den Prater gegangen, mitten in der Nacht, wo dich keine Menschenseele stört –

jetzt kannst du dir alles ruhig überlegen... Das ist ja lauter Unsinn mit Amerika und quittieren, und du bist ja viel zu dumm, um was anderes anzufangen – und wenn du hundert Jahr' alt wirst, und du denkst d'ran, daß dir einer hat den Säbel zerbrechen wollen und dich einen dummen Buben g'heißen, und du bist dag'standen und hast nichts tun können – nein, zu überlegen ist da gar nichts – gescheh'n ist gescheh'n – auch das mit der Mama und mit der Klara ist ein Unsinn – die werden's schon verschmerzen – man verschmerzt alles... Wie hat die Mama gejammert, wie ihr Bruder gestorben ist – und nach vier Wochen hat sie kaum mehr d'ran gedacht... auf den Friedhof ist sie hinausgefahren... zuerst alle Wochen, dann alle Monat' – und jetzt nur mehr am Todestag. – – Morgen ist mein Todestag – fünfter April. – – Ob sie mich nach Graz überführen? Haha! Da werden die Würmer in Graz eine Freud' haben! – Aber das geht mich nichts an – darüber sollen sich die andern den Kopf zerbrechen... Also, was geht mich denn eigentlich an?... Ja, die hundertsechzig Gulden für den Ballert – das ist alles – weiter brauch' ich keine Verfügungen zu treffen. – Briefe schreiben? Wozu denn? An wen denn?... Abschied nehmen? – Ja, zum Teufel hinein, das ist doch deutlich genug, wenn man sich totschießt! – Dann merken's die andern schon, daß man Abschied genommen hat... Wenn die Leut' wüßten, wie egal mir die ganze Geschichte ist, möchten sie mich gar nicht bedauern – ist eh' nicht schad' um mich... Und was hab' ich denn vom ganzen Leben gehabt? – Etwas hätt' ich gern noch mitgemacht: einen Krieg – aber da hätt' ich lang' warten können... Und alles übrige kenn' ich... Ob so ein Mensch Steffi oder Kunigunde heißt, bleibt sich gleich. – – Und die schönsten Operetten kenn' ich auch – und im ›Lohengrin‹ bin ich zwölfmal d'rin gewesen – und heut' abend war ich sogar bei einem Oratorium – und ein Bäckermeister hat mich einen dummen Buben geheißen – meiner Seel', es ist grad' genug! – Und ich bin gar nimmer neugierig... – Also geh'n wir nach Haus, langsam, ganz langsam... Eile hab' ich ja wirklich keine. – Noch ein paar Minuten ausruhen da im Prater, auf einer Bank – obdachlos. – Ins Bett leg' ich mich ja doch nimmer – hab'

ja genug Zeit zum Ausschlafen. – – Ah, die Luft! – Die wird mir
abgeh'n...

Was ist denn? – He, Johann, bringen S' mir ein Glas frisches
Wasser... Was ist?... Wo... Ja, träum' ich denn?... Mein Schädel... o, Donnerwetter... Fischamend... Ich bring' die Augen
nicht auf! – Ich bin ja angezogen! – Wo sitz' ich denn? – Heiliger
Himmel, eingeschlafen bin ich! Wie hab' ich denn nur schlafen
können; es dämmert ja schon! – Wie lang' hab' ich denn geschlafen? – Muß auf die Uhr schau'n... Ich seh' nichts?... Wo sind
denn meine Zündhölzeln?... Na, brennt eins an?... Drei...
und ich soll mich um vier duellieren – nein, nicht duellieren –
totschießen soll ich mich! – Es ist gar nichts mit dem Duell; ich
muß mich totschießen, weil ein Bäckermeister mich einen dummen Buben genannt hat... Ja, ist es denn wirklich g'scheh'n? –
Mir ist im Kopf so merkwürdig... wie in einem Schraubstock
ist mein Hals – ich kann mich gar nicht rühren – das rechte Bein
ist eingeschlafen. – Aufsteh'n! Aufsteh'n!... Ah, so ist es besser!
– Es wird schon lichter... Und die Luft... ganz wie damals in
der Früh', wie ich auf Vorposten war und im Wald kampiert
hab'... Das war ein anderes Aufwachen – da war ein anderer
Tag vor mir.. Mir scheint, ich glaub's noch nicht recht. – Da
liegt die Straße, grau, leer – ich bin jetzt sicher der einzige
Mensch im Prater. – Um vier Uhr früh war ich schon einmal
herunten, mit'm Pausinger – geritten sind wir – ich auf dem
Pferd vom Hauptmann Mirovic und der Pausinger auf seinem
eigenen Krampen – das war im Mai, im vorigen Jahr – da hat
schon alles geblüht – alles war grün. Jetzt ist's noch kahl – aber
der Frühling kommt bald – in ein paar Tagen ist er schon da. –
Maiglöckerln, Veigerln – schad', daß ich nichts mehr davon haben werd' – jeder Schubiak hat was davon, und ich muß sterben!
Es ist ein Elend! Und die andern werden im Weingartl sitzen
beim Nachtmahl, als wenn gar nichts g'wesen wär' – so wie wir
alle im Weingartl g'sessen sind, noch am Abend nach dem Tag,
wo sie den Lippay hinausgetragen haben... Und der Lippay war
so beliebt... sie haben ihn lieber g'habt, als mich, beim Regi-

ment – warum sollen sie denn nicht im Weingartl sitzen, wenn ich abkratz'? – Ganz warm ist es – viel wärmer als gestern – und so ein Duft – es muß doch schon blühen... Ob die Steffi mir Blumen bringen wird? – Aber fallt ihr ja gar nicht ein! Die wird grad hinausfahren... Ja, wenn's noch die Adel' wär'.. Nein, die Adel'! Mir scheint, seit zwei Jahren hab' ich an die nicht mehr gedacht... Was die für G'schichten gemacht hat, wie's aus war... mein Lebtag hab' ich kein Frauenzimmer so weinen geseh'n... Das war doch eigentlich das Hübscheste, was ich erlebt hab'... So bescheiden, so anspruchslos, wie die war – die hat mich gern gehabt, da könn' ich d'rauf schwören. – War doch was ganz anderes, als die Steffi... Ich möcht' nur wissen, warum ich die aufgegeben hab'... so eine Eselei! Zu fad ist es mir geworden, ja, das war das Ganze... So jeden Abend mit ein und derselben ausgeh'n... Dann hab' ich eine Angst g'habt, daß ich überhaupt nimmer loskomm' – eine solche Raunzen – – Na, Gustl, hätt'st schon noch warten können – war doch die einzige, die dich gern gehabt hat... Was sie jetzt macht? Na, was wird's machen? – Jetzt wird's halt einen andern haben... Freilich, das mit der Steffi ist bequemer – wenn man nur gelegentlich engagiert ist und ein anderer hat die ganzen Unannehmlichkeiten, und ich hab' nur das Vergnügen... Ja, da kann man auch nicht verlangen, daß sie auf den Friedhof hinauskommt.. Wer ging' denn überhaupt mit, wenn er nicht müßt'! – Vielleicht der Kopetzky, und dann wär' Rest! – Ist doch traurig, so gar niemanden zu haben...

Aber so ein Unsinn! Der Papa und die Mama und die Klara... Ja, ich bin halt der Sohn, der Bruder... aber was ist denn weiter zwischen uns? Gern haben sie mich ja – aber was wissen sie denn von mir? – Daß ich meinen Dienst mach', daß ich Karten spiel' und daß ich mit Menschern herumlauf'... aber sonst? – Daß mich manchmal selber vor mir graust, das hab' ich ihnen ja doch nicht geschrieben – na, mir scheint, ich hab's auch selber gar nicht recht gewußt. – Ah was, kommst du jetzt mit solchen Sachen, Gustl? Fehlt nur noch, daß zu zum Weinen anfangst... pfui Teufel! – Ordentlich Schritt... so! Ob man zu einem

Rendezvous geht oder auf Posten oder in die Schlacht... wer hat das nur gesagt?... Ah ja, der Major Lederer, in der Kantin', wie man von dem Wingleder erzählt hat, der so blaß geworden ist vor seinem ersten Duell – und gespieben hat... Ja: ob man zu einem Rendezvous geht oder in den sicher'n Tod, am Gang und am G'sicht läßt sich das der richtige Offizier nicht anerkennen! – Also Gustl – der Major Lederer hat's g'sagt! Ha! –

Immer lichter... man könnt' schon lesen.... Was pfeift denn da?.... Ah, drüben ist der Nordbahnhof.... Die Tegetthoff-säule... so lang' hat sie noch nie ausg'schaut... Da drüben stehen Wagen... Aber nichts als Straßenkehrer auf der Straße... meine letzten Straßenkehrer – ha! Ich muß immer lachen, wenn ich d'ran denk'... das versteh' ich gar nicht... Ob das bei allen Leuten so ist, wenn sie's einmal ganz sicher wissen? Halb vier auf der Nordbahnuhr... jetzt ist nur die Frage, ob ich mich um sieben nach Bahnzeit oder nach Wiener Zeit erschieß?... Sieben... ja, warum grad' sieben?... Als wenn's gar nicht anders sein könnt'... Hunger hab' ich – meiner Seel', ich hab' Hunger – kein Wunder... seit wann hab' ich denn nichts gegessen?... Seit – seit gestern sechs Uhr abends im Kaffeehaus... ja! Wie mir der Kopetzky das Billett gegeben hat – eine Melange und zwei Kipfel. – Was der Bäckermeister sagen wird, wenn er's erfahrt?... Der verfluchte Hund! – Ah, der wird wissen, warum – dem wird der Knopf aufgeh'n – der wird draufkommen, was es heißt: Offizier! – So ein Kerl kann sich auf offener Straße prügeln lassen, und es hat keine Folgen, und unsereiner wird unter vier Augen insultiert und ist ein toter Mann... Wenn sich so ein Fallot wenigstens schlagen möcht' – aber nein, da wär' er ja vorsichtiger, da möcht' er sowas nicht riskieren... Und der Kerl lebt weiter, ruhig weiter, während ich – krepieren muß! – Der hat mich doch umgebracht... Ja, Gustl, merkst d' was? – Der ist es, der dich umbringt! Aber so glatt soll's ihm doch nicht ausgeh'n! – Nein, nein, nein! Ich werd' dem Kopetzky einen Brief schreiben, wo alles drinsteht, die ganze G'schicht' schreib' ich auf... oder noch besser: ich schreib's dem Obersten, ich mach' eine Meldung ans Regimentskommando... ganz wie eine dienstliche Meldung...

Ja, wart', du glaubst, daß sowas geheim bleiben kann? – Du irrst dich – aufgeschrieben wird's zum ewigen Gedächtnis, und dann möcht' ich sehen, ob du dich noch ins Kaffeehaus traust! – Ha! – »Das möcht' ich sehen« ist gut!... Ich möcht' noch manches gern seh'n, wird nur leider nicht möglich sein – aus is! –

Jetzt kommt der Johann in mein Zimmer, jetzt merkt er, daß der Herr Leutnant nicht zu Haus geschlafen hat. – Na, alles mögliche wird er sich denken; aber daß der Herr Leutnant im Prater übernachtet hat, das, meiner Seel', das nicht... Ah, die Vierundvierziger! Zur Schießstätte marschieren s' – lassen wir sie vorübergeh'n... so stellen wir uns da her... – Da oben wird ein Fenster aufgemacht – hübsche Person – na, ich möcht' mir wenigstens ein Tüchel umnehmen, wenn ich zum Fenster geh'... Vorigen Sonntag war's zum letztenmal... Daß grad' die Steffi die letzte sein wird, hab' ich mir nicht träumen lassen. – Ach Gott, das ist doch das einzige reelle Vergnügen... Na ja, der Herr Oberst wird in zwei Stunden nobel nachreiten... die Herren haben's gut – ja, ja, rechts g'schaut! – Ist schon gut... Wenn ihr wüßtet, wie ich auf euch pfeif'! – Ah, das ist nicht schlecht: der Katzer... seit wann ist denn der zu den Vierundvierzigern übersetzt? – Servus, servus! – Was der für ein G'sicht macht?... Warum deut' er denn auf seinen Kopf? – Mein Lieber, dein Schädel interessiert mich sehr wenig... Ah, so! Nein, mein Lieber, du irrst dich: im Prater hab' ich übernachtet... wirst schon heut' im Abendblatt lesen. – »Nicht möglich!« wird er sagen; »heut' früh, wie wir zur Schießstätte ausgerückt sind, hab' ich ihn noch auf der Praterstraße getroffen!« – Wer wird denn meinen Zug kriegen? – Ob sie ihn dem Walterer geben werden? – Na, da wird was Schönes herauskommen – ein Kerl ohne Schneid, der hätt' auch lieber Schuster werden sollen... Was, geht schon die Sonne auf? – Das wird heut' ein schöner Tag – so ein rechter Frühlingstag... Ist doch eigentlich zum Teufelholen! – Der Komfortabelkutscher wird noch um achte in der Früh' auf der Welt sein, und ich... na, was ist denn das? He, das wär' sowas – noch im letzten Moment die Contenance verlieren wegen einem Komfortabelkutscher... Was ist denn das, daß ich auf einmal so

– 34 –

ein blödes Herzklopfen krieg'? – Das wird doch nicht deswegen sein.. Nein, o nein... es ist, weil ich so lang' nichts gegessen hab'. – – Aber Gustl, sei doch aufrichtig mit dir selber: – Angst hast du – Angst, weil du's noch nie probiert hast... Aber das hilft dir ja nichts, die Angst hat noch keinem was geholfen, jeder muß es einmal durchmachen, der eine früher, der andere später, und du kommst halt früher d'ran... Viel wert bist du ja nie gewesen, so benimm dich wenigstens anständig zu guter Letzt, das verlang' ich von dir! – So, jetzt heißt's nur überlegen – aber was denn?... Immer will ich mir was überlegen... ist doch ganz einfach: – im Nachtkastelladel liegt er, geladen ist er auch, heißt's nur: losdrucken – das wird doch keine Kunst sein! – –

Die geht schon ins G'schäft... die armen Mädeln! Die Adel' war auch in einem G'schäft – ein paarmal hab' ich sie am Abend abg'holt... Wenn sie in einem G'schäft sind, werd'n sie doch keine solchen Menscher... Wenn die Steffi mir allein g'hören möcht', ich ließ sie Modistin werden oder sowas... Wie wird sie's denn erfahren? – Aus der Zeitung!... Sie wird sich ärgern, daß ich ihr's nicht geschrieben hab'... Mir scheint, ich schnapp' doch noch über... Was geht denn das mich an, ob sie sich ärgert... Wie lang' hat denn die ganze G'schicht gedauert?... Seit'm Jänner?... Ah nein, es muß doch schon vor Weihnachten gewesen sein... ich hab' ihr ja aus Graz Zuckerln mitgebracht, und zu Neujahr hat sie mir ein Brieferl g'schickt... Richtig, die Briefe, die ich zu Haus hab', – sind keine da, die ich verbrennen sollt'?... Hm, der vom Fallsteiner – wenn man den Brief findet... der Bursch könnt' Unannehmlichkeiten haben... Was mir das schon aufliegt! – Na, es ist ja keine große Anstrengung... aber hervorsuchen kann ich den Wisch nicht... Das beste ist, ich verbrenn' alles zusammen... wer braucht's denn? Ist lauter Makulatur. – – Und meine paar Bücher könnt' ich dem Blany vermachen. – ›Durch Nacht und Eis‹... schad', daß ich's nimmer auslesen kann... bin wenig zum Lesen gekommen in der letzten Zeit... Orgel – ah, aus der Kirche... Frühmesse – bin schon lang' bei keiner gewesen... das letztemal im Feber, wie mein Zug dazu kommandiert war... Aber das galt nichts –

ich hab' auf meine Leut' aufgepaßt, ob sie andächtig sind und sich ordentlich benehmen... – Möcht' in die Kirche hineingeh'n... am End' ist doch was d'ran... – Na, heut' nach Tisch werd' ich's schon genau wissen... Ah, »nach Tisch« ist sehr gut!... Also, was ist, soll ich hineingeh'n? – Ich glaub', der Mama wär's ein Trost, wenn sie das wüßt'!... Die Klara gibt weniger d'rauf... Na, geh'n wir hinein – schaden kann's ja nicht!

Orgel – Gesang – hm! – Was ist denn das? – Mir ist ganz schwindlig... O Gott, o Gott, o Gott! Ich möcht' einen Menschen haben, mit dem ich ein Wort reden könnt' vorher! – Das wär' so was – zur Beicht' geh'n! Der möcht' Augen machen, der Pfaff', wenn ich zum Schluß sagen möcht': Habe die Ehre, Hochwürden; jetzt geh' ich mich umbringen!... – Am liebsten läg' ich da auf dem Steinboden und tät' heulen... Ah nein, das darf man nicht tun! Aber weinen tut manchmal so gut... Setzen wir uns einen Moment – aber nicht wieder einschlafen wie im Prater!... – Die Leut', die eine Religion haben, sind doch besser d'ran... Na, jetzt fangen mir gar die Händ' zu zittern an!... Wenn's so weitergeht, werd' ich mir selber auf die Letzt' so ekelhaft, daß ich mich vor lauter Schand' umbring'! – Das alte Weib da – um was betet denn die noch?... Wär' eine Idee, wenn ich ihr sagen möcht': Sie, schließen Sie mich auch ein... ich hab' das nicht ordentlich gelernt, wie man das macht... Ha! Mir scheint, das Sterben macht blöd'! – Aufsteh'n! – Woran erinnert mich denn nur die Melodie? – Heiliger Himmel! Gestern abend! – Fort, fort! Das halt' ich gar nicht aus!... Pst! Keinen solchen Lärm, nicht mit dem Säbel scheppern – die Leut' nicht in der Andacht stören – so! – doch besser im Freien... Licht... Ah, es kommt immer näher – wenn es lieber schon vorbei wär'! – Ich hätt's gleich tun sollen – im Prater... man sollt' nie ohne Revolver ausgeh'n... Hätt' ich gestern abend einen gehabt... Herrgott noch einmal! – In das Kaffeehaus könnt' ich geh'n frühstükken... Hunger hab' ich... Früher ist's mir immer sonderbar vorgekommen, daß die Leut', die verurteilt sind, in der Früh' noch ihren Kaffee trinken und ihr Zigarrl rauchen... Donnerwetter, geraucht hab' ich gar nicht! Gar keine Lust zum Rauchen! – Es ist komisch: ich hätt' Lust, in mein Kaffeehaus zu geh'n... Ja, aufgesperrt ist schon, und von uns ist jetzt doch keiner dort – und wenn schon... ist höchstens ein Zeichen von Kaltblütigkeit. »Um sechs hat er noch im Kaffeehaus gefrühstückt, und um sieben hat er sich erschossen«... – Ganz ruhig bin ich wieder... das Gehen ist so angenehm – und das Schönste ist, daß mich keiner zwingt. – Wenn ich wollt' könnt' ich noch immer den ganzen Krempel hinschmeißen... Amerika... Was ist das: »Krempel«? Was ist ein »Krempel«? Mir scheint, ich hab' den Sonnenstich!... Oho, bin ich vielleicht deshalb so ruhig, weil ich mir noch immer einbild', ich muß nicht?... Ich muß! Ich muß! Nein, ich will! – Kannst du dir denn überhaupt vorstellen, Gustl, daß du dir die Uniform auziehst und durchgehst? Und der verfluchte Hund lacht sich den Buckel voll – und der Kopetzky selbst möcht' dir nicht mehr die Hand geben... Mir kommt vor, ich bin jetzt ganz rot geworden. – – Der Wachmann salutiert mir... ich muß danken... »Servus!« – Jetzt hab' ich gar »Servus« gesagt!... Das freut so einen armen Teufel immer... Na, über mich hat sich keiner zu beklagen gehabt – außer Dienst war ich immer gemütlich. – Wie wir auf Manöver waren, hab' ich den Chargen von der Kompagnie Britannikas geschenkt; – einmal hab' ich gehört, wie ein Mann hinter mir bei den Gewehrgriffen was von »verfluchter Rackerei« g'sagt hat, und ich hab' ihn nicht zum Rapport geschickt – ich hab' ihm nur gesagt: »Sie, passen S' auf, das könnt' einmal wer anderer hören – da ging's Ihnen schlecht!«... Der Burghof... Wer ist denn heut' auf Wach'? – Die Bosniaken – schau'n gut aus – der Oberstleutnant hat neulich g'sagt: Wie wir im 78er Jahr unten waren, hätt' keiner geglaubt, daß uns die einmal so parieren werden!... Herrgott, bei so was hätt' ich dabei sein mögen! – Da steh'n sie alle auf von der Bank. – Servus, servus! – Das ist halt zuwider, daß unsereiner nicht dazu kommt. – Wär' doch schöner gewesen, auf dem Feld der Ehre, fürs Vaterland, als so... Ja, Herr Doktor, Sie kommen eigentlich gut weg!... Ob das nicht einer für mich übernehmen könnt'? – Meiner Seel', das sollt' ich hinterlassen, daß sich der Kopetzky oder der Wymetal an meiner Statt mit dem Kerl schlagen... Ah, so leicht sollt' der doch nicht davonkommen! – Ah, was! Ist das nicht egal, was nachher geschieht? Ich erfahr's ja doch nimmer! – Da schlagen die Bäume aus... Im Volksgarten hab' ich einmal eine angesprochen – ein rotes Kleid hat sie angehabt – in der Strozzigasse hat sie gewohnt – nachher hat sie der Rochlitz übernommen... Mir scheint, er hat sie noch immer, aber er red't nichts mehr davon – er schämt sich vielleicht... Jetzt schlaft die Steffi noch... so lieb sieht sie aus, wenn sie schlaft... als wenn sie nicht bis fünf zählen könnt'! – Na, wenn sie schlafen, schau'n sie alle so aus! – Ich sollt' ihr doch noch ein Wort schreiben... warum denn nicht? Es tut's ja doch ein jeder, daß er vorher noch Briefe schreibt. – Auch der Klara sollt' ich schreiben, daß sie den Papa und die Mama tröstet – und was man halt so schreibt! – und dem Kopetzky doch auch... Meiner Seel', mir kommt vor, es wär' viel leichter, wenn man ein paar Leuten Adieu gesagt hätt'... Und die Anzeige an das Regimentskommando – und die hundertsechzig Gulden für den Ballert... eigentlich noch viel zu tun... Na, es hat's mir ja keiner g'schafft, daß ich's um sieben tu'... von acht an ist noch immer Zeit genug zum Totsein!... Totsein, ja – so heißt's – da kann man nichts machen...

Ringstraße – jetzt bin ich ja bald in meinem Kaffeehaus... Mir scheint gar, ich freu' mich aufs Frühstück... es ist nicht zum glauben. – – Ja, nach dem Frühstück zünd' ich mir eine Zigarr' an, und dann geh' ich nach Haus und schreib'... Ja, vor allem mach' ich die Anzeige ans Kommando; dann kommt der Brief an die Klara – dann an den Kopetzky – dann an die Steffi... Was soll ich denn dem Luder schreiben... »Mein liebes Kind, Du hast wohl nicht gedacht«... Ah, was, Unsinn! – »Mein liebes Kind, ich danke Dir sehr«... – »Mein liebes Kind, bevor ich von hinnen gehe, will ich es nicht verabsäumen«... – Na, Briefschreiben war auch nie meine starke Seite... »Mein liebes Kind, ein letztes Lebewohl von Deinem Gustl«... – Die Augen, die sie machen wird! Ist doch ein Glück, daß ich nicht in sie verliebt war... das muß traurig sein, wenn man eine gern hat und so...

Na, Gustl, sei gut: so ist es auch traurig genug... Nach der Steffi wär' ja noch manche andere gekommen, und am End' auch eine, die was wert ist – junges Mädel aus guter Familie mit Kaution – es wär' ganz schön gewesen... – Der Klara muß ich ausführlich schreiben, daß ich nicht hab' anders können... »Du mußt mir verzeihen, liebe Schwester, und bitte, tröste auch die lieben Eltern. Ich weiß, daß ich Euch allen manche Sorge gemacht habe und manchen Schmerz bereitet; aber glaube mir, ich habe Euch alle immer sehr lieb gehabt, und ich hoffe, Du wirst noch einmal glücklich werden, meine liebe Klara, und Deinen unglücklichen Bruder nicht ganz vergessen«... Ah, ich schreib' ihr lieber gar nicht!... Nein, da wird mir zum Weinen... es beißt mich ja schon in den Augen, wenn ich d'ran denk'... Höchstens dem Kopetzky schreib' ich – ein kameradschaftliches Lebewohl, und er soll's den andern ausrichten... – Ist's schon sechs? – Ah, nein: halb – dreiviertel. – Ist das ein liebes G'sichtel!... Der kleine Fratz mit den schwarzen Augen, den ich so oft in der Florianigasse treff'! – Was die sagen wird? – Aber die weiß ja gar nicht, wer ich bin – die wird sich nur wundern, daß sie mich nimmer sieht... Vorgestern hab' ich mir vorgenommen, das nächstemal sprech' ich sie an. – Kokettiert hat sie genug... so jung war die – am End' war die gar noch eine Unschuld!... Ja, Gustl! Was du heute kannst besorgen, das verschiebe nicht auf morgen!... Der da hat sicher auch die ganze Nacht nicht geschlafen. – Na, jetzt wird er schön nach Haus geh'n und sich niederlegen – ich auch! – Haha! Jetzt wird's ernst, Gustl, ja!... Na, wenn nicht einmal das biss'l Grausen wär', so wär' ja schon gar nichts d'ran – und im ganzen, ich muß's schon selber sagen, halt' ich mich brav... Ah, wohin denn noch? Da ist ja schon mein Kaffeehaus... auskehren tun sie noch... Na, geh'n wir hinein...

Da hinten ist der Tisch, wo die immer Tarock spielen... Merkwürdig, ich kann mir's gar nicht vorstellen, daß der Kerl, der immer da hinten sitzt an der Wand, derselbe sein soll, der mich... – Kein Mensch ist noch da... Wo ist denn der Kellner?... He! Da kommt er aus der Küche... er schlieft schnell in

den Frack hinein... Ist wirklich nimmer notwendig!... Ah, für
ihn schon... er muß heut' noch andere Leut' bedienen! –

»Habe die Ehre, Herr Leutnant!«

»Guten Morgen.«

»So früh heute, Herr Leutnant?«

»Ah, lassen S' nur – ich hab' nicht viel Zeit, ich kann mit'm
Mantel dasitzen.«

»Was befehlen Herr Leutnant?«

»Eine Melange mit Haut.«

»Bitte gleich, Herr Leutnant!«

Ah, da liegen ja Zeitungen... schon heutige Zeitungen?...
Ob schon was drinsteht?... Was denn? – Mir scheint, ich will
nachseh'n, ob drinsteht, daß ich mich umgebracht hab'! Haha! –
Warum steh' ich denn noch immer?... Setzen wir uns da zum
Fenster... Er hat mir ja schon die Melange hingestellt... So,
den Vorhang zieh' ich zu; es ist mir zuwider, wenn die Leut'
hereingucken.. Es geht zwar noch keiner vorüber.. Ah, gut
schmeckt der Kaffee – doch kein leerer Wahn, das Frühstükken!... Ah, ein ganz anderer Mensch wird man – der ganze
Blödsinn, daß ich nicht genachtmahlt hab'... Was steht denn
der Kerl schon wieder da? – Ah, die Semmeln hat er mir gebracht...

»Haben Herr Leutnant schon gehört?«...

»Was denn?« Ja, um Gotteswillen, weiß der schon was?...
Aber, Unsinn, es ist ja nicht möglich!

»Den Herrn Habetswallner...«

Was? So heißt ja der Bäckermeister... was wird der jetzt sagen?... Ist der am End' schon dagewesen? Ist er am End' gestern
schon dagewesen und hat's erzählt?... Warum red't er denn
nicht weiter?... Aber er red't ja...

»... hat heut' nacht um zwölf der Schlag getroffen.«

»Was?«... Ich darf nicht so schreien... nein, ich darf mir
nichts anmerken lassen... aber vielleicht träum' ich... ich muß
ihn noch einmal fragen... »Wen hat der Schlag getroffen?« –
Famos, famos! – Ganz harmlos hab' ich das gesagt! –

»Den Bäckermeister, Herr Leutnant!.. Herr Leutnant werd'n

ihn ja kennen... na, den Dicken, der jeden Nachmittag neben die Herren Offiziere seine Tarockpartie hat... mit'n Herrn Schlesinger und'n Herrn Wasner von der Kunstblumenhandlung vis-à-vis!«

Ich bin ganz wach – stimmt alles – und doch kann ich's noch nicht recht glauben – ich muß ihn noch einmal fragen... aber ganz harmlos...

»Der Schlag hat ihn getroffen?... Ja, wieso denn? Woher wissen S' denn das?«

»Aber Herr Leutnant, wer soll's denn früher wissen, als unsereiner – die Semmel, die der Herr Leutnant da essen, ist ja auch vom Herrn Habetswallner. Der Bub, der uns das Gebäck um halber fünfe in der Früh bringt, hat's uns erzählt.«

Um Himmelswillen, ich darf mich nicht verraten... ich möcht' ja schreien... ich möcht' ja lachen... ich möcht' ja dem Rudolf ein Bussel geben... Aber ich muß ihn noch was fragen!... Vom Schlag getroffen werden, heißt noch nicht: tot sein... ich muß fragen, ob er tot ist... aber ganz ruhig, denn was geht mich der Bäckermeister an – ich muß in die Zeitung schau'n, während ich den Kellner frag'..

»Ist er tot?«

»Na, freilich, Herr Leutnant; auf'm Fleck ist er tot geblieben.«

O, herrlich, herrlich! – Am End' ist das alles, weil ich in der Kirchen g'wesen bin...

»Er ist am Abend im Theater g'wesen; auf der Stiegen ist er umg'fallen – der Hausmeister hat den Krach gehört... na, und dann haben s' ihn in die Wohnung getragen, und wie der Doktor gekommen ist, war's schon lang' aus.«

»Ist aber traurig. Er war doch noch in den besten Jahren.« – Das hab' ich jetzt famos gesagt – kein Mensch könnt' mir was anmerken... und ich muß mich wirklich zurückhalten, daß ich nicht schrei' oder aufs Billard spring'...

»Ja, Herr Leutnant, sehr traurig; war ein so lieber Herr, und zwanzig Jahr' ist er schon zu uns kommen – war ein guter Freund von unserm Herrn. Und die arme Frau...«

Ich glaub', so froh bin ich in meinem ganzen Leben nicht gewesen... Tot ist er – tot ist er! Keiner weiß was, und nichts ist g'scheh'n! – Und das Mordsglück, daß ich in das Kaffeehaus gegangen bin... sonst hätt' ich mich ja ganz umsonst erschossen – es ist doch wie eine Fügung des Schicksals... Wo ist denn der Rudolf? – Ah, mit dem Feuerburschen red't er... – Also, tot ist er – tot ist er – ich kann's noch gar nicht glauben! Am liebsten möcht' ich hingeh'n, um's zu seh'n. – – Am End' hat ihn der Schlag getroffen aus Wut, aus verhaltenem Zorn... Ah, warum, ist mir ganz egal! Die Hauptsach' ist: er ist tot, und ich darf leben, und alles g'hört wieder mein!... Komisch, wie ich mir da immerfort die Semmel einbrock', die mir der Herr Habetswallner gebacken hat! Schmeckt mir ganz gut, Herr von Habetswallner! Famos! – So, jetzt möcht' ich noch ein Zigarrl rauchen...

»Rudolf! Sie, Rudolf! Sie, lassen S' mir den Feuerburschen dort in Ruh'!«

»Bitte, Herr Leutnant!«

»Trabucco«... – Ich bin so froh, so froh!... Was mach' ich denn nur?... Was mach ich denn nur?... Es muß ja was gescheh'n, sonst trifft mich auch noch der Schlag vor lauter Freud'!... In einer Viertelstund' geh' ich hinüber in die Kasern' und laß mich vom Johann kalt abreiben... um halb acht sind die Gewehrgriff', und um halb zehn ist Exerzieren. – Und der Steffi schreib' ich, sie muß sich für heut' abend frei machen, und wenn's Graz gilt! Und nachmittag um vier... na wart', mein Lieber, wart', mein Lieber! Ich bin grad gut aufgelegt... Dich hau' ich zu Krenfleisch!

Reichenau, 13.–17. Juli 1900.

Der blinde Geronimo und sein Bruder

Der blinde Geronimo stand von der Bank auf und nahm die Gitarre zur Hand, die auf dem Tisch neben dem Weinglase bereit gelegen war. Er hatte das ferne Rollen der ersten Wagen vernommen. Nun tastete er sich den wohlbekannten Weg bis zur offenen Türe hin, und dann ging er die schmalen Holzstufen hinab, die frei in den gedeckten Hofraum hinunterliefen. Sein Bruder folgte ihm, und beide stellten sich gleich neben der Treppe auf, den Rücken zur Wand gekehrt, um gegen den naßkalten Wind geschützt zu sein, der über den feuchtschmutzigen Boden durch die offenen Tore strich.

Unter dem düsteren Bogen des alten Wirtshauses mußten alle Wagen passieren, die den Weg über das Stilfserjoch nahmen. Für die Reisenden, welche von Italien her nach Tirol wollten, war es die letzte Rast vor der Höhe. Zu langem Aufenthalte lud es nicht ein, denn gerade hier lief die Straße ziemlich eben, ohne Ausblicke, zwischen kahlen Erhebungen hin. Der blinde Italiener und sein Bruder Carlo waren in den Sommermonaten hier so gut wie zu Hause.

Die Post fuhr ein, bald darauf kamen andere Wagen. Die meisten Reisenden blieben sitzen, in Plaids und Mäntel wohl eingehüllt, andere stiegen aus und spazierten zwischen den Toren ungeduldig hin und her. Das Wetter wurde immer schlechter, ein kalter Regen klatschte herab. Nach einer Reihe schöner Tage schien der Herbst plötzlich und allzu früh hereinzubrechen.

Der Blinde sang und begleitete sich dazu auf der Gitarre; er sang mit einer ungleichmäßigen, manchmal plötzlich aufkreischenden Stimme, wie immer, wenn er getrunken hatte. Zuweilen wandte er den Kopf wie mit einem Ausdruck vergeblichen Flehens nach oben. Aber die Züge seines Gesichtes mit den schwarzen Bartstoppeln und den bläulichen Lippen blieben vollkommen unbeweglich. Der ältere Bruder stand neben ihm, beinahe regungslos. Wenn ihm jemand eine Münze in den Hut fallen ließ, nickte er Dank und sah dem Spender mit einem raschen, wie irren Blick ins Gesicht. Aber gleich, beinahe ängstlich, wandte er den Blick wieder fort und starrte gleich dem Bruder ins Leere. Es war, als schämten sich seine Augen des Lichts, das ihnen gewährt war, und von dem sie dem blinden Bruder keinen Strahl schenken konnten.

»Bring mir Wein«, sagte Geronimo, und Carlo ging, gehorsam wie immer. Während er die Stufen aufwärts schritt, begann Geronimo wieder zu singen. Er hörte längst nicht mehr auf seine eigene Stimme, und so konnte er auf das merken, was in seiner Nähe vorging. Jetzt vernahm er ganz nahe zwei flüsternde Stimmen, die eines jungen Mannes und einer jungen Frau. Er dachte, wie oft diese beiden schon den gleichen Weg hin- und hergegangen sein mochten; denn in seiner Blindheit und in seinem Rausch war ihm manchmal, als kämen Tag für Tag dieselben Menschen über das Joch gewandert, bald von Norden gegen Süden, bald von Süden gegen Norden. Und so kannte er auch dieses junge Paar seit langer Zeit.

Carlo kam herab und reichte Geronimo ein Glas Wein. Der Blinde schwenkte es dem jungen Paare zu und sagte: »Ihr Wohl, meine Herrschaften!«

»Danke«, sagte der junge Mann; aber die junge Frau zog ihn fort, denn ihr war dieser Blinde unheimlich.

Jetzt fuhr ein Wagen mit einer ziemlich lärmenden Gesellschaft ein: Vater, Mutter, drei Kinder, eine Bonne.

»Deutsche Familie«, sagte Geronimo leise zu Carlo.

Der Vater gab jedem der Kinder ein Geldstück, und jedes durfte das seine in den Hut des Bettlers werfen. Geronimo neigte jedesmal den Kopf zum Dank. Der älteste Knabe sah dem Blinden mit ängstlicher Neugier ins Gesicht. Carlo betrachtete den Knaben. Er mußte, wie immer beim Anblick solcher Kinder, daran denken, daß Geronimo gerade so alt gewesen war, als das Unglück geschah, durch das er das Augenlicht verloren hatte. Denn er erinnerte sich jenes Tages auch heute noch, nach beinahe zwanzig Jahren, mit vollkommener Deutlichkeit. Noch heute klang ihm der grelle Kinderschrei ins Ohr, mit dem der kleine Geronimo auf den Rasen hingesunken war, noch heute sah er die Sonne auf der weißen Gartenmauer spielen und kringeln und hörte die Sonntagsglocken wieder, die gerade in jenem Augenblick getönt hatten. Er hatte wie oftmals mit dem Bolzen nach der Esche an der Mauer geschossen, und als er den Schrei hörte, dachte er gleich, daß er den kleinen Bruder verletzt haben mußte, der eben vorbeigelaufen war. Er ließ das Blasrohr aus den Händen gleiten, sprang durchs Fenster in den Garten und stürzte zu dem kleinen Bruder hin, der auf dem Grase lag, die Hände vors Gesicht geschlagen, und jammerte. Über die rechte Wange und den Hals floß ihm Blut herunter. In derselben Minute kam der Vater vom Felde heim, durch die kleine Gartentür, und nun knieten beide ratlos neben dem jammernden Kinde. Nachbarn eilten herbei; die alte Vanetti war die erste, der es gelang, dem Kleinen die Hände vom Gesicht zu entfernen. Dann kam auch der Schmied, bei dem Carlo damals in der Lehre war und der sich ein bißchen aufs Kurieren verstand; und der sah gleich, daß das rechte Auge verloren war. Der Arzt, der abends aus Poschiavo kam, konnte auch nicht mehr helfen. Ja, er deutete schon die Gefahr an, in der das andere Auge schwebte. Und er behielt recht. Ein Jahr später war die Welt für Geronimo in Nacht versunken. Anfangs versuchte man, ihm einzureden, daß er später geheilt werden könnte, und er schien es zu glauben. Carlo, der die Wahrheit wußte, irrte damals tage- und nächtelang auf der Landstraße, zwischen den Weinbergen und in den Wäldern umher, und war nahe daran, sich umzubringen. Aber der geistliche Herr, dem er sich anvertraute, klärte ihn auf, daß es seine Pflicht war, zu leben und sein Leben dem Bruder zu widmen. Carlo sah es ein. Ein ungeheures Mitleid ergriff ihn. Nur wenn er bei dem blinden Jungen war, wenn er ihm die Haare streicheln, seine Stirne küssen durfte, ihm Geschichten erzählte, ihn auf den Feldern hinter dem Hause und zwischen den Rebengeländen spazieren führte, milderte sich seine Pein. Er hatte gleich anfangs die Lehrstunden in der Schmiede vernachlässigt, weil er sich von dem Bruder gar nicht trennen mochte, und konnte sich nachher nicht mehr entschließen, sein Handwerk wieder aufzunehmen, trotzdem der Vater mahnte und in Sorge war. Eines Tages fiel es Carlo auf, daß Geronimo vollkommen aufgehört hatte, von seinem Unglück zu reden. Bald wußte er, warum: der Blinde war zur Einsicht gekommen, daß er nie den Himmel, die Hügel, die Straßen, die Menschen, das Licht wieder sehen würde. Nun litt Carlo noch mehr als früher, so sehr er sich auch selbst damit zu beruhigen suchte, daß er ohne jede Absicht das Unglück herbeigeführt hatte. Und manchmal, wenn er am frühen Morgen den Bruder betrachtete, der neben ihm ruhte, ward er von einer solchen Angst erfaßt, ihn erwachen zu sehen, daß er in den Garten hinauslief, nur um nicht dabei sein zu müssen, wie die toten Augen jeden Tag von neuem das Licht zu suchen schienen, das ihnen für immer erloschen war. Zu jener Zeit war es, daß Carlo auf den Einfall kam, Geronimo, der eine angenehme Stimme hatte, in der Musik weiter ausbilden zu lassen. Der Schullehrer von Tola, der manchmal sonntags herüberkam, lehrte ihn die Gitarre spielen. Damals ahnte der Blinde freilich noch nicht, daß die neuerlernte Kunst einmal zu seinem Lebensunterhalt dienen würde.

Mit jenem traurigen Sommertag schien das Unglück für immer in das Haus des alten Lagardi eingezogen zu sein. Die Ernte mißriet ein Jahr nach dem anderen; um eine kleine Geldsumme, die der Alte erspart hatte, wurde er von einem Verwandten betrogen. Und als er an einem schwülen Augusttag auf freiem Felde vom Schlag getroffen hinsank und starb, hinterließ er nichts als Schulden. Das kleine Anwesen wurde verkauft, die beiden Brüder waren obdachlos und arm und verließen das Dorf.

Carlo war zwanzig, Geronimo fünfzehn Jahre alt. Damals begann das Bettel- und Wanderleben, das sie bis heute führten. Anfangs hatte Carlo daran gedacht, irgendeinen Verdienst zu finden, der zugleich ihn und den Bruder ernähren könnte; aber es wollte nicht gelingen. Auch hatte Geronimo nirgend Ruhe; er wollte immer auf dem Wege sein.

Zwanzig Jahre war es nun, daß sie auf Straßen und Pässen herumzogen, im nördlichen Italien und im südlichen Tirol, im-

mer dort, wo eben der dichtere Zug der Reisenden vorüber-
strömte.

Und wenn auch Carlo nach so vielen Jahren nicht mehr die
brennende Qual verspürte, mit der ihn früher jedes Leuchten der
Sonne, der Anblick jeder freundlichen Landschaft erfüllt hatte,
es war doch ein stetes nagendes Mitleid in ihm, beständig und
ihm unbewußt, wie der Schlag seines Herzens und sein Atem.
Und er war froh, wenn Geronimo sich betrank.

Der Wagen mit der deutschen Familie war davongefahren.
Carlo setzte sich, wie er gerne tat, auf die untersten Stufen der
Treppe, Geronimo aber blieb stehen, ließ die Arme schlaff her-
abhängen und hielt den Kopf nach oben gewandt.

Maria, die Magd, kam aus der Wirtsstube.

»Habt's viel verdient heut'?« rief sie herunter.

Carlo wandte sich gar nicht um. Der Blinde bückte sich nach
seinem Glas, hob es vom Boden auf und trank es Maria zu. Sie
saß manchmal abends in der Wirtsstube neben ihm; er wußte
auch, daß sie schön war.

Carlo beugte sich vor und blickte gegen die Straße hinaus.
Der Wind blies, und der Regen prasselte, so daß das Rollen des
nahenden Wagens in den heftigen Geräuschen unterging. Carlo
stand auf und nahm wieder seinen Platz an des Bruders Seite ein.

Geronimo begann zu singen, schon während der Wagen ein-
fuhr, in dem nur ein Passagier saß. Der Kutscher spannte die
Pferde eilig aus, dann eilte er hinauf in die Wirtsstube. Der Reisende blieb eine Weile in seiner Ecke sitzen, ganz eingewickelt in
einen grauen Regenmantel; er schien auf den Gesang gar nicht zu
hören. Nach einer Weile aber sprang er aus dem Wagen und lief
mit großer Hast hin und her, ohne sich weit vom Wagen zu entfernen. Er rieb immerfort die Hände aneinander, um sich zu er-
wärmen. Jetzt erst schien er die Bettler zu bemerken. Er stellte
sich ihnen gegenüber und sah sie lange wie prüfend an. Carlo
neigte leicht den Kopf, wie zum Gruße. – Der Reisende war ein
sehr junger Mensch mit einem hübschen bartlosen Gesicht und
unruhigen Augen. Nachdem er eine ganze Weile vor den Bett-
lern gestanden, eilte er wieder zu dem Tore, durch das er weiter-

fahren sollte, und schüttelte bei dem trostlosen Ausblick in Regen und Nebel verdrießlich den Kopf.

»Nun?« fragte Geronimo.

»Noch nichts«, erwiderte Carlo. »Er wird wohl geben, wenn er fortfährt.«

Der Reisende kam wieder zurück und lehnte sich an die Deichsel des Wagens. Der Blinde begann zu singen. Nun schien der junge Mann plötzlich mit großem Interesse zuzuhören. Der Knecht erschien und spannte die Pferde wieder ein. Und jetzt erst, als besänne er sich eben, griff der junge Mann in die Tasche und gab Carlo einen Franc.

»O danke, danke«, sagte dieser.

Der Reisende setzte sich in den Wagen und wickelte sich wieder in seinen Mantel. Carlo nahm das Glas vom Boden auf und ging die Holzstufen hinauf. Geronimo sang weiter. Der Reisende beugte sich zum Wagen heraus und schüttelte den Kopf mit einem Ausdruck von Überlegenheit und Traurigkeit zugleich. Plötzlich schien ihm ein Einfall zu kommen, und er lächelte. Dann sagte er zu dem Blinden, der kaum zwei Schritte weit von ihm stand: »Wie heißt du?«

»Geronimo.«

»Nun, Geronimo, laß dich nur nicht betrügen.« In diesem Augenblick erschien der Kutscher auf der obersten Stufe der Treppe.

»Wieso, gnädiger Herr, betrügen?«

»Ich habe deinem Begleiter ein Zwanzig-Francstück gegeben.«

»O Herr, Dank, Dank!«

»Ja; also paß auf.«

»Er ist mein Bruder, Herr; er betrügt mich nicht.«

Der junge Mann stutzte eine Weile, aber während er noch überlegte, war der Kutscher auf den Bock gestiegen und hatte die Pferde angetrieben. Der junge Mann lehnte sich zurück mit einer Bewegung des Kopfes, als wollte er sagen: Schicksal, nimm deinen Lauf! und der Wagen fuhr davon.

Der Blinde winkte mit beiden Händen lebhafte Gebärden des

Dankes nach. Jetzt hörte er Carlo, der eben aus der Wirtsstube kam. Der rief herunter: »Komm, Geronimo, es ist warm heroben, Maria hat Feuer gemacht!«

Geronimo nickte, nahm die Gitarre unter den Arm und tastete sich am Geländer die Stufen hinauf. Auf der Treppe schon rief er: »Laß es mich anfühlen! Wie lang hab' ich schon kein Goldstück angefühlt!«

»Was gibt's?« fragte Carlo. »Was redest du da?«

Geronimo war oben und griff mit beiden Händen nach dem Kopf seines Bruders, ein Zeichen, mit dem er stets Freude oder Zärtlichkeit auszudrücken pflegte. »Carlo, mein lieber Bruder, es gibt doch gute Menschen!«

»Gewiß«, sagte Carlo. »Bis jetzt sind es zwei Lire und dreißig Centesimi; und hier ist noch österreichisches Geld, vielleicht eine halbe Lira.«

»Und zwanzig Franken – und zwanzig Franken!« rief Geronimo. »Ich weiß es ja!« Er torkelte in die Stube und setzte sich schwer auf die Bank.

»Was weißt du?« fragte Carlo.

»So laß doch die Späße! Gib es mir in die Hand! Wie lang hab' ich schon kein Goldstück in der Hand gehabt!«

»Was willst du denn? Woher soll ich ein Goldstück nehmen? Es sind zwei Lire oder drei.«

Der Blinde schlug auf den Tisch. »Jetzt ist es aber genug, genug! Willst du es etwa vor mir verstecken?«

Carlo blickte den Bruder besorgt und verwundert an. Er setzte sich neben ihn, rückte ganz nahe und faßte wie begütigend seinen Arm: »Ich verstecke nichts vor dir. Wie kannst du das glauben? Niemandem ist es eingefallen, mir ein Goldstück zu geben.«

»Aber er hat mir's doch gesagt!«

»Wer?«

»Nun, der junge Mensch, der hin- und herlief.«

»Wie? Ich versteh' dich nicht!«

»So hat er mir gesagt: ›Wie heißt du?‹ und dann: ›Gib acht, gib acht, laß dich nicht betrügen!‹«

»Du mußt geträumt haben, Geronimo – das ist ja Unsinn!«

»Unsinn? Ich hab' es doch gehört, und ich höre gut. ›Laß dich nicht betrügen; ich habe ihm ein Goldstück...‹ – nein, so sagte er: ›Ich habe ihm ein Zwanzig-Francstück gegeben.‹«

Der Wirt kam herein. »Nun, was ist's mit euch? Habt ihr das Geschäft aufgegeben? Ein Vierspänner ist gerade angefahren.«

»Komm!« rief Carlo. »Komm!«

Geronimo blieb sitzen. »Warum denn? Warum soll ich kommen? Was hilft's mir denn? Du stehst ja dabei und –«

Carlo berührte ihn am Arm. »Still, komm jetzt hinunter!«

Geronimo schwieg und gehorchte dem Bruder. Aber auf den Stufen sagte er: »Wir reden noch, wir reden noch!«

Carlo begriff nicht, was geschehen war. War Geronimo plötzlich verrückt geworden? Denn, wenn er auch leicht in Zorn geriet, in dieser Weise hatte er noch nie gesprochen.

In dem eben angekommenen Wagen saßen zwei Engländer; Carlo lüftete den Hut vor ihnen, und der Blinde sang. Der eine Engländer war ausgestiegen und warf einige Münzen in Carlos Hut. Carlo sagte: »Danke« und dann, wie vor sich hin: »Zwanzig Centesimi.« Das Gesicht Geronimos blieb unbewegt; er begann ein neues Lied. Der Wagen mit den zwei Engländern fuhr davon.

Die Brüder gingen schweigend die Stufen hinauf. Geronimo setzte sich auf die Bank, Carlo blieb beim Ofen stehen.

»Warum sprichst du nicht?« fragte Geronimo.

»Nun«, erwiderte Carlo, »es kann nur so sein, wie ich dir gesagt habe.« Seine Stimme zitterte ein wenig.

»Was hast du gesagt?« fragte Geronimo.

»Es war vielleicht ein Wahnsinniger.«

»Ein Wahnsinniger? Das wäre ja vortrefflich! Wenn einer sagt: ›Ich habe deinem Bruder zwanzig Franken gegeben‹, so ist er wahnsinnig! – Eh, und warum hat er gesagt: ›Laß dich nicht betrügen‹ – eh?«

»Vielleicht war er auch nicht wahnsinnig... aber es gibt Menschen, die mit uns armen Leuten Späße machen...«

»Eh!« schrie Geronimo. »Späße? – Ja, das hast du noch sagen

müssen – darauf habe ich gewartet!« Er trank das Glas Wein aus, das vor ihm stand.

»Aber, Geronimo!« rief Carlo, und er fühlte, daß er vor Bestürzung kaum sprechen konnte. »Warum sollte ich… wie kannst du glauben…?«

»Warum zittert deine Stimme… eh… warum…?«

»Geronimo, ich versichere dir, ich –«

»Eh – und ich glaube dir nicht! Jetzt lachst du… ich weiß ja, daß du jetzt lachst!«

Der Knecht rief von unten: »He, blinder Mann, Leut' sind da!«

Ganz mechanisch standen die Brüder auf und schritten die Stufen hinab. Zwei Wagen waren zugleich gekommen, einer mit drei Herren, ein anderer mit einem alten Ehepaar. Geronimo sang; Carlo stand neben ihm, fassungslos. Was sollte er nur tun? Der Bruder glaubte ihm nicht! Wie war das nur möglich? – Und er betrachtete Geronimo, der mit zerbrochener Stimme seine Lieder sang, angstvoll von der Seite. Es war ihm, als sähe er über diese Stirne Gedanken fliehen, die er früher dort niemals gewahrt hatte.

Die Wagen waren schon fort, aber Geronimo sang weiter. Carlo wagte nicht, ihn zu unterbrechen. Er wußte nicht, was er sagen sollte, er fürchtete, daß seine Stimme wieder zittern würde. Da tönte Lachen von oben und Maria rief: »Was singst denn noch immer? Von mir kriegst du ja doch nichts!«

Geronimo hielt inne, mitten in einer Melodie; es klang, als wäre seine Stimme und die Saiten zugleich abgerissen. Dann ging er wieder die Stufen hinauf, und Carlo folgte ihm. In der Wirtsstube setzte er sich neben ihn. Was sollte er tun? Es blieb ihm nichts anderes übrig: er mußte noch einmal versuchen, den Bruder aufzuklären.

»Geronimo«, sagte er, »ich schwöre dir… bedenk' doch, Geronimo, wie kannst du glauben, daß ich –«

Geronimo schwieg, seine toten Augen schienen durch das Fenster in den grauen Nebel hinauszublicken. Carlo redete weiter: »Nun, er braucht ja nicht wahnsinnig gewesen zu sein, er wird sich geirrt haben... ja, er hat sich geirrt...« Aber er fühlte wohl, daß er selbst nicht glaubte, was er sagte.

Geronimo rückte ungeduldig fort. Aber Carlo redete weiter, mit plötzlicher Lebhaftigkeit: »Wozu sollte ich denn – du weißt doch, ich esse und trinke nicht mehr als du, und wenn ich mir einen neuen Rock kaufe, so weißt du's doch... wofür brauch' ich denn soviel Geld? Was soll ich denn damit tun?«

Da stieß Geronimo zwischen den Zähnen hervor: »Lüg' nicht, ich höre, wie du lügst!«

»Ich lüge nicht, Geronimo, ich lüge nicht!« sagte Carlo erschrocken.

»Eh! Hast du ihr's schon gegeben, ja? Oder bekommt sie's erst nachher?« schrie Geronimo.

»Maria?«

»Wer denn, als Maria? Eh, du Lügner, du Dieb!« Und als wollte er nicht mehr neben ihm am Tische sitzen, stieß er mit dem Ellbogen den Bruder in die Seite.

Carlo stand auf. Zuerst starrte er den Bruder an, dann verließ er das Zimmer und ging über die Stiege in den Hof. Er schaute mit weit offenen Augen auf die Straße hinaus, die vor ihm in bräunlichen Nebel versank. Der Regen hatte nachgelassen. Carlo steckte die Hände in die Hosentaschen und ging ins Freie. Es war ihm, als hätte ihn sein Bruder davongejagt. Was war denn nur geschehen?... Er konnte es noch immer nicht fassen. Was für ein Mensch mochte das gewesen sein? Einen Franken schenkt er her und sagt, es waren zwanzig! Er mußte doch irgendeinen Grund dazu gehabt haben?... Und Carlo suchte in seiner Erinnerung, ob er sich nicht irgendwo jemanden zum Feind gemacht, der nun einen anderen hergeschickt hatte, um sich zu rächen... Aber soweit er zurückdenken mochte, nie hatte er jemanden beleidigt, nie irgendeinen ernsten Streit mit jemandem vorgehabt. Er hatte ja seit zwanzig Jahren nichts anderes getan, als daß er in Höfen oder an Straßenrändern gestanden war mit dem Hut in der Hand... War ihm vielleicht einer wegen eines Frauenzimmers böse?... Aber wie lange hatte er schon mit keiner was zu tun gehabt... die Kellnerin in La Rosa war die letzte gewesen, im vorigen Frühjahr... aber um die war ihm gewiß niemand neidisch... Es war nicht zu begreifen!... Was mochte es da draußen in der Welt, die er nicht kannte, für Menschen geben?... Von überall her kamen sie... was wußte er von ihnen?... Für diesen Fremden hatte es wohl irgendeinen Sinn gehabt, daß er zu Geronimo sagte: Ich habe deinem Bruder zwanzig Franken gegeben... Nun ja... Aber was war nun zu tun?... Mit einemmal war es offenbar geworden, daß Geronimo ihm mißtraute!... Das konnte er nicht ertragen! Irgend etwas mußte er dagegen unternehmen... Und er eilte zurück.

Als er wieder in die Wirtsstube trat, lag Geronimo auf der Bank ausgestreckt und schien das Eintreten Carlos nicht zu bemerken. Maria brachte den beiden Essen und Trinken. Sie sprachen während der Mahlzeit kein Wort. Als Maria die Teller abräumte, lachte Geronimo plötzlich auf und sagte zu ihr: »Was wirst du dir denn dafür kaufen?«

»Wofür denn?«

»Nun, was? Einen neuen Rock oder Ohrringe?«

»Was will er denn von mir?« wandte sie sich an Carlo.

Indes dröhnte unten der Hof von lastenbeladenen Fuhrwerken, laute Stimmen tönten herauf und Maria eilte hinunter. Nach ein paar Minuten kamen drei Fuhrleute und nahmen an einem Tische Platz; der Wirt trat zu ihnen und begrüßte sie. Sie schimpften über das schlechte Wetter.

»Heute nacht werdet ihr Schnee haben«, sagte der eine.

Der zweite erzählte, wie er vor zehn Jahren Mitte August auf dem Joch eingeschneit und beinahe erfroren war. Maria setzte sich zu ihnen. Auch der Knecht kam herbei und erkundigte sich nach seinen Eltern, die unten in Bormio wohnten.

Jetzt kam wieder ein Wagen mit Reisenden. Geronimo und Carlo gingen hinunter, Geronimo sang, Carlo hielt den Hut hin und die Reisenden gaben ihr Almosen. Geronimo schien jetzt ganz ruhig. Er fragte manchmal: »Wieviel?« und nickte zu den Antworten Carlos leicht mit dem Kopfe. Indes versuchte Carlo selbst seine Gedanken zu fassen. Aber er hatte immer nur das dumpfe Gefühl, daß etwas Schreckliches geschehen und daß er ganz wehrlos war.

Als die Brüder wieder die Stufen hinaufschritten, hörten sie die Fuhrleute oben wirr durcheinander reden und lachen. Der jüngste rief dem Geronimo entgegen: »Sing uns doch auch was vor, wir zahlen schon! – Nicht wahr?« wandte er sich an die anderen.

Maria, die eben mit einer Flasche rotem Wein kam, sagte: »Fangt heut nichts mit ihm an, er ist schlechter Laune.«

Statt jeder Antwort stellte sich Geronimo mitten ins Zimmer hin und fing an zu singen. Als er geendet, klatschten die Fuhrleute in die Hände.

»Komm her, Carlo!« rief einer. »Wir wollen dir unser Geld auch in den Hut werfen wie die Leute unten!« Und er nahm eine kleine Münze und hielt die Hand hoch, als wollte er sie in den Hut fallen lassen, den ihm Carlo entgegenstreckte. Da griff der Blinde nach dem Arm des Fuhrmannes und sagte: »Lieber mir, lieber mir! Es könnte daneben fallen – daneben!«

»Wieso daneben?«

»Eh, nun! Zwischen die Beine Marias!«

Alle lachten, der Wirt und Maria auch, nur Carlo stand regungslos da. Nie hatte Geronimo solche Späße gemacht!...

»Setz dich zu uns!« riefen die Fuhrleute. »Du bist ein lustiger Kerl!« Und sie rückten zusammen, um Geronimo Platz zu machen. Immer lauter und wirrer war das Durcheinanderreden; Geronimo redete mit, lauter und lustiger als sonst, und hörte nicht auf zu trinken. Als Maria eben wieder hereinkam, wollte er sie an sich ziehen; da sagte der eine von den Fuhrleuten lachend: »Meinst du vielleicht, sie ist schön? Sie ist ja ein altes häßliches Weib!«

Aber der Blinde zog Maria auf seinen Schoß. »Ihr seid alle Dummköpfe«, sagte er. »Glaubt ihr, ich brauche meine Augen, um zu sehen? Ich weiß auch, wo Carlo jetzt ist – eh! – dort am Ofen steht er, hat die Hände in den Hosentaschen und lacht.«

Alle schauten auf Carlo, der mit offenem Munde am Ofen lehnte und nun wirklich das Gesicht zu einem Grinsen verzog, als dürfte er seinen Bruder nicht Lügen strafen.

Der Knecht kam herein: wenn die Fuhrleute noch vor Dunkelheit in Bormio sein wollten, mußten sie sich beeilen. Sie standen auf und verabschiedeten sich lärmend. Die beiden Brüder waren wieder allein in der Wirtsstube. Es war die Stunde, um die sie sonst manchmal zu schlafen pflegten. Das ganze Wirtshaus versank in Ruhe wie immer um diese Zeit der ersten Nachmittagsstunden. Geronimo, den Kopf auf dem Tisch, schien zu schlafen. Carlo ging anfangs hin und her, dann setzte er sich auf die Bank. Er war sehr müde. Es schien ihm, als wäre er in einem schweren Traum befangen. Er mußte an allerlei denken, an gestern, vorgestern und alle Tage, die früher waren, und besonders an warme Sommertage und an weiße Landstraßen, über die er mit seinem Bruder zu wandern pflegte, und alles war so weit und unbegreiflich, als wenn es nie wieder so sein könnte.

Am späten Nachmittage kam die Post aus Tirol und bald darauf in kleinen Zwischenpausen Wagen, die den gleichen Weg nach dem Süden nahmen. Noch viermal mußten die Brüder in den Hof hinab. Als sie das letztemal heraufgingen, war die Dämmerung hereingebrochen, und das Öllämpchen, das von der Holzdecke herunterhing, pfauchte. Arbeiter kamen, die in einem nahen Steinbruche beschäftigt waren und ein paar hundert Schritte unterhalb des Wirtshauses ihre Holzhütten aufgeschlagen hatten. Geronimo setzte sich zu ihnen; Carlo blieb allein an seinem Tische. Es war ihm, als dauerte seine Einsamkeit schon sehr lange. Er hörte, wie Geronimo drüben laut, beinahe schreiend, von seiner Kindheit erzählte: daß er sich noch ganz gut an allerlei erinnerte, was er mit seinen Augen gesehen, Personen und Dinge: an den Vater, wie er auf dem Felde arbeitete, an den kleinen Garten mit der Esche an der Mauer, an das niedrige Häuschen, das ihnen gehörte, an die zwei kleinen Töchter des Schusters, an den Weinberg hinter der Kirche, ja an sein eigenes Kindergesicht, wie es ihm aus dem Spiegel entgegengeblickt hatte. Wie oft hatte Carlo das alles gehört. Heute ertrug er es nicht. Es klang anders als sonst: jedes Wort, das Geronimo sprach, bekam einen neuen Sinn und schien sich gegen ihn zu richten. Er schlich hinaus und ging wieder auf die Landstraße, die nun ganz im Dunkel lag. Der Regen hatte aufgehört, die Luft war sehr kalt und der Gedanke erschien Carlo beinahe verlockkend, weiterzugehen, immer weiter, tief in die Finsternis hinein, sich am Ende irgendwohin in den Straßengraben zu legen, einzuschlafen, nicht mehr zu erwachen. – Plötzlich hörte er das Rollen eines Wagens und erblickte den Lichtschimmer von zwei Laternen, die immer näher kamen. In dem Wagen, der vorüberfuhr, saßen zwei Herren. Einer von ihnen mit einem schmalen, bartlosen Gesichte fuhr erschrocken zusammen, als Carlos Gestalt im Lichte der Laternen aus dem Dunkel hervortauchte. Carlo, der stehen geblieben war, lüftete den Hut. Der Wagen und die Lichter verschwanden. Carlo stand wieder in tiefer Finsternis. Plötzlich schrak er zusammen. Das erstemal in seinem Leben machte ihm das Dunkel Angst. Es war ihm, als könnte er es keine Minute länger ertragen. In einer sonderbaren Art vermengten sich in seinem dumpfen Sinnen die Schauer, die er für sich selbst empfand, mit einem quälenden Mitleid für den blinden Bruder und jagten ihn nach Hause.

Als er in die Wirtsstube trat, sah er die beiden Reisenden, die vorher an ihm vorbeigefahren waren, bei einer Flasche Rotwein an einem Tische sitzen und sehr angelegentlich miteinander reden. Sie blickten kaum auf, als er eintrat.

An dem anderen Tische saß Geronimo wie früher unter den Arbeitern.

»Wo steckst du denn, Carlo?« sagte ihm der Wirt schon an der Tür. »Warum läßt du deinen Bruder allein?«

»Was gibt's denn?« fragte Carlo erschrocken.

»Geronimo traktiert die Leute. Mir kann's ja egal sein, aber ihr solltet doch denken, daß bald wieder schlechtere Zeiten kommen.«

Carlo trat rasch zu dem Bruder und faßte ihn am Arme. »Komm!« sagte er.

»Was willst du?« schrie Geronimo.

»Komm zu Bett«, sagte Carlo.

»Laß mich, laß mich! Ich verdiene das Geld, ich kann mit meinem Gelde tun, was ich will – eh! – alles kannst du ja doch nicht einstecken! Ihr meint wohl, er gibt mir alles! O nein! Ich bin ja ein blinder Mann! Aber es gibt Leute – es gibt gute Leute, die sagen mir: ›Ich habe deinem Bruder zwanzig Franken gegeben!‹«

Die Arbeiter lachten auf.

»Es ist genug«, sagte Carlo, »komm!« Und er zog den Bruder mit sich, schleppte ihn beinah die Treppe hinauf bis in den kahlen Bodenraum, wo sie ihr Lager hatten. Auf dem ganzen Wege schrie Geronimo: »Ja, nun ist es an den Tag gekommen, ja, nun weiß ich's! Ah, wartet nur. Wo ist sie? Wo ist Maria? Oder legst du's ihr in die Sparkassa? – Eh, ich singe für dich, ich spiele Gitarre, von mir lebst du – und du bist ein Dieb!« Er fiel auf den Strohsack hin.

Vom Gang her schimmerte ein schwaches Licht herein; drüben stand die Tür zu dem einzigen Fremdenzimmer des Wirtshauses offen und Maria richtete die Betten für die Nachtruhe her. Carlo stand vor seinem Bruder und sah ihn daliegen mit dem gedunsenen Gesicht, mit den bläulichen Lippen, das feuchte Haar an der Stirne klebend, um viele Jahre älter aussehend, als er war. Und langsam begann er zu verstehen. Nicht von heute konnte das Mißtrauen des Blinden sein, längst mußte es in ihm geschlummert haben, und nur der Anlaß, vielleicht der Mut hatte ihm gefehlt, es auszusprechen. Und alles, was Carlo für ihn getan, war vergeblich gewesen; vergeblich die Reue, vergeblich das Opfer seines ganzen Lebens. Was sollte er nun tun? – Sollte er noch weiterhin Tag für Tag, wer weiß wie lange noch, ihn durch die ewige Nacht führen, ihn betreuen, für ihn betteln und keinen anderen Lohn dafür haben als Mißtrauen und Schimpf? Wenn ihn der Bruder für einen Dieb hielt, so konnte ihm ja jeder Fremde dasselbe oder Besseres leisten als er. Wahrhaftig, ihn allein lassen, sich für immer von ihm trennen, das wäre das Klügste. Dann mußte Geronimo wohl sein Unrecht einsehen, denn dann erst würde er erfahren, was es heißt, betrogen und bestohlen werden, einsam und elend sein. Und er selbst, was sollte er beginnen? Nun, er war ja noch nicht alt; wenn er für sich allein war, konnte er noch mancherlei anfangen. Als Knecht zum mindesten fand er überall sein Unterkommen.

Aber während diese Gedanken durch seinen Kopf zogen, blieben seine Augen immer auf den Bruder geheftet. Und er sah ihn plötzlich vor sich, allein am Rande einer sonnbeglänzten Straße auf einem Stein sitzen, mit den weit offenen, weißen Augen zum Himmel starrend, der ihn nicht blenden konnte, und mit den Händen in die Nacht greifend, die immer um ihn war. Und er fühlte, so wie der Blinde niemand anderen auf der Welt hatte als ihn, so hatte auch er niemand anderen als diesen Bruder. Er verstand, daß die Liebe zu diesem Bruder der ganze Inhalt seines Lebens war, und wußte zum ersten Male mit völliger Deutlichkeit, nur der Glaube, daß der Blinde diese Liebe erwiderte und ihm verziehen, hatte ihn alles Elend so geduldig tragen lassen. Er konnte auf diese Hoffnung nicht mit einem Male verzichten. Er fühlte, daß er den Bruder gerade so notwendig brauchte als der Bruder ihn. Er konnte nicht, er wollte ihn nicht verlassen. Er mußte entweder das Mißtrauen erdulden oder ein Mittel finden, um den Blinden von der Grundlosigkeit seines Verdachtes zu überzeugen... Ja, wenn er sich irgendwie das Goldstück verschaffen könnte! Wenn er dem Blinden morgen früh sagen könnte: »Ich habe es nur aufbewahrt, damit du's nicht mit den Arbeitern vertrinkst, damit es dir die Leute nicht stehlen«... oder sonst irgend etwas...

Schritte näherten sich auf der Holztreppe; die Reisenden gingen zur Ruhe. Plötzlich durchzuckte seinen Kopf der Einfall, drüben anzuklopfen, den Fremden wahrheitsgetreu den heutigen Vorfall zu erzählen und sie um die zwanzig Franken zu bitten. Aber er wußte auch gleich: das war vollkommen aussichtslos! Sie würden ihm die ganze Geschichte nicht einmal glauben. Und er erinnerte sich jetzt, wie erschrocken der eine, blasse, zusammengefahren war, als er, Carlo, plötzlich im Dunkel vor dem Wagen aufgetaucht war.

Er streckte sich auf den Strohsack hin. Es war ganz finster im Zimmer. Jetzt hörte er, wie die Arbeiter laut redend und mit schweren Schritten über die Holzstufen hinabgingen. Bald darauf wurden beide Tore geschlossen. Der Knecht ging noch einmal die Treppe auf und ab, dann war es ganz still. Carlo hörte nur mehr das Schnarchen Geronimos. Bald verwirrten sich seine Gedanken in beginnenden Träumen. Als er erwachte, war noch tiefe Dunkelheit um ihn. Er sah nach der Stelle, wo das Fenster war; wenn er die Augen anstrengte, gewahrte er dort mitten in dem undurchdringlichen Schwarz ein tiefgraues Viereck. Geronimo schlief noch immer den schweren Schlaf des Betrunkenen. Und Carlo dachte an den Tag, der morgen war; und ihn schauderte. Er dachte an die Nacht nach diesem Tage, an den Tag nach dieser Nacht, an die Zukunft, die vor ihm lag, und Grauen erfüllte ihn vor der Einsamkeit, die ihm bevorstand. Warum war er abends nicht mutiger gewesen? Warum war er nicht zu den Fremden gegangen und hatte sie um die zwanzig Franken gebeten? Vielleicht hätten sie doch Erbarmen mit ihm gehabt. Und doch – vielleicht war es gut, daß er sie nicht gebeten hatte. Ja, warum war es gut?... Er setzte sich jäh auf und fühlte sein Herz klopfen. Er wußte, warum es gut war: Wenn sie ihn abgewiesen hätten, so wäre er ihnen jedenfalls verdächtig geblieben – so aber... Er starrte auf den grauen Fleck, der matt zu leuchten begann... Das, was ihm gegen seinen eigenen Willen durch den Kopf gefahren, war ja unmöglich, vollkommen unmöglich!... Die Tür drüben war versperrt – und überdies: sie konnten aufwachen... Ja, dort – der graue leuchtende Fleck mitten im Dunkel war der neue Tag – – –

Carlo stand auf, als zöge es ihn dorthin, und berührte mit der Stirn die kalte Scheibe. Warum war er denn aufgestanden? Um zu überlegen?... Um es zu versuchen?... Was denn?... Es war ja unmöglich – und überdies war es ein Verbrechen. Ein Verbrechen? Was bedeuten zwanzig Franken für solche Leute, die zum Vergnügen tausend Meilen weit reisen? Sie würden ja gar nicht merken, daß sie ihnen fehlten: Er ging zur Türe und öffnete sie leise. Gegenüber war die andere, mit zwei Schritten zu erreichen, geschlossen. An einem Nagel im Pfosten hingen Kleidungsstücke. Carlo fuhr mit der Hand über sie... Ja, wenn die Leute ihre Börsen in der Tasche ließen, dann wäre das Leben sehr einfach, dann brauchte bald niemand mehr betteln zu gehen... Aber die Taschen waren leer. Nun, was blieb übrig? Wieder zurück ins Zimmer, auf den Strohsack. Es gab vielleicht doch eine bessere Art, sich zwanzig Franken zu verschaffen – eine weniger gefährliche und rechtlichere. Wenn er wirklich jedesmal einige Centesimi von den Almosen zurückbehielte, bis er zwanzig Franken zusammengespart, und dann das Goldstück kaufte... Aber wie lang konnte das dauern – Monate, vielleicht ein Jahr. Ah, wenn er nur Mut hätte! Noch immer stand er auf dem Gang. Er blickte zur Tür hinüber... Was war das für ein Streif, der senkrecht von oben auf den Fußboden fiel? War es möglich? Die Tür war nur angelehnt, nicht versperrt?... Warum staunte er denn darüber? Seit Monaten schon schloß die Tür nicht. Wozu auch? Er erinnerte sich: nur dreimal hatten hier in diesem Sommer Leute geschlafen, zweimal Handwerksburschen und einmal ein Tourist, der sich den Fuß verletzt hatte. Die Tür schließt nicht – er braucht jetzt nur Mut – ja, und Glück! Mut? Das Schlimmste, was ihm geschehen kann, ist, daß die beiden aufwachen, und da kann er noch immer eine Ausrede finden. Er lugt durch den Spalt ins Zimmer. Es ist noch so dunkel, daß er eben nur die Umrisse von zwei auf den Betten lagernden Gestalten gewahren kann. Er horcht auf: sie atmen ruhig und gleichmäßig. Carlo öffnet die Tür leicht und tritt mit seinen nackten Füßen völlig geräuschlos ins Zimmer. Die beiden Betten stehen der Länge nach an der gleichen Wand dem Fenster gegenüber. In der Mitte des Zimmers ist ein Tisch; Carlo schleicht bis hin. Er fährt mit der Hand über die Fläche und fühlt einen Schlüsselbund, ein Federmesser, ein kleines Buch – weiter nichts... Nun natürlich!... Daß er nur daran denken konnte, sie würden ihr Geld auf den Tisch legen! Ah, nun kann er gleich wieder fort!... Und doch, vielleicht braucht es nur einen guten Griff und es ist geglückt... Und er nähert sich dem Bett neben der Tür; hier auf dem Sessel liegt etwas – er fühlt danach – es ist ein Revolver... Carlo zuckt zusammen... Ob er ihn nicht lieber gleich behalten sollte? Denn warum hat dieser Mensch den Revolver bereitliegen? Wenn er erwacht und ihn bemerkt... Doch nein, er würde ja sagen: Es ist drei Uhr, gnädiger Herr, aufsteh'n!... Und er läßt den Revolver liegen.

Und er schleicht tiefer ins Zimmer. Hier auf dem anderen Sessel unter den Wäschestücken... Himmel! Das ist sie... das ist eine Börse – er hält sie in der Hand!... In diesem Moment hört er ein leises Krachen. Mit einer raschen Bewegung streckt er sich der Länge nach zu Füßen des Bettes hin... Noch einmal dieses Krachen – ein schweres Aufatmen – ein Räuspern – dann wieder Stille, tiefe Stille. Carlo bleibt auf dem Boden liegen, die Börse in der Hand, und wartet. Es rührt sich nichts mehr. Schon fällt der Dämmer blaß ins Zimmer herein. Carlo wagt nicht aufzustehen, sondern kriecht auf dem Boden vorwärts bis zur Tür, die weit genug offen steht, um ihn durchzulassen, kriecht weiter bis auf den Gang hinaus, und hier erst erhebt er sich langsam, mit einem tiefen Atemzug. Er öffnet die Börse; sie ist dreifach geteilt: links und rechts nur kleine Silberstücke. Nun öffnet Carlo den mittleren Teil, der durch einen Schieber nochmals verschlossen ist, und fühlt drei Zwanzig-Francsstücke. Einen Augenblick denkt er daran, zwei davon zu nehmen, aber rasch weist er diese Versuchung von sich, nimmt nur ein Goldstück heraus und schließt die Börse zu. Dann kniet er nieder, blickt durch die Spalte in die Kammer, in der es wieder völlig still ist, und dann gibt er der Börse einen Stoß, so daß sie bis unter das zweite Bett gleitet. Wenn der Fremde aufwacht, wird er glauben müssen, daß sie vom Sessel heruntergefallen ist. Carlo erhebt sich langsam. Da knarrt der Boden leise, und im gleichen Augenblick hört er eine Stimme von drinnen: »Was ist's? Was gibt's denn?« Carlo macht rasch zwei Schritte rückwärts, mit verhaltenem Atem, und gleitet in seine eigene Kammer. Er ist in Sicherheit und lauscht... Noch einmal kracht drüben das Bett, und dann ist alles still. Zwischen seinen Fingern hält er das Goldstück. Es ist gelungen – gelungen! Er hat die zwanzig Franken und er kann seinem Bruder sagen: ›Siehst du nun, daß ich kein Dieb bin!‹ Und sie werden sich noch heute auf die Wanderschaft machen – gegen den Süden zu, nach Bormio, dann weiter durchs Veltlin... dann nach Tirano... nach Edole... nach Breno... an den See von Iseo wie voriges Jahr... Das wird durchaus nicht verdächtig sein, denn schon vorgestern hat er selbst zum Wirt gesagt: »In ein paar Tagen gehen wir hinunter.«

Immer lichter wird es, das ganze Zimmer liegt in grauem Dämmer da. Ah, wenn Geronimo nur bald aufwachte! Es wandert sich so gut in der Frühe! Noch vor Sonnenaufgang werden sie fortgehen. Einen guten Morgen dem Wirt, dem Knecht und Maria auch, und dann fort, fort... Und erst wenn sie zwei Stunden weit sind, schon nahe dem Tale, wird er es Geronimo sagen.

Geronimo reckt und dehnt sich. Carlo ruft ihn an: »Geronimo!«

»Nun, was gibt's?« Und er stützt sich mit beiden Händen und setzt sich auf.

»Geronimo, wir wollen aufstehen.«

»Warum?« Und er richtet die toten Augen auf den Bruder. Carlo weiß, daß Geronimo sich jetzt des gestrigen Vorfalles besinnt, aber er weiß auch, daß der keine Silbe darüber reden wird, ehe er wieder betrunken ist.

»Es ist kalt, Geronimo, wir wollen fort. Es wird heuer nicht mehr besser; ich denke, wir gehen. Zu Mittag können wir in Boladore sein.«

Geronimo erhob sich. Die Geräusche des erwachenden Hauses wurden vernehmbar. Unten im Hof sprach der Wirt mit dem Knecht. Carlo stand auf und begab sich hinunter. Er war immer früh wach und ging oft schon in der Dämmerung auf die Straße hinaus. Er trat zum Wirt hin und sagte: »Wir wollen Abschied nehmen.«

»Ah, geht ihr schon heut'?« fragte der Wirt.

»Ja. Es friert schon zu arg, wenn man jetzt im Hof steht, und der Wind zieht durch.«

»Nun, grüß mir den Baldetti, wenn du nach Bormio hinunterkommst, und er soll nicht vergessen, mir das Öl zu schikken.«

»Ja, ich will ihn grüßen. Im übrigen – das Nachtlager von heut'.« Er griff in den Sack.

»Laß sein, Carlo«, sagte der Wirt. »Die zwanzig Centesimi

– 62 –

schenk' ich deinem Bruder; ich hab' ihm ja auch zugehört. Guten Morgen.«

»Dank«, sagte Carlo. »Im übrigen, so eilig haben wir's nicht. Wir sehen dich noch, wenn du von den Hütten zurückkommst; Bormio bleibt am selben Fleck stehen, nicht wahr?« Er lachte und ging die Holzstufen hinauf.

Geronimo stand mitten im Zimmer und sagte: »Nun, ich bin bereit zu gehen.«

»Gleich«, sagte Carlo.

Aus einer alten Kommode, die in einem Winkel des Raumes stand, nahm er ihre wenigen Habseligkeiten und packte sie in ein Bündel. Dann sagte er: »Ein schöner Tag, aber sehr kalt.«

»Ich weiß«, sagte Geronimo. Beide verließen die Kammer.

»Geh leise«, sagte Carlo, »hier schlafen die zwei, die gestern abend gekommen sind.« Behutsam schritten sie hinunter. »Der Wirt läßt dich grüßen«, sagte Carlo; »er hat uns die zwanzig Centesimi für heut nacht geschenkt. Nun ist er bei den Hütten draußen und kommt erst in zwei Stunden wieder. Wir werden ihn ja im nächsten Jahre wiedersehen.«

Geronimo antwortete nicht. Sie traten auf die Landstraße, die im Dämmerschein vor ihnen lag. Carlo ergriff den linken Arm seines Bruders, und beide schritten schweigend talabwärts. Schon nach kurzer Wanderung waren sie an der Stelle, wo die Straße in langgezogenen Kehren weiterzulaufen beginnt. Nebel stiegen nach aufwärts, ihnen entgegen, und über ihnen die Höhen schienen von den Wolken wie eingeschlungen. Und Carlo dachte: Nun will ich's ihm sagen.

Carlo sprach aber kein Wort, sondern nahm das Goldstück aus der Tasche und reichte es dem Bruder; dieser nahm es zwischen die Finger der rechten Hand, dann führte er es an die Wange und an die Stirn, endlich nickte er. »Ich hab's ja gewußt«, sagte er.

»Nun ja«, erwiderte Carlo und sah Geronimo befremdet an.

»Auch wenn der Fremde mir nichts gesagt hätte, ich hätte es doch gewußt.«

»Nun ja«, sagte Carlo ratlos. »Aber du verstehst doch,

warum ich da oben vor den anderen – ich habe gefürchtet, daß du das Ganze auf einmal – – Und sieh, Geronimo, es wäre doch an der Zeit, hab' ich mir gedacht, daß du dir einen neuen Rock kaufst und ein Hemd und Schuhe auch, glaube ich; darum habe ich...«

Der Blinde schüttelte heftig den Kopf. »Wozu?« Und er strich mit der einen Hand über seinen Rock. »Gut genug, warm genug; jetzt kommen wir nach dem Süden.«

Carlo begriff nicht, daß Geronimo sich gar nicht zu freuen schien, daß er sich nicht entschuldigte. Und er redete weiter: »Geronimo, war es denn nicht recht von mir? Warum freust du dich denn nicht? Nun haben wir es doch, nicht wahr? Nun haben wir es ganz. Wenn ich dir's oben gesagt hätte, wer weiß... Oh, es ist gut, daß ich dir's nicht gesagt habe – gewiß!«

Da schrie Geronimo: »Hör' auf zu lügen, Carlo, ich habe genug davon!«

Carlo blieb stehen und ließ den Arm des Bruders los. »Ich lüge nicht.«

»Ich weiß doch, daß du lügst!... Immer lügst du!... Schon hundertmal hast du gelogen!... Auch das hast du für dich behalten wollen, aber Angst hast du bekommen, das ist es!«

Carlo senkte den Kopf und antwortete nichts. Er faßte wieder den Arm des Blinden und ging mit ihm weiter. Es tat ihm weh, daß Geronimo so sprach; aber er war eigentlich erstaunt, daß er nicht trauriger war.

Die Nebel zerteilten sich. Nach langem Schweigen sprach Geronimo: »Es wird warm.« Er sagte es gleichgültig, selbstverständlich, wie er es schon hundertmal gesagt, und Carlo fühlte in diesem Augenblick: für Geronimo hatte sich nichts geändert. – Für Geronimo war er immer ein Dieb gewesen.

»Hast du schon Hunger?« fragte er.

Geronimo nickte, zugleich nahm er ein Stück Käse und Brot aus der Rocktasche und aß davon. Und sie gingen weiter.

Die Post von Bormio begegnete ihnen; der Kutscher rief sie an: »Schon hinunter?« Dann kamen noch andere Wagen, die alle aufwärts fuhren.

»Luft aus dem Tal«, sagte Geronimo, und im gleichen Augenblick, nach einer raschen Wendung, lag das Veltlin zu ihren Füßen.

Wahrhaftig – nichts hat sich geändert, dachte Carlo... Nun hab' ich gar für ihn gestohlen – und auch das ist umsonst gewesen.

Die Nebel unter ihnen wurden immer dünner, der Glanz der Sonne riß Löcher hinein. Und Carlo dachte: ›Vielleicht war es doch nicht klug, so rasch das Wirtshaus zu verlassen... Die Börse liegt unter dem Bett, das ist jedenfalls verdächtig...‹ Aber wie gleichgültig war das alles! Was konnte ihm noch Schlimmes geschehen? Sein Bruder, dem er das Licht der Augen zerstört, glaubte sich von ihm bestohlen und glaubte es schon jahrelang und wird es immer glauben – was konnte ihm noch Schlimmes geschehen?

Da unter ihnen lag das große weiße Hotel wie in Morgenglanz gebadet, und tiefer unten, wo das Tal sich zu weiten beginnt, lang hingestreckt, das Dorf. Schweigend gingen die beiden weiter, und immer lag Carlos Hand auf dem Arm des Blinden. Sie gingen an dem Park des Hotels vorüber, und Carlo sah auf der Terrasse Gäste in lichten Sommergewändern sitzen und frühstücken. »Wo willst du rasten?« fragte Carlo.

»Nun, im ›Adler‹, wie immer.«

Als sie bei dem kleinen Wirtshause am Ende des Dorfes angelangt waren, kehrten sie ein. Sie setzten sich in die Schenke und ließen sich Wein geben.

»Was macht ihr so früh bei uns?« fragte der Wirt.

Carlo erschrak ein wenig bei dieser Frage. »Ist's denn so früh? Der zehnte oder elfte September – nicht?«

»Im vergangenen Jahr war es gewiß viel später, als ihr herunterkamt.«

»Es ist so kalt oben«, sagte Carlo. »Heut nacht haben wir gefroren. Ja richtig, ich soll dir bestellen, du möchtest nicht vergessen, das Öl hinaufzuschicken.«

Die Luft in der Schenke war dumpf und schwül. Eine sonderbare Unruhe befiel Carlo; er wollte gern wieder im Freien sein, auf der großen Straße, die nach Tirano, nach Edole, nach dem See von Iseo, überallhin, in die Ferne führt! Plötzlich stand er auf.

»Gehen wir schon?« fragte Geronimo.

»Wir wollen doch heut mittag in Boladore sein, im ›Hirschen‹ halten die Wagen Mittagsrast; es ist ein guter Ort.«

Und sie gingen. Der Friseur Benozzi stand rauchend vor seinem Laden. »Guten Morgen«, rief er. »Nun, wie sieht's da oben aus? Heut nacht hat es wohl geschneit?«

»Ja, ja«, sagte Carlo und beschleunigte seine Schritte.

Das Dorf lag hinter ihnen, weiß dehnte sich die Straße zwischen Wiesen und Weinbergen, dem rauschenden Fluß entlang. Der Himmel war blau und still. ›Warum hab' ich's getan?‹ dachte Carlo. Er blickte den Blinden von der Seite an. ›Sieht sein Gesicht denn anders aus als sonst? Immer hat er es geglaubt – immer bin ich allein gewesen – und immer hat er mich gehaßt.‹ Und ihm war, als schritte er unter einer schweren Last weiter, die er doch niemals von den Schultern werfen dürfte, und als könnte er die Nacht sehen, durch die Geronimo an seiner Seite schritt, während die Sonne leuchtend auf allen Wegen lag.

Und sie gingen weiter, gingen, gingen stundenlang. Von Zeit zu Zeit setzte sich Geronimo auf einen Meilenstein, oder sie lehnten beide an einem Brückengeländer, um zu rasten. Wieder kamen sie durch ein Dorf. Vor dem Wirtshause standen Wagen, Reisende waren ausgestiegen und gingen hin und her; aber die beiden Bettler blieben nicht. Wieder hinaus auf die offene Straße. Die Sonne stieg immer höher; Mittag mußte nahe sein. Es war ein Tag wie tausend andere.

»Der Turm von Boladore«, sagte Geronimo. Carlo blickte auf. Er wunderte sich, wie genau Geronimo die Entfernungen berechnen konnte: wirklich war der Turm von Boladore am Horizont erschienen. Noch von ziemlich weither kam ihnen jemand entgegen. Es schien Carlo, als sei er am Wege gesessen und plötzlich aufgestanden. Die Gestalt kam näher. Jetzt sah Carlo, daß es ein Gendarm war, wie er ihnen so oft auf der Landstraße begegnete. Trotzdem schrak Carlo leicht zusammen.

Aber als der Mann näher kam, erkannte er ihn und war beruhigt. Es war Pietro Tenelli; erst im Mai waren die beiden Bettler im Wirtshaus des Raggazzi in Morignone mit ihm zusammen gesessen, und er hatte ihnen eine schauerliche Geschichte erzählt, wie er von einem Strolch einmal beinahe erdolcht worden war.

»Es ist einer stehen geblieben«, sagte Geronimo.

»Tenelli, der Gendarm«, sagte Carlo.

Nun waren sie an ihn herangekommen.

»Guten Morgen, Herr Tenelli«, sagte Carlo und blieb vor ihm stehen.

»Es ist nun einmal so«, sagte der Gendarm, »ich muß euch vorläufig beide auf den Posten nach Boladore führen.«

»Eh!« rief der Blinde.

Carlo wurde blaß. ›Wie ist das nur möglich?‹ dachte er. ›Aber es kann sich nicht darauf beziehen. Man kann es ja hier unten noch nicht wissen.‹

»Es scheint ja euer Weg zu sein«, sagte der Gendarm lachend, »es macht euch wohl nichts, wenn ihr mitgeht.«

»Warum redest du nichts, Carlo?« fragte Geronimo.

»O ja, ich rede... Ich bitte, Herr Gendarm, wie ist es denn möglich... was sollen wir denn... oder vielmehr, was soll ich... wahrhaftig, ich weiß nicht...«

»Es ist nun einmal so. Vielleicht bist du auch unschuldig. Was weiß ich. Jedenfalls haben wir die telegraphische Anzeige ans Kommando bekommen, daß wir euch aufhalten sollen, weil ihr verdächtig seid, dringend verdächtig, da oben den Leuten Geld gestohlen zu haben. Nun, es ist auch möglich, daß ihr unschuldig seid. Also vorwärts!«

»Warum sprichst du nichts, Carlo?« fragte Geronimo.

»Ich rede – oja, ich rede...«

»Nun geht endlich! Was hat es für einen Sinn, auf der Straße stehen zu bleiben! Die Sonne brennt. In einer Stunde sind wir an Ort und Stelle. Vorwärts!«

Carlo berührte den Arm Geronimos wie immer, und so gingen sie langsam weiter, der Gendarm hinter ihnen.

»Carlo, warum redest du nicht?« fragte Geronimo wieder.

»Aber was willst du, Geronimo, was soll ich sagen? Es wird sich alles herausstellen; ich weiß selber nicht...«

Und es ging ihm durch den Kopf: ›Soll ich's ihm erklären, eh wir vor Gericht stehen?... Es geht wohl nicht. Der Gendarm hört uns zu... Nun, was tut's. Vor Gericht werd' ich ja doch die Wahrheit sagen. »Herr Richter«, werd' ich sagen, »es ist doch kein Diebstahl wie ein anderer. Es war nämlich so:...« Und nun mühte er sich, die Worte zu finden, um vor Gericht die Sache klar und verständlich darzustellen. »Da fuhr gestern ein Herr über den Paß... es mag ein Irrsinniger gewesen sein – oder am End' hat er sich nur geirrt... und dieser Mann...«‹

Aber was für ein Unsinn! Wer wird es glauben?... Man wird ihn gar nicht so lange reden lassen. – Niemand kann diese dumme Geschichte glauben: nicht einmal Geronimo glaubt sie... – Und er sah ihn von der Seite an. Der Kopf des Blinden bewegte sich nach alter Gewohnheit während des Gehens wie im Takte auf und ab, aber das Gesicht war regungslos, und die leeren Augen stierten in die Luft. – Und Carlo wußte plötzlich, was für Gedanken hinter dieser Stirne liefen... ›So also stehen die Dinge‹, mußte Geronimo wohl denken. – ›Carlo bestiehlt nicht nur mich, auch die anderen Leute bestiehlt er... Nun, er hat es gut, er hat Augen, die sehen, und er nützt sie aus...‹ – Ja, das denkt Geronimo, ganz gewiß... Und auch, daß man kein Geld bei mir finden wird, kann mir nicht helfen, – nicht vor Gericht, nicht vor Geronimo. Sie werden mich einsperren und ihn... Ja, ihn geradeso wie mich, denn er hat ja das Geldstück. – Und er konnte nicht mehr weiter denken, er fühlte sich so sehr verwirrt. Es schien ihm, als verstünde er überhaupt nichts mehr von der ganzen Sache, und wußte nur eines: daß er sich gern auf ein Jahr in den Arrest setzen ließe... oder auf zehn, wenn nur Geronimo wüßte, daß er für ihn allein zum Dieb geworden war.

Und plötzlich blieb Geronimo stehen, so daß auch Carlo innehalten mußte.

»Nun, was ist denn?« sagte der Gendarm ärgerlich. »Vorwärts, vorwärts!« Aber da sah er mit Verwunderung, daß der Blinde die Gitarre auf den Boden fallen ließ, seine Arme erhob und mit beiden Händen nach den Wangen des Bruders tastete. Dann näherte er seine Lippen dem Munde Carlos, der zuerst nicht wußte, wie ihm geschah, und küßte ihn.

»Seid ihr verrückt?« fragte der Gendarm. »Vorwärts! Vorwärts! Ich habe keine Lust zu braten.«

Geronimo hob die Gitarre vom Boden auf, ohne ein Wort zu sprechen. Carlo atmete tief auf und legte die Hand wieder auf den Arm des Blinden.

»Vorwärts!« schrie der Gendarm. »Wollt ihr endlich –!« Und er gab Carlo eins zwischen die Rippen.

Und Carlo, mit festem Druck den Arm des Blinden leitend, ging wieder vorwärts. Er schlug einen viel rascheren Schritt ein als früher. Das Lächeln wollte von seinem Antlitz nicht verschwinden. Ihm war, als könnte ihm jetzt nichts Schlimmes mehr geschehen, – weder vor Gericht, noch sonst irgendwo auf der Welt. – Er hatte seinen Bruder wieder... Nein, er hatte ihn zum erstenmal...

Legende

[Fragment]

Vor dreitausend Jahren geschah es, daß in Indien der junge und geliebte Fürst des Landes von einem schweren Übel befallen wurde, so daß er nicht gehen, die Hände nicht rühren und sich überhaupt in keiner Weise bewegen konnte. Die berühmtesten Ärzte des Landes wurden um Rat gefragt, aber ihre Kunst war verloren. In allen Tempeln des Landes wurden Gebete zum heiligen Brahma aufgesandt, aber die Krankheit des Fürsten wollte nicht weichen. Regungslos lag er auf seinem Ruhebette in dem hohen Saal des Palastes, oder man trug ihn über die Marmorstufen hinunter in den weiten Park, wo ihm unter mächtigen Bäumen ein Lager bereitet war. Und seine Traurigkeit war tief.

Da drang in das Schloß die Kunde von einem wundertätigen Bild des heiligen Brahma im fernsten Süden des Landes, zu welchem Kranke und Gebrechliche zu wallfahren pflegten und dessen Anbetung selbst da, wo weder Arzt noch Priester mehr helfen konnte, sichere Rettung gebracht haben sollte. Das Gerücht erzählte von Blinden, die dort ihr Gesicht, von Tauben, die ihr Gehör, von Stummen, die ihre Sprache, von Gelähmten, die den Gebrauch ihrer Glieder wiedergewonnen hatten, und selbst von Altersschwachen, in deren müdem Leib eine neue Jugend aufgeflammt war. So wurde denn im fürstlichen Rate, an dem sowohl Minister und Gelehrte als Priester teilnahmen, beschlossen, den Fürsten darum anzuflehen, eine Wallfahrt zu jenem Wunderbilde zu unternehmen. Der Fürst nahm den Vorschlag mit größerer Bereitwilligkeit auf, als seine Räte erwartet hatten, und schon am Morgen des nächsten Tages machte er sich mit einem großen Gefolge auf die lange und beschwerliche Reise. Dem fürstlichen Zuge schlossen sich schon in der Residenz und auch auf dem Wege, der sie an vielen Städten vorbeiführte, eine Menge von Leuten anderer Stände an, die als unheilbar krank erklärt worden waren und nun einer letzten Hoffnung entgegenwallten. Nach einem Monat leuchtete dem Fürsten die silberne Kuppel des Tempels entgegen, in dem das wundertätige Bild wohnte, und ringsum lag die Abendsonne auf weißen Zelten, als wäre ein großes Kriegslager hier aufgeschlagen; doch dies waren die beweglichen Wohnungen der Wallfahrer, die an einem Tage aufgerichtet und am andern wieder abgebrochen wurden. Bei hereinbrechender Nacht ließ sich der Fürst durch die Reihen der Zelte über die einzelnen Stufen in den Tempel tragen, und als seine Bahre vor dem wundertätigen Bildnis hingestellt war, hielten ihm ein Arzt und ein Priester das Haupt in die Höhe, damit er seine Augen fest und inbrünstig auf das heilige Bildnis richten könne. Es war ein Bild, das den heiligen Brahma darstellte, so wie Menschenaugen glauben, daß sich ihnen der Gewaltige enthüllen würde: unter der Gestalt eines würdigen, ernsten und weisen Alten, in einfaches graues Gewand gekleidet. Das Bild war ohne jede Kunst ausgeführt, hölzern eingerahmt, und niemand hätte es unter den vielen glänzenden und seltsamen Werken, die der Tempel enthielt, bemerkt, wenn es nicht über dem großen Altare, wie zwischen zwei Säulen schwebend, dem Eintretenden sich offenbart hätte. Der Fürst aber sprach: »Heiliger Brahma, der du schon so vielen geholfen, hilf auch mir! Ich sehe, wie sich jeder auf seine Weise dir dankbar zeigt, wenn du ihm hilfst; überall sehe ich ihre Geschenke, die deiner Gnade geweiht sind; unter Glas, auf kleinen Altären sehe ich Augen aus Wachs, Gliedmaßen aus Holz und Stein, Figuren aus edlem Metall, und endlich seh' ich einfache Pergamentblätter an den Wänden hängen, darauf die Genesenen dir ihren Dank sagen. Und so bringt dir jeder nach seinem Vermögen und nach seinem Sinn die Zeichen seiner Verehrung. Ich, heiliger Brahma, der ich der Fürst dieses ungeheuren Landes bin, will dir mehr schenken als Alle. Wenn du mir die Gesundheit wiedergibst, will ich rings um diesen steinernen Tempel mit der silbernen Kuppel einen neuen, gewaltigen aus reinem Golde errichten lassen mit einer Kuppel aus Edelsteinen, so daß dein altes Haus nicht mehr bedeuten wird als einen zweiten Rahmen für dein Bildnis. Hilf mir, heiliger Brahma! Gib mir die Beweglichkeit und Kraft meiner Glieder wieder, daß ich mich meines Lebens freuen darf und meine Völker lieben!«

Dieses gleiche Gebet verrichtete der Fürst nach Weisung des Hohepriesters sieben Mal' jeden Tag durch sieben Tage. Am Abend des siebenten wurde die Heimreise angetreten. Vier Wochen später trug man den Fürsten die Stufen des Palastes wieder hinauf, und Tage und Nächte verrannen wie früher. Regungslos lag der Fürst auf dem Ruhebett im hohen Saal oder unter den mächtigen Bäumen in seinem Park, und wenn er nicht die Lippen öffnete, um zu reden, und wenn seine Augen nicht aufleuchteten, sah er wie ein Wachsbild aus. Niemand aus seiner Umgebung wagte es, von dem Wallfahrtsort zu sprechen, und es schien, als hätte der Fürst selbst daran vergessen wollen, denn nie, seit er zurückgekehrt, war ein Wort über seine Reise und seinen Aufenthalt, kein Wort über seine Hoffnungen und seine Enttäuschungen von seinen Lippen gedrungen. Daher waren seine Räte sehr erstaunt, als er, gerade ein Jahr nach Antritt der ersten Reise, den Befehl gab, man möge alles zu einer neuen Wallfahrt rüsten. Schon am Morgen darauf setzte der Zug sich wieder in Bewegung, und viele Menschen schlossen sich an. Und wieder nach einem Monat leuchtete ihnen die silberne Kuppel des Tempels innerhalb der weißen Zelte entgegen; aber über all dem lag ein roter Glanz, der immer heller wurde, je näher sie kamen. Bald gewahrten sie, daß außerhalb des Zeltlagers eine Flamme aus dem Boden schlüge; hörten ein wüstes Schreien und Lärmen und sahen endlich eine große Menge von Menschen, die rings um das Feuer tanzte. Krüppel ließen sich von Leuten mit gesunden Gliedern in die Höhe heben, Blinde hüpften an der Hand von Sehenden umher, und nun sah der Fürst, daß hier ein Scheiterhaufen lohte und daß in den Flammen eine dunkel glühende Masse, welche noch die Gestalt eines Menschen hatte, immer unförmlicher wurde und sich in nichts aufzulösen schien. Er sandte fragen, an wem hier ein so schauerliches Gericht vollzogen würde, und erfuhr alsbald, daß man hier einen Elenden den Flammen übergeben hatte, der gewagt, Brahma zu lästern, weil er ihm keine Hilfe gesandt. Der Hohepriester selbst hatte diese Strafe angeordnet, und diejenigen, welche die Scheite in Brand gesteckt, waren die Siechsten und Schwertstheimgesuchten von allen gewesen; die dachten, eben darum die Gnade des heiligen Brahma zu erlangen. Nachdem der Fürst all dies schweigend vernommen, hieß er den Zug sich wieder in Bewegung setzen und ließ sich in den Tempel vor das Wunderbild tragen. Er verrichtete sein Gebet wie vor einem Jahre und tat desgleichen sieben Tage lang je sieben Mal', wie ihn der Hohepriester gelehrt hatte. Und am Abend des siebenten Tages trat er die Heimreise an. Auf der großen Heerstraße begegneten ihm viele Menschen, die alle den Weg gingen, den er gekommen war. Oft ließ er anhalten und fragte die Leute, warum sie zu dem heiligen Bilde wallfahrten, aber von tausend hörte er, daß sie Heilung suchten, eh er einen fand, der hinunterzog, um seinen Dank und ein Weihegeschenk darzubringen. Als er in sein Schloß zurückgekehrt war, begann er in die Tiefen seiner Seele zu schauen und forschte darin, ob er je mit Bewußtsein ein Unrecht oder eine Sünde begangen. Doch er erinnerte sich keiner. Da er aber seinem Gedächtnis mißtraute, rief er seine Räte und fragte alle, ob sie von einer Sünde oder einem Unrecht wüßten, das er begangen. Sie wußten ihm keines zu nennen. Aber er mißtraute ihrer Ehrlichkeit, und darum ließ er rings im Volke fragen, ob einer aufstehen könnte, ihn eines Unrechts beschuldigen, und jedem, der dessen fähig wäre, versprach er ein so reiches Geschenk, daß es ihm Sorgenlosigkeit für den Rest seines Lebens sichern sollte. Doch keiner rings im Lande stand auf, dem der Fürst das geringste Unrecht zugefügt, denn er war der Edelste von allen, die je in diesem Lande geherrscht hatten. Da verfiel der Fürst in eine noch tiefere Traurigkeit als früher. Schweigend lag er auf seinem Ruhebett, Tage und Nächte lang, und wäre das Leuchten seiner Augen nicht gewesen, so hätte man ihn für einen Toten halten können, denn er sprach kein Wort mehr. Doch als der Tag im Jahr nahe war, an dem er schon zweimal ausgezogen, um vor dem wundertätigen Bilde seine Genesung zu erflehen, sandte er Boten nach jenem Orte aus, die den Befehl zu überbringen hatten, daß neben dem Tempel mit dem Wunderbild ein anderer errichtet würde, so groß wie der frühere, vom selben Ansehen, aber aus schwarzem Marmor und ohne Altar, ohne jeden Schmuck und ohne jedes Bildnis. Und am Tage, da sich der Antritt seiner Reise wieder jährte, zog er zum dritten Male aus, und nun war es, als zöge sein halbes Reich mit ihm. Der Fürst staunte, daß es so viel Elend und so viel Hoffnung in seinem Lande gebe. Und als er nach einem Monat sich dem Ort seiner Bestimmung näherte, sah er schon neben der silbernen Kuppel die matte Höhe des neugebauten Tempels ragen, und der Himmel erstrahlte von glühendem Rot. Bald erblickte er Flammen, die emporstiegen, und endlich sah er, daß vor den Zelten viele Scheiterhaufen angezündet waren und rings um die Lohe, in der Menschen verbrannten, eine wütende Menge tobte und tanzte. Und der Fürst fragte nicht mehr. An den Scheiterhaufen und Zelten vorüber ließ er sich zu dem neuen Tempel tragen, der gleich neben dem alten stand. Und als seine Tragbahre auf den nackten Fliesen zwischen den nackten Wänden stand, verrichtete er sein Gebet. Dies lautete also: »Brahma, auch ich habe zu dir gefleht! Warum hast du mir nicht geholfen? Ich bin nach meinen Kräften und nach meinem Wissen ein guter Fürst gewesen, warum lässest du mich so jung und elend verkommen? Brahma, du hast uns niemals offenbart, was deine Absicht mit uns ist, wenn wir unsere irdische Hülle verlassen, und hast uns niemals offenbart, warum du so oft Gerechte leiden und Ungerechte glückselig sein lässest. Aber da du Dank von denen hinnimmst, denen es auf Erden wohlgeht, so kann es dein Wille nicht sein, daß man die verbrennt, die an dir verzweifeln. Brahma, ich verzweifle und sterbe!« Die Augen des Fürsten leuchteten noch einmal auf, er tat einen tiefen Atemzug und war tot. Aber in dem gleichen Augenblick erschienen die Worte seines Gebetes zum ungeheuren Staunen aller Anwesenden in die Marmorwand gegenüber dem Eingangstor mit riesigen Buchstaben eingegraben. Sogleich drang die Kunde von dem Tode des Fürsten und von dem Wunder, das geschehen, unter die Menge vor dem Tempel, und der Hohepriester erschien. Auf den Stufen des Tempels stehend, erkärte er vor dem versammelten Volke, daß der Fürst ein großer Lästerer gewesen und daß ihm darum das heilige Bild nicht geholfen habe. Zugleich befahl er, daß die Leiche des Fürsten aus dem Tempel geschafft und verbrannt würde, und da die Leute wußten, daß ein lebendiger Hohepriester größere Macht besitzt als ein toter Fürst, so schwiegen sie und ließen die Priester gewähren, die nun die Bahre des toten Fürsten hinaustrugen und auf den freien Platz vor dem Tempel stellten. Dort aber nahmen die treuen Diener des Fürsten die Leiche in Empfang, und noch in derselben Nacht machten sie sich auf den Weg nach der Heimat. Indessen erteilte der Hohepriester den Befehl, man möge den neuen Tempel sofort niederreißen. Aber als die Arbeiter nahten, die den Befehl des Hohepriesters ausführen sollten, standen so viele Menschen rings um den Tempel, auf den Stufen und im Innern, daß es unmöglich war, mit der Arbeit zu beginnen. Da befahl der Hohepriester, daß man den Platz vor dem Tempel, die Stufen und das Innere mit Gewalt räumen sollte. Aber es schien, als hätte sein Wort an Macht verloren, und die Menge rührte sich nicht. Es waren viele unter diesen, welche schon zum zweiten Male und noch öfter an diesem Orte weilten und vergeblich das Bildnis des heiligen Brahma angerufen hatten. Und diese flüsterten und niemand wußte, wer es zuerst geflüstert: »Auch wir verzweifeln und sterben!« Und das Flüstern wurde zum Schreien, das Schreien zum Jammern, und ringsum tönte es immer weiter bis zu den Zelten, zu den Scheiterhaufen, hinaus auf die Landstraße, den Neuangekommenen entgegen: »Wir verzweifeln und sterben!« Und mit einem Mal sah man eine ganze Anzahl von Kranken die Stufen hinaufeilen, sich durch die Menge drängen und Pergamentblätter mit eisernen Stiften an die Wand heften, auf denen die Geschichte ihres Leids, ihre Klagen und ihre Verzweiflung aufgezeichnet waren. Und ehe die Sonne neu aufging, hingen Hunderte solcher Blätter an der Wand. Und als die Sonne aufging, waren alle Scheiterhaufen verlöscht. Und die Priester hörten, wie die Worte der Demut und des Flehens und die spärlichen Worte des Dankes tausendfach übertönt wurden von den Rufen des Grimms und der Verzweiflung. Ehe sieben Tage vergangen waren, gab es in dem neuen Tempel keinen Platz mehr für die Pergamentblätter. Aber auch in diesem Tempel gab es Priester: das waren die, welche am tiefsten das Leid der anderen fühlten. Mit einer ungeheuren Geschwindigkeit wuchs nun neben dem neuen Tempel ein zweiter aus dem Boden, der gleichen Bestimmung geweiht, und noch im Laufe desselben Jahres dreißig andere. Denn es war eine neue Andacht ins Land gekommen, und es galt wie ein Gesetz, daß nicht nur die, denen geholfen war, hierher wallten, um zu danken, sondern daß auch die anderen wiederkommen mußten, die Brahma nicht erhört hatte. Und für die, welche nicht wiederkommen konnten, weil sie daheim gestorben waren, kamen die Hinterbliebenen, die Andacht der Verzweiflung verrichten. Und so kam es, daß im Laufe der Jahre immer neue Tempel ringsum entstanden: es wurde eine Riesenstadt von schwarzen Tempeln, und mitten unter ihnen, wie verschlungen von der dunklen Masse, stand der älteste, in welchem nach wie vor das Gnadenbild des heiligen Brahma hing und ein Hohepriester die Betenden empfing. Und während ringsum in den tausend Tempeln aus schwarzem Marmor das Jammern der Verlorenen, Verlassenen und Verzweifelten tönt, beten in dem alten Tempel der Gnade wie in alter Zeit die Geretteten, preisen die Güte und Gerechtigkeit des heiligen Brahma, der gerade ihnen geholfen hat, wissen nicht von den Millionen Gebeten, die rings um sie zum heiligen Brahma vergeblich aufgestiegen sind, nichts von ihren unzähligen Brüdern, die verzweifeln und sterben. –

[Plan der Fortsetzung]

Bedeutende Schilderung der Scheiterhaufen.
   Kampf zwischen dem Kranken und dem Gesunden.
   Die Verwandten der Kranken.
   Der Sohn des Fürsten heftet ein Blatt an die Wand oder läßt einen Tempel bauen, an dessen Wände diejenigen, denen nicht geholfen wurde, ihre Klagen heften.

Der Hohepriester wird umgebracht. Revolte.

Die Worte des Königs, sehr laut gesprochen, erscheinen nicht an der Wand.

Die Scheiterhaufen werden ausgelöscht, nachdem die Priester verbrannt wurden.

Nach einiger Zeit beruhigt sich alles.

Der Tempel wird verbrannt.

Nach einem Jahr steht wieder das Bild der Gnade dort – ein anderes, wieder Wunder wirkend.

Der Leuchtkäfer

Aus der Ferialkorrespondenz zweier Jünglinge

STEFAN AN FELIX

Mein lieber Felix! Du erstaunst beim Anblick des Poststempels. Ja – ich habe Wien verlassen; mit ödem Schädel und gebrochenem Herzen. – Du Glücklicher hast dein erstes Rigorosum hinter dir und kannst dich ordentlich ausfaulenzen. Ich bin zurückgetreten. Daß ich unter diesen Umständen deine und deiner werten Eltern Einladung nicht annehmen kann, siehst du ein. Ich muß in die Einsamkeit. Du kannst dir vorstellen, mit welcher Wehmut ich an unseren vorjährigen Sommer, unsere herrlichen Tennispartien, den berühmten Radausflug mit dem Cousinensturz und an die schöne Amerikanerin mit dem Sommermuff denken werde. Der Papa ist wütend. Er hat sich natürlich gleich gedacht, daß es so kommen wird – schon damals, als er mich am Derbytag mit Theodora durch die Hauptallee fahren sah. Die Mama hat mir verziehen. Meiner Schwester wär's natürlich auch ganz egal, wenn nicht mein Schwager intrigieren würde. Seit vorgestern bin ich hier, habe mir ein Zimmer in einer sehr hübschen Pension genommen, mit der Aussicht auf den See, – und habe die Absicht zu arbeiten. Ich bin sehr neugierig zu erfahren, wie's dir bei der Prüfung gegangen ist. Du mußt mir überhaupt oft und viel schreiben, das wird meine einzige Zerstreuung sein.
Herzlichen Gruß. Dein

Stefan.

FELIX AN STEFAN

Durchgefallen! Darf erst in einem Jahr die Prüfung wiederholen. Es lebe die Freiheit! Gruß!

Felix.

STEFAN AN FELIX

Mein lieber Felix! Du hast's gut, du kannst deine Ferien genießen. Also hör' einmal zu, wie ich lebe. Um sieben Uhr steh' ich auf, frühstücke auf der Terrasse, ganz allein, dann geh' ich in den Wald mit Plaid und Büchern, strecke mich hin und studiere. Natürlich merke ich, daß ich alles gewußt habe und absolut nicht notwendig gehabt hätte, zurückzutreten; aber wenn ich nicht täglich sieben Stunden lang rekapituliere, hab' ich natürlich bis zum September alles vergessen. Zu dumm! Um halb zwölf bade ich, schwimme weit hinaus in den See – gleich daneben ist das Damenbad; aber es scheint, daß es ausschließlich von alten Jüdinnen beschwommen wird. Eine hat eine Schwimmblase um, läßt sich von den Wellen hinaustragen und hält sich, ihrer edlen Kopfhaltung nach zu schließen, für einen besseren Schwan. Um ein Uhr Table d'hôte, anständig bürgerliches Essen; etwa sechzehn Leute: zwei alte Ehepaare, eine Mutter mit drei Kindern, eine Mademoiselle (schiech), eine Excellenz aus dem Ackerbauministerium, sieht aus wie ein Gesangskomiker, neben mir ein Herr aus Brünn, der täglich eine andere Fußpartie macht und bestaubt sowie schwitzend während der Suppe angepustet kommt. Vis-à-vis der Schwan, aber, soweit sich das beurteilen läßt, ohne Schwimmblase. Ich bin der einzige junge Herr in der Pension. Nach Tisch der Kaffee auf der Terrasse. Ich sitze allein und rauche meine Zigarette. Ein paar junge Mädchen wandeln öfter vorüber, ich lasse sie wandeln. Der Wirt kommt herbei, wackelt mit den Armen und richtet freundliche Ansprachen an mich. Nachher auf mein Zimmer, Henri Clay zu 23; – Studium bis zur Abendkühle. Dann Spaziergang längs des Ufers, entweder nach rechts oder nach links. Um acht wieder einsames Nachtmahl an einem Tisch für mich allein. Die Leute halten mich für einen Sonderling. – Theodora schreibt mir kein Wort. Schreibe du mir doch bald. Servus! Dein   Stefan.

FELIX AN STEFAN
Lieber Stefan! Bald – zuerst muß ich mich erholen.

Felix

Lieber Felix! Du bist ein faules Schwein. Ich verzichte auf Ansichtskarten, eure Gegend kenn' ich ja. Denk' doch, in was für
einem Seelenzustand ich mich befinde! Meinst du etwa, daß
mein Herz nicht mehr blutet? Hast du eine Ahnung, was ich
wegen dieser Person ausgestanden habe? Und dabei kein Wort
von ihr! Wenn sie jetzt auch verlobt ist... deshalb kann man
doch dem früheren Geliebten ein Wort schreiben. Aber nichts
mehr davon – ich habe mir geschworen: Es war meine letzte
Dummheit! Ich schäme mich ja so! Ich habe die feste Absicht, ein
anständiger Mensch zu werden und nur mehr mit verheirateten
Frauen Verhältnisse anzufangen. – Was mir übrigens einfällt!
Wenn du vielleicht zwei Monocles hast – meins ist zerbrochen –,
möchtest du mir nicht eins schicken? Einfach in einer Schachtel.
Es geht mir sehr ab; hier bekommt man keines, und ich bin ja
wirklich auf einem Auge kurzsichtig.

Heut bin ich beinah bis zum Ufer gegenüber geschwommen –
prachtvoll! Bei meiner Rückkehr war das Damenbad sehr be-
lebt. Ein nettes blondes Fräulein von höchstens 16 lernt schwim-
men und kokettiert dabei mit dem Schwimmeister, der einen
Antinouskopf hat. Ich habe mir wieder einmal vorgenommen,
nie zu heiraten. – Es wird jetzt überhaupt lebendig im See:
Einige Weiber mit riesigen Hüten gegen die Sonne, aber zugleich gegen mich, – dumme Buben, die auf Balken reiten und
sich und die Mitwelt anspritzen, wie wir vor zehn Jahren, – ein
dicker Börseaner, der mit seinem Koberl auf der Schulter ins
Wasser springt. Heute ist mein Rad angelangt und gegen Abend
bin ich um den ganzen See gerast 43 km knapp 2 Stunden. Drei
Radlerinnen begegnet, offenbar Schwestern – ich raste vorüber.
Was schert mich Weib, was schert mich Kind – und Mädchen,
welche Schwestern sind!

Also grüß dich, empfiehl mich den Bäselein, wenn sie schon
vorhanden sind, und schreib' mir doch endlich! Servus!

Stefan.

FELIX AN STEFAN
Wer ist Antinous? Monocle folgt bei. –

STEFAN AN FELIX
Lieber Felix! Also zu solchen Witzen hast du Zeit, aber zu einem
vernünftigen Brief nicht. Du hast gar keine Ahnung, in was für
eine Verlegenheit du mich gebracht hast. Der Paketbriefträger
kommt gerade zum schwarzen Kaffee, alle Blicke sind auf mich
gerichtet, ich unterschreibe das Rezepisse, spiele den Unbefan-
genen, schneide den Spagat durch, mache die Schachtel auf – die
ganze Pension ist neugierig – ich greif' hinein – in die Schachtel,
mein' ich – grabe mit meiner Hand in die Watte, erwische endlich ein dünnes Schnürl – ich zieh – ich zieh – die Leute schauen
zu – ich zieh – die Leute schauen natürlich immer weiter zu – ich
wickle das Schnürl um meine Hand – – endlich erscheint das
Monocle, und noch dazu ein grünes! Ich verbitte mir das. Ich
habe mir hier eine großartige Position gemacht als Einsiedler,
Sonderling, eleganter junger Herr und kühner Schwimmer, die
werd' ich mir von dir nicht ruinieren lassen! Ohne Gruß für
heute   Stefan.
P. S. Antinous ist ein jugendlicher alter Römer, du Ignorant!

FELIX AN STEFAN
Lieber Stefan! Ich freu' mich zu hören, daß das gewünschte Glas
richtig angekommen ist. In Hinsicht auf grün bemerke ich, daß
es eine gesunde Farbe ist. – Schreibe bald wieder.   Felix

STEFAN AN FELIX
Mein lieber Felix! Ich versichere dich, daß ich dir längst nicht
mehr schriebe, wenn ich nicht das Bedürfnis hätte, mich irgendwie auszusprechen, und ich das Tagebuchschreiben nicht für
gräßlich abgeschmackt hielte. Bilde dir also keineswegs ein, daß
die Eröffnungen, die ich dir heute zu machen gedenke, Beweise
meiner Freundschaft oder Sympathie zu bedeuten haben. Also
es existiert in dieser Pension ein menschliches Wesen, dem ich
allmählich näherkomme. – Das ist nämlich wörtlich zu verste-

hen: vor 3 Tagen sind noch 5 Personen an der Table d'hôte zwischen mir und ihr gesessen, heute nur mehr 2. Eine sehr interessante Person. Sie verkehrt auch mit niemandem, grad so wie ich, sitzt abends gleichfalls allein auf der Terrasse, geht einsam am Ufer spazieren. Der Schwan ist abgereist, an seiner Stelle sitzt jetzt ein ungarischer Baron, der vor Höflichkeit demnächst sterben wird; er bietet einem fortwährend alles Mögliche an, reicht einem zum Kompott das Salzfaß, gestoßenen Zucker zum Spinat, blättert den Leuten um, die Klavier spielen, obwohl er nicht Noten lesen kann... Aber was geht dich das alles an? Grüße.

Stefan.

P. S. Von diesem verdammten Weibsbild, Theodora genannt, noch immer keine Silbe!

FELIX AN STEFAN
Schöne Grüße! Felix. – Einer ist von mir. Lili. – Zwei meinerseits. Margit. – Unbekannter Weise. Elsa Wiskocil. – Ich bin der Peter. – Erinnern Sie sich noch an die kleine Mizi? –

STEFAN AN FELIX
Lieber Felix! Sie sitzt schon neben mir. Die zwei, die uns noch getrennt haben, sind heute früh abgereist; bei dem einen war es schon seit Tagen bestimmt, der Andere aber hätte den ganzen Sommer hierbleiben sollen, bekommt punkt zwölf ein Telegramm, daß in seiner Wiener Wohnung ein Einbruch verübt worden ist, und reist sofort ab. – Ist das nicht wirklich sonderbar? Eine Fügung des Schicksals. Bedenke! In Wien in der Rathausstraße Numero soundsoviel muß eingebrochen werden... oder vielmehr: Vor soundsoviel Jahren muß eine einbrecherische Verbrechernatur oder verbrecherische Einbrechernatur zur Welt kommen, damit wir – ich und meine schöne Nachbarin – heut nachmittag die Rosamunden-Ouverture vierhändig spielen können. Sie spielt nicht sehr gut, aber sie hat eine sympathische Art, das Pedal zu treten. Sie ist eine verheiratete Frau – mehr will ich für heute nicht sagen – und außerordentlich geistreich. Zum Beispiel das mit dem Verbrecher, der vor soundsoviel Jahren auf

die Welt kommen mußte, u. s. w. ist ein Einfall von ihr. – Für die vielen Grüße danke ich vielmals den Bekannten und Unbekannten. Wer ist übrigens Elsa Wiskocil? Servus!   Stefan

Lieber Stefan! Elsa ist Elsa und Wiskocil ist Wiskocil. Macht 2 Personen. Elsa ist ein blondes Mägdulein, und Wiskocil ist ein Herr, der weiße Gamaschen trägt.   Felix

Lieber Felix! Wir sind schon sehr gut miteinander, und die Leute schauen uns schon so gewiß an. Ihren Namen unterschlage ich lieber, sonst könnte ich dir vielleicht alles übrige nicht erzählen, und das wäre doch schade. Denn ich hoffe, bei dieser Geschichte wird sich manches erübrigen lassen. – Beim Frühstück setzt sie sich an meinen Tisch. Während des Frühstücks kommt die Post. Jeden Tag bekommt sie einen Brief von ihrem Mann in einem riesigen blauen Kuvert – offenbar ein Geschäftsmann, der keine Ahnung von ihr hat. Dann kriegt sie eine ganze Anzahl von Ansichtskarten. Nach dem Frühstück nimmt sie Brief, Karten und irgend eine Handarbeit und geht in den Wald, – ich aufs Zimmer arbeiten. Zu Mittag, wenn ich in den See hinausschwimme, lehnt sie im Damenbad am Geländer in einem weißen Bademantel und sieht mir nach. Sie hat sonderbare Augen. Bei Tisch Gespräch über ihre Familienverhältnisse. Ihr Mann hat natürlich nur Sinn fürs Geschäft; sie besitzt zwei verheiratete Schwestern sowie eine Achtelloge in der Oper und kennt Winkelmann, Girardi und Alfred Grünfeld persönlich. – Heute nach Tisch haben wir vierhändig gespielt. Am Abend bin ich am Ufer hin- und hergeradelt und hoffte, sie zu sehen, aber vergeblich. Abends kam sie spät, als ich schon zur Nacht gegessen hatte. Sie hatte eine Partie mit dem Dampfer gemacht in Gesellschaft der Villenfamilie; sie kamen alle mit ihr, Mann, Frau, 2 Töchter, Bonne und ein kleines Kind mit einem Butterbrot. Ich bin noch lange am Strand auf- und abgegangen. Sonderbare Person... Servus!
                    Stefan

Lieber Stefan! Hat das Butterbrot dem Kind geschmeckt?

Felix

STEFAN AN FELIX

Lieber Felix! Ich habe doch eine gewisse Gabe, in Menschensee-
len zu blicken! Es stimmt: Sie ist nicht glücklich. Heute vormit-
tag nach dem Frühstück bin ich mit ihr im Wald spazieren gegangen, und da hat sie mir's gestanden. Mittags sind wir zusammen in den See hinausgeschwommen, nachmittags haben wir
vierhändig gespielt – der Ungar ist höflich genug, *uns* nicht um-
zublättern. Abends sind wir in einem Kahn am Ufer hin- und
hergerudert. Bei dieser Gelegenheit hatte ich mit ihr ein sehr
merkwürdiges Gespräch. Unter anderm behauptete sie, daß sie
ihrem Mann niemals wieder in die Augen sehen könnte,
wenn... wenn sie ihm untreu gewesen wäre. Sie würde ihm
lieber die Wahrheit sagen. – Heute abends begleitete ich sie bis
vor ihre Zimmertür und küßte ihre Fingerspitzen. – Adieu!

Stefan

FELIX AN STEFAN
p. f.

Felix

STEFAN AN FELIX

Lieber Felix! Heute hat sie mir gestanden, daß sie schon einmal
in ihrem Leben geliebt habe. Er soll mir ähnlich gesehen haben.
Aber er hat es nie gewagt, ihr die Fingerspitzen zu küssen. Ich
begreife es... denn sie hat etwas sonderbar Abwehrendes in ihrem ganzen Wesen. Heute, als wir am späten Abend auf der
Landungsbrücke saßen, nahm sie plötzlich den Schuh von ihrem
rechten Fuß, streute den Sand, der darin war, ins Wasser, wobei
sie den Kopf umwandte. Meine Lippen waren den ihren ganz
nahe. Es gibt Leute, die so etwas schon einen Kuß nennen würden. Aber sie hat es nicht bemerkt. – Adieu! Stefan

P. S. Von dieser Canaille Theodora kein Lebenszeichen!

FELIX AN STEFAN

Es ist nicht fair, Wesen, in deren Armen man selig war, Canaille zu nennen. – Ohne mehr für heute. Felix

STEFAN AN FELIX

Lieber Felix! Ich bin gewiß nicht abergläubisch, aber es gibt doch Fälle, wo man beinahe an eine Bestimmung glauben könnte. Also höre, was mir die schöne Frau heut erzählt hat. Vor ihrer Abreise hat sie ihren Gatten angefleht – direkt angefleht! –, er möge sie dieses Jahr nach Karlsbad mitnehmen, – und er hat es ihr abgeschlagen. Dann hat sie zwischen 14 verschiedenen Landaufenthalten geschwankt, bis sie sich endlich für diesen hier entschied. Noch etwas! Unsere Vornamen beginnen mit den gleichen Buchstaben, und wir sind im gleichen Monate geboren. Dann hat ihr eine verheiratete Freundin auf dem Bahnhof, schon während sie am Coupéfenster stand, prophezeit, daß sie sich heuer im Sommer verlieben werde. Aber das Allermerkwürdigste ist, daß sie gerade auf der Herfahrt einen Roman gelesen hat, in dem ein junger Mann sich aus unglücklicher Liebe zu einer jungen Frau ins Wasser stürzt. Das erzählte sie mir heute während der Kahnfahrt. Ich versichere dich, mir ist's kalt über den Rücken gelaufen!

Am Abend saßen wir auf der Landungsbrücke wie gewöhnlich, spielende Kinder, tratschende Mütter. Nacht über dem See. Alle verschwanden allmählich. Wir blieben allein. Kein Mondschein. Langer Kuß. Sie weinte. Nachher war kein Wort mehr aus ihr herauszubringen. Ich fürchte beinah, daß ich mir durch meine allzu stürmische Art etwas verdorben habe. Es rächt sich doch, daß man bisher beinah nur mit Weibern zu tun gehabt hat, die sich nicht lang bitten lassen. – Ich studiere rein gar nichts mehr. Es ist gut, daß ich anfangs so fleißig war. Adieu! Stefan

FELIX AN STEFAN

Lieber Stefan! Du wirst durchfallen. Felix

Sicher nicht. Ich halte Sie für ein verbummeltes Genie.

Die kleine Mizzi

Gestern war ein Cousin ihres Mannes da, sehr unelegant, mit Rucksack, Sweater und Zugstiefletten, dem sie mich beim Frühstück vorstellte. Vormittags ging sie mit ihm im Wald spazieren, um ihm die Gegend zu zeigen, Mittag saß er an ihrer andern Seite, sprach von nichts als vom Bergsteigen, Klettern, Kaminen, Gletscherspalten. Sie war auch früher Touristin, hat es aber aufgegeben. Abends begleitete sie ihn zur Bahn. Es sah beinah komisch aus. Ich ging ihr entgegen und traf sie, als sie vom Bahnhof zurückkehrte. Wir hatten ein sehr interessantes Gespräch über den Gatten. Ich hatte recht vermutet: Er versteht sie gar nicht. Im übrigen bitte ich dich, mir nicht auf Ansichtskarten zu schreiben, daß ich durchfallen werde.

FELIX AN STEFAN

Sei nicht betrübt, ich hab ja nur gemeint: bei der Staatsprüfung.

STEFAN AN FELIX

Soll ich dir wirklich noch was erzählen? Du hast's nicht um mich verdient! – also gestern abend steh' ich auf der Landungsbrücke, der See ist glatt und grau. – Plötzlich ist sie neben mir. Ich fühle die Berührung ihres Arms. Sie schweigt. Jetzt oder nie, denk ich. Ich ergreife ihre Hand, die neben der meinen auf dem Geländer ruht, und sage leise: »Ich liebe Sie.« Da zittert ihre Hand. Wir sind nicht mehr allein; ein paar junge Mädchen haben sich auf die Bank gesetzt und flüstern miteinander. Es ist ganz dunkel. Auch zwei Herren gehen auf der Brücke auf und ab. »Kommen Sie«, sagt sie plötzlich. Wir gehen über die Landstraße in den kleinen Park vor der Pension, dann über die Terrasse, dann am Haus vorbei durch den Hof in den kleinen Wald, der gleich hinter der Pension anfängt. Plötzlich glänzt etwas im Dickicht neben uns auf, fliegt in die Höhe und schwebt vor uns. »Sehen Sie doch«, ruft sie leise, »ein Johanniswürmchen! Sehen Sie, wie es uns voranfliegt, als wollte es uns leuchten und den Weg zeigen! – Oh Gott!« ruft sie plötzlich. Der Leuchtkäfer scheint verlöschen zu wollen, aber gleich glänzt er wieder auf, senkt sich herab, immer tiefer und setzt sich auf das Ende meines linken Fußes. »Bleiben Sie stehen!« ruft sie. Ich bleibe stehen, und meine Fußspitze leuchtet ruhig weiter. Dann wird das Leuchten schwächer, aber wie ich den Fuß wieder vorwärts setze, glänzt er so hell wie früher. »Wissen Sie, wie Sie ausschauen?« sagt sie... »Wie ein Märchenprinz.« – »Oh!« antworte ich. »Versprechen Sie mir«, sagt sie, »daß Sie es nie töten werden!« »Nie!« erwidere ich. »Sehen Sie, es rührt sich nicht fort! Wahrhaftig, es ist wunderbar! Was mag es bedeuten?« Ich fühle den Hauch ihres Mundes, während sie spricht. »Es bedeutet ganz bestimmt etwas!« Ich küsse sie. »Vielleicht das?« flüstert sie an meinen Lippen. Während wir stehen, scheint der Leuchtkäfer immer kleiner zu werden. Sie bemerkt es. »Gehen wir, gehen wir!« ruft sie aus, »sonst verlischt es.« Wir gehen. Der Leuchtkäfer glänzt immer heller. Es ist, als wenn er während jeder Bewegung meines Fußes aufatmet, aber immer mühsamer; endlich ist nur ein ganz kleines grünes Pünktchen zu sehen. »Er stirbt!« ruft die junge Frau und preßt sich heftig an mich. Sie scheint die Augen geschlossen zu haben, denn sie fragt mich: »Wie geht es ihm?« »Ganz gut«, sage ich, »es glimmt noch.« »Glimmt es noch immer?« fragt sie mich nach einigen Sekunden. »Wenn man genau hinsieht«, erwidere ich. »Und jetzt? Lebt es noch?« »Ich weiß nicht«, sage ich; »es leuchtet nicht mehr.« »Wenn es nicht mehr leuchtet, so ist es tot«, sagt sie. »Wenn es so ist, gnädige Frau«, sage ich, indem ich sie an mich ziehe, »sind wir allein.« »Allein...« wiederholt sie. Wir waren es, und ich bin nicht durchgefallen, mein Freund.

Dein Stefan.

FELIX AN STEFAN

Unglücklicher! Es gibt Prüfungen, die man um so öfter wiederholen muß, je besser man sie besteht. Herzlichst Felix

STEFAN AN FELIX

Vor allem rate ich dir, vermeide es geistreich zu sein, da du bei solcher Gelegenheit regelmäßig indezent wirst. Im übrigen ist nicht viel zu erzählen. Ich bin glücklich. Servus. Stefan

Wir gratulieren herzlich. Felix – Else – Brigitte – Waldemar – Wiskocil – die kleine Mizzi (ich weiß schon wozu) – Ungetreuer! Eine stille Verehrerin.

STEFAN AN FELIX

Du bist wirklich das indiskreteste taktloseste Geschöpf, das mir jemals vorgekommen ist. Aber darüber mündlich. Heute habe ich von einer leisen Trübung meines Glücks zu berichten, die allerdings meinem Abenteuer in der Erinnerung einen Reiz mehr geben dürfte. Also kurz und gut: Sie ist zweifellos wahnsinnig, und ich bin der einzige, der es weiß. Sie hat ja lichte Momente, aber sie werden immer seltener. Ich weiß gar nicht, wie das werden soll. Wenn andere Leute dabei sind, – an der Table d'hôte oder im Klavierzimmer – da geht es ja noch; aber wenn wir allein sind, da ist der Teufel los. – Wenn ich bedenke, was wir bis vor kurzem für tiefe Gespräche geführt haben!... Über die Liebe, und über's Theater, und über die Ehe... und alles mögliche – – jetzt gibt's nur mehr eins – oder vielmehr alle führen dahin: zum Leuchtkäfer, dem ich, wie sie behauptet, mein Glück verdanke. Alles erinnert sie an den Leuchtkäfer. Wenn wir am Abend auf der Brücke stehen und oben die Sterne über den Himmel gehen, packt sie mich beim Arm, deutet hinauf und sagt: »Erinnerst du dich?« Und drüben die Lichter am andern Ufer: »Denkst du noch dran?« Gestern wie ein Radfahrer an uns mit der Laterne vorbeikommt, zwickt sie mich und erpreßt einen verständnisvollen Blick. Und wenn ich mich zu wehren, sie davon abzubringen versuche, ist ihre Antwort: »Undankbarer!«... Aber das Ärgste ist mir gestern abend passiert. Wir fahren auf dem See spazieren, plötzlich bewegen sich ihre Lippen leise, und sie fängt an zu singen, zuerst ganz leise, dann immer lauter. Sie singt in einer einförmigen, schlichten Art, als wäre es ein Volkslied. Folgendermaßen singt sie:

>　　»Käferlein, Käferlein,
>　　Bist so klein, bist so klein
>　　Leuchtest auf dem Stiefelein

Von dem Allerliebsten mein!
Käferlein, Käferlein!
Muß einmal gestorben sein!«

Ich schwieg. – Was soll man auch auf ein Volkslied antworten?
Ich seufzte nur leise. Da hat sie angefangen zu weinen.

Heute früh ist übrigens der Cousin mit dem Rucksack wieder
angekommen.   Stefan

FELIX AN STEFAN
Der Cousin mit dem Rucksack?

Ich rate Dir, die Leuchtkäfer im Umkreis des Hotels auszurot-
ten.   Felix

STEFAN AN FELIX
Dein freundlicher Rat kommt verspätet. Der Rucksack war
echt, aber der Cousin war falsch. Und was die Leuchtkäfer anbe-
langt, so wäre es notwendig gewesen, auch die des vergangenen
Jahres zu vertilgen. Ich reise ab. Übermorgen früh bin ich in
Ischl. Näheres mündlich. Empfangsfeierlichkeiten verbeten.
Grüße die Basen und die umliegenden Herrn.   Dein Stefan

Telegramm, dringend, durch das Stefan nachts ein Uhr in Linz
geweckt wurde, wie übrigens auch sämtliche anderen Passagiere
des Schnellzugs, da der Bote den Adressaten erst knapp vor Ab-
gang des Zuges fand:

Die Frauen finden immer einen Leuchtkäfer, auf den sie sich
ausreden; den ehrlichen genügt auch ein Maikäfer. Faul aber
geistreich   Dein Felix

Boxeraufstand

Er war damals Oberleutnant.

Boxeraufstand in China, gefährlich, unnachsichtig. Seine Majestät hatte befohlen, daß kein Pardon gegeben werde. Es nützte nicht viel.

Nationalistische Bewegung. Freiheitsbewegung. Doch wir wollen nicht von Politik reden.

Überall in Städten, in Dörfern, auf dem Land Aufruhr, da und dort wurde er niedergeschlagen, Hunderte, Tausende wurden gehängt, füsiliert.

Wir waren in einem kleinen Dorf, zwei Stunden von Peking. Dort wurde ein Trupp von siebzehn verurteilt. Drei Wochen früher waren dreißig hingerichtet worden. Man ließ den Verurteilten drei Stunden Zeit. Sie waren alle gefaßt; ich machte innerlich eine Statistik, wie beinahe jedesmal. Die Psychologie der Chinesen interessierte mich.

Einer weinte, das fiel mir auf, es kam selten vor. Drei redeten miteinander sehr ernsthaft und wichtig, zwei erhielten Besuch von Familienmitgliedern, einer schien zu beten, zwei schrieben Briefe, denn nicht alle waren aus diesem Dorf, es schien vielmehr absichtlich eine Art von Tausch stattzufinden von Verschwörern von Dorf zu Dorf...

Das waren sechzehn; der siebzehnte las, ich dachte zuerst in einem Andachtsbuch, doch es war ein Roman. Zuerst sprach ich nichts. Er las immer weiter, sah gelegentlich flüchtig auf, das dauerte fast eine Stunde lang. Ich hatte unterdess[en] auch mit einigen andern meiner Kameraden zu sprechen. Es lagen noch anderthalb Stunden vor ihm. Bei den Andern merkte man doch eine wachsende Unruhe, so schien es mir wenigstens. Er las weiter. Endlich fragte ich ihn; zuerst hatte ich das Wort an einen Andern gerichtet, damit es nicht auffiel. Ich fragte ihn, was er lese. Er nannte mir ruhig den Titel des Romans. Ich verstand ein wenig chinesisch. Er las weiter. Ich ging hin und her, ich nahm Briefe der Andern in Empfang, die an ihre Angehörigen schrieben. Dann wandte ich mich wieder zu ihm zurück. Es war sonderbar. Endlich sprach ich ihn an. »Weißt du nicht, daß du zum Tod verurteilt bist?« fragte ich ihn. Er nickte. *Sie werden es taktlos finden.** Meine Frage war nicht grausam. Ich fragte weiter. »Weißt du nicht, daß du in anderthalb Stunden zusammen mit deinen Kameraden erschossen wirst?« Er erwiderte: »Wir sollen wohl erschossen werden, aber es ist doch nicht ganz sicher, daß es geschehen wird.«

Es lag keine Frechheit in seinem Ton. Es war eine ganz ruhige Bemerkung. Er setzte hinzu: »Es ist nie ganz sicher, was in der nächsten Stunde geschieht.«

»Immerhin«, sagte ich, »die Wahrscheinlichkeit spricht doch sehr dafür. Ich glaube nicht, daß man euch noch befreien wird, und auf Begnadigung ist nicht zu hoffen.« Er nickte. Ich hatte die deutliche Empfindung, daß meine Fragen ihn ein wenig störten. Ich deutete ihm ohne Verlegenheit an, daß er nur ruhig weiter lesen solle und er las. Ich entfernte mich von ihm, mußte doch wieder hin. »Ist das ein schöner Roman, den Sie lesen?« fragte ich. Seine Miene drückte aus, ganz leidlich. »Möchten Sie nicht lieber etwas anderes lesen als einen Roman?« Er sah mich einigermaßen verwundert an. Ich scherzte. Sie werden es mit Recht etwas taktlos finden, aber ich befand mich in einem so seltsamen Seelenzustand. »Es wäre ja immerhin möglich, daß Sie nicht zum Schluß kommen.« – »Ich glaube doch«, sagte er, »ich habe ja noch mehr als eine Stunde Zeit.« Ich sagte etwas erregt: »Und Sie wissen in dieser Stunde wirklich nichts anderes zu tun als einen Roman zu lesen?«

»Warum sollt' ich nicht?« fragte er. »Ich habe nichts anderes zu tun. *Noch nie habe ich so viel Zeit gehabt.«* Ich hatte nun den festen Vorsatz ihn in Ruhe zu lassen. Es gelang mir nicht. Ich trat wieder zu ihm. »Was sind Sie?« fragte ich. Er erwiderte sehr höflich,

---

* Die in Kursivschrift gedruckten Worte deuten handschriftliche Zusätze zu dem in Maschinenschrift vorhandenen Entwurf an.

daß er ein Draxlerhandwerk betreibe, und zwar in Peking selbst. Er habe eine Frau, zwei Kinder, die er seit fünfviertel Jahren nicht gesehen habe. »Möchten Sie ihnen nicht schreiben?« fragte ich erregt. »Sie werden es schon erfahren«, sagte er. »Vielleicht glauben sie sogar, daß es schon längst geschehen ist.« »Haben Sie noch Verwandte?« fragte ich. »Ja«, sagte er etwas ablehnend. Ich wandte mich verlegen um, er las sofort weiter. Ich ertrug es nicht. Ich fand es ungeheuerlich, daß man diesen Menschen erschießen sollte, am Ende gar ehe er den Roman zu Ende gelesen. Ja, das dachte ich wirklich. Das Los der sechzehn Andern war mir eigentlich gleichgültig. Sie taten mir leid, nein, kaum das. Nun waren die meisten Andern fertig mit Briefen und sonstigen Vorbereitungen, einige lagen auf dem Boden mit geschlossenen Augen. Die Meisten hockten da und starrten vor sich hin. In einigen Augen glaubte ich Todesangst zu sehen. Es mag auch Irrtum gewesen sein.

Ich schwinge mich in den Sattel, eigentlich ohne es in der Sekunde vorher gewußt zu haben, übergebe einem Kameraden das Kommando, der Stab des Regiments lag eine halbe Stunde weit in einem andern Dorf. Ich ritt hin, es war ein glühend heißer Sommertag, ich meldete mich beim Obersten, der eine gewisse Sympathie für mich hatte. Ich wußte das. Er war ein entfernter Verwandter meiner Mutter. Sonst hätte ich es vielleicht nicht gewagt. Außerdienstlich duzten wir uns sogar. Ich trug ihm meine Bitte vor. Ich wünschte, daß er einen der siebzehn begnadige. Ich sagte ihm meine Gründe. Ich merkte gleich, daß es eigentlich keine Gründe waren. Ich redete sogar einigen Unsinn. Ich gab vor zu vermuten, daß man aus diesem Menschen noch irgend was herausbringen könne. Seine Schuld war nicht einmal ganz erwiesen. Der Oberst schüttelte den Kopf. Ich wurde endlich aufrichtig. Ich erzählte ihm das Ganze. Der Oberst lachte. »Der Kerl hat dich durchschaut«, sagte er. »Es sind feine Leute, glaub mir. Der Dümmste ist noch immer schlauer als wir.« Ich replizierte fast heftig. Der Oberst wurde aufmerksamer. Er sagte: »Es ist ein ausdrücklicher Befehl Seiner Majestät, daß kein Pardon gegeben werde.« Ich erinnerte ihn, daß es doch schon zweimal der Fall gewesen war aus ganz unbeträchtlichen Gründen. Ein paar hundert waren schon hingerichtet worden. Es kam auf einen mehr oder weniger nicht an. Der Oberst sagte endlich: »Also dir zuliebe. Ich nehm's auf mich für diesmal.« *Er stellte mir's schriftlich aus.*

Ich sprengte zurück. Zwölf lagen schon tot da. Nun sollten die letzten fünf dran kommen. Von Salve zu Salve gab es immer eine kleine Pause von zehn Minuten. Mein Chinese hockte noch immer da (im Hof, der freie Himmel über ihm) und las. Ja, ich merkte sogar von weitem, daß er an die Seite kleine Bleistiftzeichen eintrug. Er sah mich nicht; er mußte sich für verloren halten. Er mußte wissen, daß er in fünf Minuten drankam. Ringsum die Soldaten. Als ich mein Pferd zum Stehen brachte, wandte er sich um, betrachtete mich diesmal sogar mit einiger Neugier. Ich winkte meinen Kameraden herbei. Ich teilte ihm mit, daß ich eine Begnadigung für den einen Chinesen brächte. Ich durfte vorläufig dienstlich nicht mehr sagen. Vielleicht wäre es mir gelungen noch einen oder den andern freizubekommen. Die Soldaten, die dazu bestimmt waren, die letzten fünf zu füsilieren, traten vor. Auf ein Zeichen erhoben sich die fünf Chinesen, sie schienen alle ganz ruhig, nur einer lachte schrill auf und sah sich dann erschreckt um. Ich trat auf meinen Chinesen zu, legte die Hand auf seine Schulter, eine törichte Bewegung, und sagte mit etwas heiserer Stimme: »Sie sind begnadigt.« Er sah mich an, ein bißchen fragend, er lächelte ein wenig. Das Buch hielt er in der Hand und steckte es mechanisch in die Tasche seiner weiten weißen Jacke. Die vier Andern machten große Augen. Vielleicht hofften sie. Mein Chinese blickte mich an. »Nun was hab ich gesagt«, meinte er, »man kann nie wissen.« Auf einen von den Vieren trat er zu, drückte ihm die Hand. Dann wandte er sich wieder zu mir. »Darf ich gehen?« fragte er. Ich hatte gesagt: »Sie sind frei.« War ich dazu eigentlich berechtigt gewesen? Er hatte ja noch wichtige Aussagen zu machen. Nun nahm ich es auf mich. »Sie sind frei«, sagte ich mit einiger Schärfe. Er nickte. Indeß hatten sich die vier andern an die Wand gestellt und die Soldaten warteten auf das Kommando. Ich hatte das Kommando zu geben. Mein Chinese entfernte sich langsam, ich wollte ihm eigentlich nach. Ich wartete mit dem Kommando, bis mein Chinese in der Toreinfahrt des Gebäudes verschwunden war, dann kommandierte ich. *Schuß... Er zuckte ganz leise, aber er wandte sich nicht um.* Da sah ich ihn eben aus dem Tor auf die Straße verschwinden. Sie werden mich fragen, was in mir vorgegangen. Ich schämte mich. Keineswegs hatte ich das Gefühl eine edle Tat begangen zu haben. Von nun an hätte jeder von ihnen seinen Roman in der Tasche haben können, es hätte keinem geholfen. Nun, glücklicher Weise war es das letzte Mal, daß ich bei so einer Sache dabei war. Kein Zufall. Der Oberst verfügte das. Im übrigen hatte mir der Chinese keineswegs imponiert, ich hatte ihn auch nicht bewundert, ich weiß nur eins, von allen Menschen, denen ich je auf der Welt begegnet, war er derjenige, der mir am fremdesten war.

Die grüne Krawatte

Ein junger Herr namens Cleophas wohnte zurückgezogen in seinem Hause nah der Stadt. Eines Morgens wandelte ihn die Lust an, unter Menschen zu gehen. Da kleidete er sich wohlanständig an wie immer, tat eine neue grüne Krawatte um und begab sich in den Park. Die Leute grüßten ihn höflich, fanden, daß ihm die grüne Krawatte vorzüglich zu Gesichte stehe, und sprachen durch einige Tage mit viel Anerkennung von der grünen Krawatte des Herrn Cleophas. Einige versuchten, es ihm gleichzutun, und legten grüne Krawatten an wie er – freilich waren sie aus gemeinerem Stoff und ohne Anmut geknüpft.

Bald darauf machte Herr Cleophas wieder einen Spaziergang durch den Park, in einem neuen Gewand, aber mit der gleichen grünen Krawatte. Da schüttelten einige bedenklich den Kopf und sagten: »Schon wieder trägt er die grüne Krawatte... Er hat wohl keine andere...« Die etwas nervöser waren, riefen aus: »Er wird uns noch zur Verzweiflung bringen mit seiner grünen Krawatte!«

Als Herr Cleophas das nächste Mal unter die Leute ging, trug er eine blaue Krawatte. Da riefen einige: »Was für eine Idee, plötzlich mit einer blauen Krawatte daher zu kommen?« Die Nervöseren aber riefen laut: »Wir sind gewohnt, ihn mit einer grünen zu sehen! Wir brauchen es uns nicht gefallen zu lassen, daß er heute mit einer blauen erscheint!« Aber manche waren sehr schlau und sagten: »Ah, uns wird er nicht einreden, daß diese Krawatte blau ist. Herr Cleophas trägt sie, und daher ist sie grün.«

Das nächste Mal erschien Herr Cleophas, wohlanständig gekleidet wie immer, und trug eine Krawatte vom schönsten Violett. Als man ihn von weitem kommen sah, riefen die Leute höhnisch aus: »Da kommt der Herr mit der grünen Krawatte!«

Besonders gab es eine Gesellschaft von Leuten, der ihre Mittel nichts anderes erlauben, als Zwirnsfäden um den Hals zu schlingen. Diese erklärten, daß Zwirnsfäden das Eleganteste und Vornehmste seien, und haßten überhaupt alle, die Krawatten trugen, und besonders Herrn Cleophas, der immer wohlanständig gekleidet war und schönere und besser geknüpfte Krawatten trug als irgendeiner. Da schrie einmal der Lauteste unter diesen Menschen, als er Herrn Cleophas des Weges kommen sah: »Die Herren mit der grünen Krawatte sind Wüstlinge!« Herr Cleophas kümmerte sich nicht um ihn und ging seines Weges.

Als Herr Cleophas das nächste Mal im Park spazierenging, schrie der laute Herr mit dem Zwirnsfaden um den Hals: »Die Herren mit der grünen Krawatte sind Diebe!« Und manche schrien mit. Cleophas zuckte die Achseln und dachte, daß es mit den Herren, die jetzt grüne Krawatten trugen, doch weit gekommen sein müßte. Als er das dritte Mal wieder kam, schrie die ganze Menge, allen voran der laute Herr mit dem Zwirnsfaden um den Hals: »Die Herren mit der grünen Krawatte sind Meuchelmörder!« Da bemerkte Cleophas, daß viele Augen auf ihn gerichtet waren. Er erinnerte sich, daß er auch öfters grüne Krawatten getragen hatte, trat auf den Gesellen mit dem Zwirnsfaden zu und fragte: »Wen meinen Sie denn eigentlich? Am Ende mich auch?« Da erwiderte jener: »Aber, Herr Cleophas, wie können Sie glauben –? Sie tragen doch gar keine grüne Krawatte!« Und er schüttelte ihm die Hand und versicherte ihn seiner Hochachtung.

Cleophas grüßte und ging. Aber als er sich in gemessener Entfernung befand, klatschte der Mann mit dem Zwirnsfaden in die Hände und rief: »Seht ihr, wie er sich getroffen fühlt? Wer darf jetzt noch daran zweifeln, daß Cleophas ein Wüstling, Dieb und Meuchelmörder ist?!«

Die Fremde

Als Albert um sechs Uhr früh erwachte, war das Bett neben ihm leer, und seine Frau war fort. Auf ihrem Nachttisch lag ein beschriebener Zettel. Albert langte nach ihm und las folgende Worte: »Mein lieber Freund, ich bin früher aufgewacht als du. Adieu. Ich gehe fort. Ob ich zurückkommen werde, weiß ich nicht. Leb wohl. Katharina.«

Albert ließ den Zettel auf die weiße Bettdecke sinken und schüttelte den Kopf. Ob sie nun heute wiederkam oder nicht – es war ja doch ziemlich gleichgültig. Er wunderte sich weder über Inhalt, noch über Ton des Briefes. Es war nur ein wenig früher gekommen, als er erwartet. Vierzehn Tage hatte das ganze Glück gewährt. Was lag daran? Er war bereit.

Langsam erhob er sich, warf den Schlafrock um, tat ein paar Schritte zum Fenster hin und öffnete es. Die Stadt Innsbruck lag in friedlich stillem Morgenschein zu seinen Füßen, und in der Ferne ragten unruhige Felsen in das blaue Licht. Albert kreuzte die Arme über der Brust und sah ins Freie. Ihm war sehr weh ums Herz. Er dachte, wie doch alle Voraussicht und selbst ein vorgefaßter Entschluß ein schweres Geschick nicht leichter, sondern nur mit besserer Haltung tragen ließen. Er zögerte eine Weile. Aber was sollte er jetzt noch abwarten? War es nicht das beste, gleich ein Ende zu machen? War nicht schon die Neugier, die ihn quälte, ein Verrat an seinen Vorsätzen? Sein Los mußte sich erfüllen. Entschieden war es doch schon gewesen, als er vor zwei Jahren beim Tanze das erstemal den kühlen Hauch der geheimnisvollen Lippen seine Wange streifen fühlte.

Er erinnerte sich, wie er in jener Nacht mit seinem Freunde Vincenz nach Hause gegangen war. An alles mußte er denken, was ihm Vincenz damals erzählt hatte; und der zarte Ton früher Warnung klang ihm wieder im Ohr. Vincenz wußte mancherlei über Katharina und ihre Familie. Der Vater war als Oberst eines

Artillerie-Regimentes während des bosnischen Feldzugs in den Freiherrnstand erhoben worden und fiel durch die Kugel eines Insurgenten. Ihr Bruder war Kavallerie-Leutnant gewesen und hatte sein Erbteil rasch durchgebracht; später opferte die Mutter, um den Sohn vor dem Schlimmsten zu bewahren, ihr ganzes Vermögen auf; das half aber nicht für lange, und bald darauf erschoß sich der junge Offizier. Nun stellte der Baron Maaßburg, der als Bräutigam Katharinens galt, seine Besuche in dem Hause ein. Man brachte das nicht nur mit den nunmehr erklärt ärmlichen Verhältnissen der Familie in Zusammenhang, sondern auch mit einer merkwürdigen Szene, die sich während des Leichenbegängnisses zugetragen hatte. Katharina war einem ihr bis dahin ganz unbekannten Kameraden ihres Bruders schluchzend in die Arme gefallen, als wäre er ihr Freund oder Verlobter. Ein Jahr später wurde sie von einer heftigen Schwärmerei für den berühmten Orgelspieler Banetti erfaßt. Er verließ Wien, ohne daß sie ihn jemals gesprochen hatte. Eines Morgens erzählte sie ihrer Mutter den Traum, daß Banetti zu ihnen ins Zimmer getreten, auf dem Klavier eine Fuge von Bach gespielt, dann rücklings zu Boden gestürzt und tot dagelegen war, während sich die Decke öffnete und das Klavier in den Himmel schwebte. Am selben Tage traf die Nachricht ein, daß sich Banetti in einem kleinen lombardischen Dorf von der Kirchturmspitze in den Friedhof hinabgestürzt hatte und tot zu Füßen eines Kreuzes liegen geblieben war. Bald darauf begannen sich bei Katharinen die Anzeichen einer Gemütskrankheit zu zeigen, die sich allmählich bis zu tiefster Versunkenheit steigerte; nur der dringende Widerstand der Mutter und deren fester Glaube an die Genesung Katharinens hielt die Ärzte davon ab, das Mädchen in eine Anstalt zu bringen. Ein ganzes Jahr brachte Katharina tagsüber einsam und schweigend hin; aber nachts erhob sie sich zuweilen aus dem Bette und sang einfache Lieder wie in früherer Zeit. Allmählich, zum größten Staunen der Ärzte, erwachte Katharina aus ihrem Trübsinn. Sie schien dem Leben, ja der Freude wiedergegeben. Bald nahm sie Einladungen, zuerst nur in engere Zirkel an; der Bekanntenkreis breitete sich wieder aus, und als Albert sie auf dem Weißen Kreuz-Ball kennen lernte, war sie ihm von einer solchen Ruhe des Gemütes erschienen, daß er den Erzählungen seines Freundes auf dem Heimweg nur zweifelnd zu folgen vermochte.

Albert von Webeling, der früher nicht sehr viel in der Welt verkehrt hatte, war durch den guten Namen seiner Familie, durch seine Stellung als Vize-Sekretär in einem Ministerium leicht in die Lage versetzt, in den Kreisen Katharinens Zutritt zu finden. Jede Begegnung vertiefte seine Neigung für sie. Katharina trug sich immer einfach, aber ihre hohe Gestalt und ganz besonders ihre einzige, ja königliche Weise, das Haupt zu neigen, wenn sie jemandem zuhörte, verlieh ihr eine Vornehmheit von ganz eigener Art. Sie sprach nicht viel, und ihre Augen pflegten oft, wenn sie in Gesellschaft war, wie in eine für die andern unzugängliche Ferne zu blicken. Die jüngeren Herren behandelte sie mit einiger Unachtsamkeit, lieber unterhielt sie sich mit reiferen Männern von Rang oder Ruf. Und, wieder ein Jahr, nachdem Albert sie kennen gelernt hatte, verlobte sie das Gerücht mit dem Grafen Rummingshaus, der eben von einer Forschungsreise in Tibet und Turkestan heimgekehrt war. Damals wußte Albert, daß der Tag, an dem Katharina einem andern die Hand zur Ehe reichte, der letzte seines Lebens sein würde, und er, dessen Dasein bis zu seinem dreißigsten Jahr unbeirrt hingeflossen war, begriff mit einem Male alle Gefahren und allen Wahnsinn, in die heftige Leidenschaft den besonnensten Mann zu stürzen vermag. Von seiner Nichtigkeit Katharinen gegenüber war er völlig durchdrungen. Er hatte sein anständiges Auskommen und konnte als Junggeselle ein recht behagliches Leben führen, aber Reichtum hatte er von keiner Seite zu erwarten. Eine sichere, aber gewiß nicht bedeutende Laufbahn stand ihm bevor. Er kleidete sich mit großer Sorgfalt, ohne jemals wirklich elegant auszusehen, er redete nicht ohne Gewandtheit, hatte aber niemals irgend etwas Besonderes zu sagen, und er war stets gerne gesehen, ohne jemals aufzufallen. Und so fühlte er, daß ein Wesen, geheimnisvoll und gleichsam aus einer andern Welt wie Katharina, sich tief zu ihm herablassen müßte, wenn er sie gewinnen wollte, und daß sie jedenfalls von ihm verlangen durfte, ein unverdientes Glück teuer zu bezahlen. Da er sich aber zu jedem Opfer bereit wußte, schien er sich auch allmählich ihrer würdig zu werden. Eines Morgens erfuhr er, daß der Graf nach Galizien abgereist war, ohne sich erklärt zu haben; mit einer Entschlossenheit, die sonst seine Art nicht war, hielt er den rechten Augenblick für gekommen und begab sich zu Katharina.

Wie weit schien ihm nun jene Stunde zu liegen!

Er sah das Zimmer im Schottenhof vor sich, weitläufig und gewölbt, aber niedrig, mit alten, gut gehaltenen Möbeln, sah den vereinsamten dunkelroten Fauteuil am Fenster stehen, das offene Piano mit den aufgeschlagenen Noten, den runden Mahagonitisch, darauf das Album mit dem Perlmutterdeckel und die Visitkartenschale aus Alt-Meißner Porzellan. Und er erinnerte sich, wie er in den geräumigen Hof hinuntergeblickt hatte, durch den eben viele Leute von der Palmsonntagsmesse aus der gegenüberliegenden Schottenkirche kamen. Während die Glokken läuteten, trat Katharina mit ihrer Mutter aus dem Nebenzimmer herein und war nicht so erstaunt über seinen Besuch, als er eigentlich erwartete. Sie hörte ihm freundlich zu und nahm seinen Antrag an, kaum in größerer Bewegung, als wenn er die Einladung zu einem Ball überbracht hätte. Die Mutter, immer mit dem verbindlichen Lächeln der Schwerhörigen, saß still in der Diwan-Ecke und führte ihren kleinen schwarzen Seidenfächer manchmal ans Ohr. Während des ganzen Gesprächs in dem kühlen, sonntagsstillen Zimmer hatte Albert die Empfindung, als wäre er in eine Gegend gekommen, über die durch lange Zeit heftige Stürme gejagt hätten, und die nun eine große Sehnsucht nach Ruhe atmete. Und als er später die graue Treppe hinunterschritt, ward ihm nicht die beseligende Empfindung eines erfüllten Wunsches, sondern nur das Bewußtsein, daß er in eine wohl wundersame, aber ungewisse und dunkle Epoche seines Lebens eingetreten war. Und wie er so durch den Sonntag spazierte, von Straße zu Straße, durch Gärten und Alleen, den Frühjahrshimmel über sich, an manchen fröhlichen und unbekümmerten Menschen vorbei, da fühlte er, daß er von nun an nicht mehr zu diesen gehörte, und daß über ihm ein Geschick anderer und besonderer Art zu walten begann.

Jeden Abend saß er nun oben in dem gewölbten Zimmer. Zuweilen sang Katharina mit einer angenehmen Stimme, aber beinahe völlig ausdruckslos, einfache, meist italienische Volkslieder, zu denen er sie auf dem Klavier begleitete. Nachher stand er oft mit ihr bis zum späten Abend am Fenster und sah in den stillen Hof hinab, wo die Bäume grünten und knospten. An schönen Nachmittagen traf er manchmal im Belvederegarten mit ihr zusammen; dort war sie meist schon lang gesessen und hatte den Kinderspielen zugesehen. Wenn sie ihn kommen sah, stand sie auf, und dann spazierten sie auf den besonnten Kieswegen auf und ab. Anfangs redete er manchmal von seiner früheren Existenz, von den Jugendjahren im Grazer Elternhaus, von der Studienzeit in Wien, von Sommerreisen, und er wunderte sich nur über die Schattenhaftigkeit, in der beim Versuch erinnernden Gestaltens ihm selbst sein bisheriges Leben erschien. Vielleicht lag es auch daran, daß Katharina allen diesen Dingen nicht das geringste Interesse entgegenbrachte. Seltsame Dinge ereigneten sich, die an sich ohne Bedeutung sein mochten, die aber jedenfalls ohne Erklärung blieben. So begegnete Albert eines Tages um die Mittagsstunde seiner Braut auf dem Stephansplatz in Gesellschaft eines in Trauer gekleideten, eleganten Herrn, den er früher nie gesehen hatte. Albert blieb stehen, aber Katharina grüßte kühl, und ohne sich um ihn zu kümmern, ging sie mit dem fremden Herrn weiter. Albert folgte ihr eine Weile, der Herr stieg in einen Wagen, der an einer Straßenecke auf ihn wartete, und fuhr davon. Katharina ging nach Hause. Als Albert sie abends fragte, wer jener Herr gewesen wäre, sah sie ihn befremdet an, nannte einen ihm gänzlich unbekannten polnischen Namen und zog sich für den Rest des Abends auf ihr Zimmer zurück. Ein anderes Mal ließ sie abends lang vergeblich auf sich warten. Endlich erschien sie, als es zehn Uhr schlug, mit einem Strauß von Feldblumen in der Hand und erzählte, daß sie auf dem Lande gewesen und auf einer Wiese eingeschlafen sei. Die

Blumen warf sie zum Fenster hinab. Einmal besuchte sie mit Albert das Künstlerhaus und stand lang mit ihm vor einem Bild, das eine einsame grüne Höhenlandschaft mit weißen Wolken drüber vorstellte. Ein paar Tage darauf sprach sie von dieser Gegend, als wäre sie in Wirklichkeit über diese Höhen gewandelt, und zwar als Kind in Gesellschaft ihres verstorbenen Bruders. Zuerst glaubte Albert, daß sie scherzte, allmählich aber merkte er, daß das Bild für sie in der Erinnerung gleichsam lebendig geworden war. Damals fühlte er, wie sich sein Staunen in ein schmerzliches Grauen zu verwandeln begann. Aber je unfaßlicher ihm ihr Wesen zu entgleiten schien, um so hoffnungslos dringender rief seine Sehnsucht nach ihr. Zuweilen gelang es ihm, sie von ihrer Jugend reden zu machen. Doch alles, was sie berichtete, Erzählungen wirklicher Geschehnisse und Geständnisse ferner Träumereien, schwebte wie im gleichen matten Schimmer vorüber, so daß Albert nicht wußte, was sich ihrem Gedächtnis lebendiger eingeprägt: jener Orgelspieler, der sich vom Kirchturm herabgestürzt hatte, der junge Herzog von Modena, der einmal im Prater an ihr vorübergeritten war, oder ein Van Dyckscher Jüngling, dessen Bildnis sie als junges Mädchen in der Liechtenstein-Galerie gesehen hatte. Und so dämmerte auch jetzt ihr Wesen hin, wie nach unbekannten oder ungewissen Zielen, und Albert ahnte, daß er nichts anderes für sie bedeutete als irgend einer, dem sie in einer Gesellschaft zu einer Runde durch den Saal den Arm gereicht hätte. Und da ihm jede Kraft gebrach, sie aus ihrer verschwommenen Art des Daseins emporzuziehen, fühlte er endlich, wie ihn der verwirrende Hauch ihres Wesens zu betäuben und wie sich allmählich seine Weise zu denken, ja selbst zu handeln, aller durch das tägliche Leben gegebenen Notwendigkeit zu entäußern begann. Es fing damit an, daß er Einkäufe für den künftigen Hausstand machte, die seine Verhältnisse weit überstiegen. Dann schenkte er seiner Braut Schmuckgegenstände von beträchtlichem Wert. Und am Tage vor der Hochzeit kaufte er ein kleines Häuschen in einer Gartenvorstadt, das ihr auf einem Spaziergang gefallen hatte, und überbrachte ihr am selben Abend eine Schenkungsurkunde, durch die es in ihren alleinigen Besitz überging. Sie aber nahm alles mit der gleichen Freundlichkeit und Ruhe hin, wie früher den Antrag seiner Hand. Gewiß hielt sie ihn für reicher, als er war. Im Anfang hatte er natürlich daran gedacht, auch über seine Vermögensverhältnisse mit ihr zu reden. Er schob es von Tag zu Tag hinaus, da ihm die Worte versagten; aber endlich kam es dahin, daß er jede Aussprache über dergleichen Dinge für überflüssig hielt. Denn wenn sie über ihre Zukunft redete, so tat sie das nicht wie jemand, dem ein vorgezeichneter Weg ins Weite weist; vielmehr schienen ihr alle Möglichkeiten nach wie vor offen zu stehen, und nichts in ihrem Verhalten deutete auf innere oder äußerer Gebundenheit. So wußte Albert eines Tages, daß ihm ein unsicheres und kurzes Glück bevorstand, daß aber auch alles, was folgen könnte, wenn Katharina ihm einmal entschwunden war, jeglicher Bedeutung für ihn entbehrte. Denn ein Dasein ohne sie war für ihn vollkommen undenkbar geworden, und es war sein fester Entschluß, einfach die Welt zu verlassen, sobald ihm Katharina verloren war. In dieser Sicherheit fand er den einzigen aber würdigen Halt während dieser wirren und sehnsuchtsvollen Zeit.

Am Morgen, da Albert Katharina zur Trauung abholte, war sie ihm geradeso fremd, als an dem Abend, da er sie kennen gelernt hatte. Sie wurde die Seine ohne Leidenschaft und ohne Widerstreben. Sie reisten miteinander ins Gebirge. Durch sommerliche Täler fuhren sie, die sich weiteten und engten; ergingen sich an den milden Ufern heiter bewegter Seen und wandelten auf verlorenen Wegen durch den raunenden Wald. An manchen Fenstern standen sie, schauten hinab zu den stillen Straßen verzauberter Städte, sandten die Blicke weiter den Lauf geheimnisvoller Flüsse entlang, zu stummen Bergen hin, über denen blasse Wolken in Dunst zerflossen. Und sie redeten über die täglichen Dinge des Daseins wie andre junge Paare, spazierten Arm in Arm, verweilten vor Gebäuden und Schaufenstern, berieten sich, lächelten, stießen mit weingefüllten Gläsern an, sanken Wange an Wange in den Schlaf der Glücklichen. Manchmal aber ließ sie ihn allein, in einem matthellen Gasthofzimmer, darin alle

Trauer der Fremde dämmerte, auf einer steinernen Gartenbank unter Menschen, die sich des duftenden Blütentags freuten, in einem hohen Saal vor dem gedunkelten Bild eines Landsknechts oder einer Madonna, und niemals wußte er in solcher Stunde, ob Katharina wiederkehren würde oder nicht. Denn unablässig und untrüglich in ihm wie der Schlag seines Herzens war das Gefühl, daß nichts sich geändert hatte seit dem ersten Tag, daß sie frei war wie je und er ihr völlig verfallen.

So kam es, daß ihr Verschwinden heute früh nach einer Hochzeitsreise von vierzehn Tagen, daß auch ihr seltsamer Brief ihn nur erschüttert hatte, ohne ihn eigentlich zu überraschen. Er hätte sie und sich zu erniedrigen geglaubt, wenn er geforscht hätte. Wer sie ihm genommen hatte, ob eine Laune, ob ein Traum, ob ein lebendiger Mensch, war ja völlig gleichgültig; er wußte nichts und brauchte nicht mehr zu wissen, als daß sie ihm nicht mehr gehörte. Vielleicht war es sogar gut, daß das Unvermeidliche so früh gekommen war. Sein Vermögen war durch den Kauf des Hauses auf das Geringste zusammengeschmolzen, und von seinem kleinen Gehalt konnten sie beide nicht leben. Mit ihr von Einschränkungen und von den gewöhnlichen Sorgen des Alltags zu reden, wäre ihm in jedem Fall unmöglich gewesen. Einen Moment fuhr es ihm durch den Sinn, von ihr Abschied zu nehmen. Sein Blick fiel auf die Bettdecke, wo der beschriebene Zettel lag. Der flüchtige Einfall kam ihm, auf die weiße Seite ein kurzes Wort der Erklärung hinzuschreiben. Aber in der deutlichen Empfindung, daß ein solches Wort für Katharina nicht das geringste Interesse haben könnte, stand er wieder davon ab. Er öffnete die Handtasche, steckte seinen kleinen Revolver zu sich und gedachte, irgendwo hinaus vor die Stadt zu wandern, um dort mit Anstand, und ohne jemanden zu stören, seine Tat zu verüben.

Ein Sommermorgen von dunkelblauer Klarheit und vorzeitiger Schwüle lag über der Stadt. Albert ging geradeaus fort. Er war noch nicht hundert Schritte weit vom Hotel entfernt, als er Katharinens Gestalt vor sich erblickte. Sie hielt ihren grauseidenen Sonnenschirm in der Hand und ging langsam des Weges.

Die erste Regung Alberts war, in eine andere Straße abzubiegen; aber eine Macht, die heftiger war als alle seine Vorsätze und Überlegungen, drängte ihn, ihr zu folgen, um sich nun doch die Gewißheit zu verschaffen, der er vor einer Minute noch mit Gleichgültigkeit gegenüberzustehen geglaubt hatte. Er bekam sogar einige Angst, daß sie sich umwenden und ihn entdecken könnte. Sie nahm den Weg dem Hofgarten zu, er hielt sich in gemessener Entfernung. Jetzt war sie bei der Hofkirche angelangt, deren Tor offen stand. Sie trat ein. Albert folgte ihr nach einigen Augenblicken. Er blieb in der Nähe des Einganges im tiefsten Schatten stehen; er sah, wie Katharina langsam durch das Mittelschiff zwischen den dunklen Bildsäulen der Helden und Königinnen hindurchschritt. Plötzlich hielt sie inne. Albert entfernte sich von dem Platz, wo er bisher gewartet, und schlich in einem weiten Bogen hinter das Grabmal des Kaisers Maximilian, das gewaltig in der Mitte der Kirche ragte. Katharina stand regungslos vor der Statue des Theodorich. Die Linke auf den Degen gestützt, blickte der erzene Held wie aus ewigen Augen vor sich hin. Seine Haltung war von erhabener Müdigkeit, als sei er sich zugleich der Größe und der Zwecklosigkeit seiner Taten bewußt, und als ginge sein ganzer Stolz in Schwermut unter. Katharina stand vor der Bildsäule und starrte dem Gotenkönig ins Antlitz. Albert blieb einige Zeit in der Verborgenheit, dann wagte er sich vor. Sie hätte die Schritte hören müssen, aber sie wandte sich nicht um; wie gebannt blieb sie auf derselben Stelle. Leute kamen in die Kirche, Fremde mit roten Reisebüchern, man sprach neben ihr, hinter ihr, sie hörte nicht. Es wurde eine Weile stiller, Katharina stand wie früher, in ihrer Bewegungslosigkeit selber einer Bildsäule gleich. Eine neue Viertelstunde und wieder eine verging. Katharina rührte sich nicht.

Albert ging. Am Ausgang wandte er sich noch einmal um; da sah er, wie Katharina nahe an die Statue herangetreten war und mit ihren Lippen den erzenen Fuß berührte. Eilig entfernte sich Albert. Er lächelte. Ein Einfall kam ihm, der ihn mit einer Art von Rührung erfüllte und dessen er sich freute. Nun hatte er noch etwas für die Geliebte zu tun, bevor er dahinging. Er nahm den Weg zu einer Kunsthandlung in der Bahnhofstraße; dort fragte er, ob eine Bronzenachahmung des Theodorich in natürlicher Größe zu beschaffen sei. Ein Zufall wollte es, daß eine solche vor einem Monat fertig geworden war; der Besteller, ein Lord, war gestorben, und die Erben weigerten sich, das Kunstwerk zu übernehmen. Albert fragte nach dem Preis. Er entsprach ungefähr dem Rest seines Vermögens. Albert gab seine Wiener Adresse an und erteilte genaue Weisung, in welcher Art ein Vertrauensmann der Firma die Aufstellung im Garten des Häuschens besorgen sollte. Dann empfahl er sich, eilte durch die Stadt, nahm den Weg durch die Vorstadt Wilten gegen Igls zu, und im Wäldchen erschoß er sich, gerade als die Sonne Mittag zeigte.

Katharina kehrte erst einige Wochen nach diesem Vorfall nach Wien zurück. Indessen war Albert in der Grazer Familiengruft beigesetzt worden. Am Abend ihrer Ankunft stand Katharina eine geraume Weile im Garten vor der Bildsäule, die unter hohen Bäumen einen schönen Platz gefunden. Dann begab sie sich in ihr Zimmer und schrieb einen längeren Brief nach Verona postlagernd an Andrea Geraldini. So hatte sich nämlich ein Herr genannt, der ihr von der Hofkirche aus gefolgt war, als sie Theodorich den Großen verlassen hatte, und von dem sie ein Kind unter dem Herzen trug. Ob das auch der richtige Name des Herrn war, erfuhr sie nie; denn sie erhielt keine Antwort.

Die griechische Tänzerin

Die Leute mögen sagen, was sie wollen, ich glaube nicht daran, daß Frau Mathilde Samodeski an Herzschlag gestorben ist. Ich weiß es besser. Ich gehe auch nicht in das Haus, aus dem man sie heute zur ersehnten Ruhe hinausträgt; ich habe keine Lust, den Mann zu sehen, der es ebensogut weiß als ich, warum sie gestorben ist; ihm die Hand zu drücken und zu schweigen.

Einen andern Weg schlag' ich ein; er ist allerdings etwas weit, aber der Herbsttag ist schön und still, und es tut mir wohl, allein zu sein. Bald werde ich hinter dem Gartengitter stehen, hinter dem ich im vergangenen Frühjahr Mathilde zum letztenmal gesehen habe. Die Fensterladen der Villa werden alle geschlossen sein, auf dem Kiesweg werden rötliche Blätter liegen, und an irgendeiner Stelle werde ich wohl den weißen Marmor durch die Bäume schimmern sehen, aus dem die griechische Tänzerin gemeißelt ist.

An jenen Abend muß ich heute viel denken. Es kommt mir fast wie eine Fügung vor, daß ich mich damals noch im letzten Augenblick entschlossen hatte, die Einladung von Wartenheimers anzunehmen, da ich doch im Laufe der Jahre die Freude an allem geselligen Treiben so ganz verloren habe. Vielleicht war der laue Wind schuld, der abends von den Hügeln in die Stadt geweht kam und mich aufs Land hinauslockte. Überdies sollte es ja ein Gartenfest sein, mit dem die Wartenheimers ihre Villa einweihen wollten, und man brauchte keinerlei besonderen Zwang zu fürchten. Sonderbar ist es auch, daß ich im Hinausfahren kaum an die Möglichkeit dachte, Frau Mathilde draußen zu begegnen. Und dabei war mir doch bekannt, daß Herr Wartenheimer die griechische Tänzerin von Samodeski für seine Villa gekauft hatte; – und daß Frau von Wartenheimer in den Bildhauer verliebt war, wie alle übrigen Frauen, das wußt' ich nicht minder. Aber selbst davon abgesehen, hätte ich wohl an

Mathilde denken können, denn zur Zeit, da sie noch Mädchen war, hatte ich manche schöne Stunde mit ihr verbracht. Insbesondere gab es einen Sommer am Genfersee vor sieben Jahren, gerade ein Jahr vor ihrer Verlobung, den ich nicht so leicht vergessen werde. Es scheint sogar, daß ich mir damals trotz meiner grauen Haare mancherlei eingebildet hatte, denn als sie im Jahre darauf Samodeskis Gattin wurde, empfang ich einige Enttäuschung und war vollkommen überzeugt – oder hoffte sogar –, daß sie mit ihm nicht glücklich werden könnte. Erst auf dem Fest, das Gregor Samodeski kurz nach der Rückkehr von der Hochzeitsreise in seinem Atelier in der Gußhausgasse gab, wo alle Geladenen lächerlicherweise in japanischen oder chinesischen Kostümen erscheinen mußten, habe ich Mathilde wiedergesehen. Ganz unbefangen begrüßte sie mich; ihr ganzes Wesen machte den Eindruck der Ruhe und Heiterkeit. Aber später, während sie im Gespräch mit anderen war, traf mich manchmal ein seltsamer Blick aus ihren Augen, und nach einiger Bemühung habe ich deutlich verstanden, was er zu bedeuten hatte. Er sagte: ›Lieber Freund, Sie glauben, daß er mich um des Geldes willen geheiratet hat; Sie glauben, daß er mich nicht liebt; Sie glauben, daß ich nicht glücklich bin – aber Sie irren sich... Sie irren sich ganz bestimmt. Sehen Sie doch, wie gut gelaunt ich bin, wie meine Augen leuchten.‹

Ich bin ihr auch später noch einige Male begegnet, aber immer nur ganz flüchtig. Einmal auf einer Reise kreuzten sich unsere Züge; ich speiste mit ihr und ihrem Gatten in einem Bahnhofrestaurant, und er erzählte allerhand Witze, die mich nicht sonderlich amüsierten. Auch im Theater sprach ich sie einmal, sie war mit ihrer Mutter dort, die eigentlich noch immer schöner ist als sie... der Teufel weiß, wo Herr Samodeski damals gewesen ist. Und im letzten Winter hab' ich sie im Prater gesehen; an einem klaren, kalten Tage. Sie ging mit ihrem kleinen Mäderl unter den kahlen Kastanien über den Schnee. Der Wagen fuhr langsam nach. Ich befand mich auf der anderen Seite der Fahrbahn und ging nicht einmal hinüber. Wahrscheinlich war ich innerlich mit ganz anderen Dingen beschäftigt; auch interessierte mich Mathilde schließlich nicht mehr besonders. So würde ich mir heute vielleicht gar keine weiteren Gedanken über sie und über ihren plötzlichen Tod machen, wenn nicht jenes letzte Wiedersehen bei Wartenheimers stattgefunden hätte. An diesen Abend erinnere ich mich heute mit einer merkwürdigen, geradezu peinlichen Deutlichkeit, etwa so wie an manchem Tag am Genfersee. Es war schon ziemlich dämmerig, als ich hinauskam. Die Gäste gingen in den Alleen spazieren, ich begrüßte den Hausherrn und einige Bekannte. Irgendwoher tönte die Musik einer kleinen Salonkapelle, die in einem Boskett versteckt war. Bald kam ich zu dem kleinen Teich, der im Halbkreis von hohen Bäumen umgeben ist; in der Mitte auf einem dunklen Postament, so daß sie über dem Wasser zu schweben schien, leuchtete die griechische Tänzerin; durch elektrische Flammen vom Hause her war sie übrigens etwas theatralisch beleuchtet. Ich erinnere mich an das Aufsehen, das sie im Jahre vorher in der Sezession erregt hatte; ich muß gestehen, auch auf mich machte sie einigen Eindruck, obwohl mir Samodeski ausnehmend zuwider ist, und trotzdem ich die sonderbare Empfindung habe, daß eigentlich nicht er es ist, der die schönen Sachen macht, die ihm zuweilen gelingen, sondern irgend etwas anderes in ihm, irgend etwas Unbegreifliches, Glühendes, Dämonisches meinethalben, das ganz bestimmt erlöschen wird, wenn er einmal aufhören wird, jung und geliebt zu sein. Ich glaube, es gibt mancherlei Künstler dieser Art, und dieser Umstand erfüllt mich seit jeher mit einer gewissen Genugtuung.

In der Nähe des Teiches begegnete ich Mathilden. Sie schritt am Arm eines jungen Mannes, der aussah wie ein Korpsstudent und sich mir als Verwandter des Hauses vorstellte. Wir spazierten zu dritt sehr vergnügt plaudernd im Garten hin und her, in dem jetzt überall Lichter aufgeflackert waren. Die Frau des Hauses mit Samodeski kam uns entgegen. Wir blieben alle eine Weile stehen, und zu meiner eigenen Verwunderung sagte ich dem Bildhauer einige höchst anerkennende Worte über die griechische Tänzerin. Ich war eigentlich ganz unschuldig daran; offenbar lag in der Luft eine friedliche, heitere Stimmung, wie das an solchen Frühlingsabenden manchmal vorkommt: Leute, die einander sonst gleichgültig sind, begrüßen sich herzlich, andere, die schon eine gewisse Sympathie verbindet, fühlen sich zu allerlei Herzensergießungen angeregt. Als ich beispielsweise eine Weile später auf einer Bank saß und eine Zigarette rauchte, gesellte sich ein Herr zu mir, den ich nur oberflächlich kannte und der plötzlich die Leute zu preisen begann, die von ihrem Reichtum einen so vornehmen Gebrauch machen wie unser Gastgeber. Ich war vollkommen seiner Meinung, obwohl ich Herrn von Wartenheimer sonst für einen ganz einfältigen Snob halte. Dann teilte ich wieder dem Herrn ganz ohne Grund meine Ansichten über moderne Skulptur mit, von der ich nicht sonderlich viel verstehe, Ansichten, die für ihn sonst gewiß ohne jedes Interesse gewesen wären; aber unter dem Einflusse dieses verführerischen Frühlingsabends stimmte er mir begeistert zu. Später traf ich die Nichten des Hausherrn, die das Fest äußerst romantisch fanden, hauptsächlich, weil die Lichter zwischen den Blättern hervorglänzten und Musik in der Ferne ertönte. Dabei standen wir gerade neben der Kapelle: aber trotzdem fand ich die Bemerkung nicht unsinnig. So sehr stand auch ich unter dem Banne der allgemeinen Stimmung.

Das Abendessen wurde an kleinen Tischen eingenommen, die, soweit es der Platz erlaubte, auf der großen Terrasse, zum anderen Teil im anstoßenden Salon aufgestellt waren. Die drei großen Glastüren standen weit offen. Ich saß an einem Tisch im Freien mit einer der Nichten; an meiner anderen Seite hatte Mathilde Platz genommen mit dem Herrn, der aussah wie ein Korpsstudent, übrigens aber Bankbeamter und Reserveoffizier war. Gegenüber von uns, aber schon im Saal, saß Samodeski zwischen der Frau des Hauses und irgendeiner anderen schönen Dame, die ich nicht kannte. Er warf seiner Gattin eine scherzhaft verwegene Kußhand zu; sie nickte ihm zu und lächelte. Ohne weitere Absicht beobachtete ich ihn ziemlich genau. Er war wirklich schön mit seinen stahlblauen Augen und dem langen schwarzen Spitzbarte, den er manchmal mit zwei Fingern der linken Hand am Kinn zurechtstrich. Ich glaube aber auch, daß ich nie in meinem Leben einen Mann so sehr von Worten, Blicken, Gebärden gewissermaßen umglüht gesehen habe als ihn an diesem Abend. Anfangs schien es, als ließe er sich das eben nur gefallen. Aber bald sah ich an seiner Art, den Frauen leise zuzuflüstern, an seinen unerträglichen Siegerblicken und besonders an der erregten Munterkeit seiner Nachbarinnen, daß die scheinbar harmlose Unterhaltung von irgendeinem geheimen Feuer genährt wurde. Natürlich mußte Mathilde das alles geradeso gut bemerken als ich; aber sie plauderte anscheinend unbewegt bald mit ihrem Nachbarn, bald mit mir. Allmählich wandte sie sich zu mir allein, erkundigte sich nach verschiedenen äußeren Umständen meines Lebens und ließ sich von meiner vorjährigen Reise nach Athen berichten. Dann sprach sie von ihrer Kleinen, die merkwürdigerweise schon heute Lieder von Schumann nach dem Gehör singen konnte, von ihren Eltern, die sich nun auch auf ihre alten Tage ein Häuschen in Hietzing gekauft, von alten Kirchenstoffen, die sie selbst im vorigen Jahr in Salzburg angeschafft hatte, und von hundert anderen Dingen. Aber unter der Oberfläche dieses Gespräches ging etwas ganz anderes zwischen uns vor; ein stummer erbitterter Kampf: Sie versuchte mich durch ihre Ruhe von der Ungetrübtheit ihres Glückes zu überzeugen – und ich wehrte mich dagegen, ihr zu glauben. Ich mußte wieder an jenen japanisch-chinesischen Abend in Samodeskis Atelier denken, wo sie sich in gleicher Weise bemüht hatte. Diesmal fühlte sie wohl, daß sie gegen meine Bedenken wenig ausrichtete und daß sie irgend etwas ganz Besonderes ausdenken mußte, um sie zu zerstreuen. Und so kam sie auf den Einfall, mich selbst auf das zutunliche und verliebte Benehmen der zwei schönen Frauen ihrem Gatten gegenüber aufmerksam zu machen, und begann von seinem Glück bei Frauen zu sprechen, als wenn sie sich auch daran geradeso wie an seiner Schönheit und an seinem Genie ohne jede Unruhe und jedes Mißtrauen als gute Kameradin freuen dürfte. Aber je mehr sie sich bemühte, vergnügt und ruhig zu scheinen, um so tiefere Schatten flogen über ihre Stirn hin. Als sie einmal das Glas erhob, um Samodeski zuzutrinken, zitterte ihre Hand. Das wollte sie verbergen, unterdrücken; dadurch verfiel aber nicht nur ihre Hand, sondern der Arm, ihre ganze Gestalt für einige Sekunden in eine solche Starrheit, daß mir beinahe bange wurde. Sie faßte sich wieder, sah mich rasch von der Seite an, merkte offenbar, daß sie daran war, ihr Spiel endgültig zu verlieren, und sagte plötzlich, wie mit einem letzten verzweifelten Versuch: »Ich wette, Sie halten mich für eifersüchtig.« Und ehe ich Zeit hatte, etwas zu erwidern, setzte sie rasch hinzu: »Oh, das glauben viele. Im Anfang hat es Gregor selbst geglaubt.« Sie sprach absichtlich ganz laut, man hätte drüben jedes Wort hören können. »Nun ja«, sagte sie mit einem Blick hinüber, »wenn man einen solchen Mann hat: schön und berühmt... und selber den Ruf, nicht sonderlich hübsch zu sein... Oh, Sie brauchen mir nichts zu erwidern... ich weiß ja, daß ich seit meinem Mäderl ein bißchen hübscher geworden bin.« Sie hatte möglicherweise recht, aber für ihren Gemahl – davon war ich völlig überzeugt – hatte der Adel ihrer Züge nie sonderlich viel bedeutet, und was ihre Gestalt anlangt, so hatte sie mit der mädchenhaften Schlankheit für ihn wahrscheinlich ihren einzigen Reiz verloren. Doch ich stimmte ihr natürlich mit übertriebenen Worten bei; sie schien erfreut und fuhr mit wachsendem Mute fort: »Aber ich habe nicht das geringste Talent zur Eifersucht. Das habe ich selbst nicht gleich gewußt; ich bin erst allmählich daraufgekommen, und zwar hauptsächlich vor ein paar Jahren in Paris... Sie wissen ja, daß wir dort waren?«

Ich erinnerte mich.

»Gregor hat dort die Büsten der Fürstin La Hire und des Ministers Chocquet gemacht und mancherlei anderes. Wir haben dort so angenehm gelebt wie junge Leute... das heißt, jung sind wir ja noch beide... ich meine, wie ein Liebespaar, wenn wir auch gelegentlich in die große Welt gingen... Wir waren ein paarmal beim österreichischen Botschafter, die La Hires haben wir besucht und andere. Im ganzen aber machten wir uns nicht viel aus dem eleganten Leben. Wir wohnten sogar draußen auf Montmartre, in einem ziemlich schäbigen Haus, wo übrigens Gregor auch sein Atelier hatte. Ich versichere Sie, unter den jungen Künstlern, mit denen wir dort verkehrten, hatten manche keine Ahnung, daß wir verheiratet waren. Ich bin überall mit ihm herumgestiefelt. Oft bin ich in der Nacht mit ihm im Café Athenés gesessen, mit Léandre, Carabin und vielen anderen. Auch allerlei Frauen waren zuweilen in unserer Gesellschaft, mit denen ich wahrscheinlich in Wien nicht verkehren möchte... obzwar schließlich – –« Sie warf einen hastigen Blick hinüber auf Frau Wartenheimer und fuhr rasch wieder fort: »Und manche war sehr hübsch. Ein paarmal war auch die letzte Geliebte von Henri Chabran dort, die seit seinem Tode immer ganz in Schwarz ging und jede Woche einen anderen Liebhaber hatte, die aber in dieser Zeit auch alle Trauer tragen mußten, das verlangte sie... Sonderbare Leute lernt man kennen. Sie können sich denken, daß die Frauen meinem Manne dort nicht weniger nachgelaufen sind als anderswo; es war zum Lachen. Aber da ich doch immer mit ihm war – oder meistens, so wagten sie sich nicht recht an ihn heran, um so weniger, als ich für seine Geliebte galt... Ja, wenn sie gewußt hätten, daß ich nur seine Frau war –! Und da bin ich einmal auf einen sonderbaren Einfall gekommen, den Sie mir gewiß nie zugetraut hätten – und aufrichtig gestanden, ich wundere mich heute selbst über meinen Mut.« Sie sah vor sich hin und sprach leiser als früher: »Es ist übrigens auch möglich, daß es schon mit etwas im Zusammenhang stand – nun, Sie können sich's ja denken. Seit ein paar Wochen wußte ich, daß ich ein Kind zu erwarten hatte. Das machte mich unerhört glücklich. Im Anfang war ich nicht nur heiterer, sondern merkwürdigerweise auch viel beweglicher als jemals früher... Also denken Sie, eines schönen Abends habe ich mir Männerkleider angezogen und bin so mit Gregor auf Abenteuer aus. Natürlich hab' ich ihm vor allem das Versprechen abgenommen, daß er sich keinerlei Zwang antun dürfte... nun ja, sonst hätte die ganze Geschichte keinen Sinn gehabt. Ich habe übrigens famos ausgesehen – Sie hätten mich nicht erkannt... niemand hätte mich erkannt. Ein Freund von Gregor, ein gewisser Léonce Albert, ein junger Maler, ein buckliger Mensch, holte uns an diesem Abend ab. Es war wunderschön... Mai... ganz warm... und ich war frech, davon machen Sie sich keinen Begriff. Denken Sie sich, ich hab' meinen Überzieher – einen sehr eleganten gelben Überzieher – einfach abgelegt und ihn auf dem Arm getragen... so wie das eben Herren zu tun pflegen.. Es war allerdings schon ziemlich dunkel... In einem kleinen Restaurant auf dem äußeren Boulevard haben wir diniert, dann sind wir in die Roulotte gegangen, wo damals Legay sang und Montoya... ›Tu t'en iras les pieds devant‹... Sie haben es ja neulich hier gehört im Wiedener Theater – nicht wahr?« Jetzt warf Mathilde einen raschen Blick zu ihrem Mann hinüber, der nicht darauf achtete. Es war, als wenn sie nun auf längere Zeit von ihm Abschied nähme. Und nun erzählte sie drauflos, immer heftiger, stürzte sozusagen vorwärts. »In der Roulotte«, sagte sie, »war eine sehr elegante Dame, die ganz nahe vor uns saß; die kokettierte mit Gregor, aber in einer Weise... nun, ich versichere Sie, man kann sich nichts Unanständigeres vorstellen. Ich werde nie begreifen, daß ihr Gatte sie nicht auf der Stelle erwürgt hat. Ich hätte es getan. Ich glaube, es war eine Herzogin... Nun, Sie müssen nicht lachen, es war gewiß eine Dame der großen Welt, trotz ihres Benehmens... das kann man schon beurteilen... Und ich wollte eigentlich, daß Gregor auf die Sache einginge... natürlich! – ich hätte gern gesehen, wie man so etwas anfängt... ich wünschte, daß er ihr einen Brief zusteckte – oder sonst was täte – was er eben in solchen Fällen getan haben wird, bevor ich seine Frau wurde... Ja, das wollte ich, trotzdem es nicht ohne Gefahr für ihn gewesen wäre. Offenbar steckt in uns Frauen so eine grausame Neugier... Aber Gregor hatte, Gott sei Dank, keine Lust. Wir gingen sogar recht bald fort, wieder hinaus in die schöne Mainacht, Léonce blieb immer mit uns. Der hat sich übrigens an diesem Abend in mich verliebt und wurde gegen seine Gewohnheit geradezu galant. Es war sonst ein sehr verschüchterter Mensch – wegen seines Aussehens... Ich sagte ihm noch: ›Man muß wohl einen gelben Überzieher haben, damit Sie einem den Hof machen.‹ Wir sind so vergnügt weiterspaziert wie drei Studenten. Und jetzt kam das Interessante: wir gingen nämlich ins Moulin Rouge. Das gehörte zum

Programm. Es war auch notwendig, daß endlich irgend etwas geschah. Bisher hatten wir ja noch gar nichts erlebt... nur mich – denken Sie: mich selbst – hatte ein Frauenzimmer auf der Straße angeredet. Aber das war ja nicht die Absicht gewesen... Um ein Uhr waren wir im Moulin Rouge. Wie es da zugeht, wissen Sie ja wahrscheinlich; eigentlich hatte ich mir's ärger vorgestellt... Es passierte auch anfangs dort nicht das Geringste, und es sah ganz danach aus, als sollte der ganze Scherz zu nichts führen. Ich war ein bißchen ärgerlich. ›Du bist ein Kind‹, sagte Gregor. ›Wie denkst du dir das eigentlich? Wir kommen, und sie fallen uns zu Füßen –?‹ Er sagte ›uns‹ aus Höflichkeit für Léonce; es war keine Rede davon, daß man Léonce zu Füßen fallen konnte. Aber wie wir nun schon alle ernstlich daran dachten, nach Hause zu gehen, nahm die Sache eine Wendung. Mir fiel nämlich eine Person auf... mir, wirklich mir... die schon ein paarmal ganz zufällig an uns vorübergegangen war... Sie war ganz ernst und sah ziemlich anders aus als die meisten anwesenden Damen. Sie war gar nicht auffallend gekleidet – in Weiß, vollkommen in Weiß... Ich hatte bemerkt, wie sie zwei oder drei Herren, die sie ansprachen, überhaupt gar keine Antwort gab, einfach weiterging, ohne sie eines Blickes zu würdigen. Sie schaute nur dem Tanze zu, sehr ruhig, interessiert, sachlich möchte ich sagen... Léonce fragte – ich hatte ihn darum gebeten – ein paar Bekannte, ob ihnen das hübsche Wesen schon irgendwo begegnet wäre, und einer erinnerte sich, daß er sie im vorigen Winter auf einem der Donnerstagbälle im Quartier Latin gesehen hatte. Léonce sprach sie dann in einiger Entfernung von uns an, und ihm gab sie Antwort. Dann kam er mit ihr näher, wir setzten uns alle an einen kleinen Tisch und tranken Champagner. Gregor kümmerte sich gar nicht um sie – als wenn sie überhaupt nicht dagewesen wäre... Er plauderte mit mir, immer nur mit mir... Das schien sie nun besonders zu reizen. Sie wurde immer heiterer, gesprächiger, ungenierter, und wie das so kommt, allmählich hatte sie ihre ganze Lebensgeschichte erzählt. Was so ein armes Ding alles erleben kann – oder erleben muß, möglicherweise! Man liest ja so oft davon, aber wenn man es einmal als etwas ganz Wirkliches hört, von einer, die daneben sitzt, da ist es doch ganz sonderbar. Ich erinnere mich noch an mancherlei. Wie sie fünfzehn Jahre alt war, hat sie irgendeiner verführt und sitzen lassen. Dann war sie Modell. Auch Statistin an einem kleinen Theater ist sie gewesen. – Was sie uns vom Direktor für Dinge erzählte!........ Ich wäre auf und davon gelaufen, wenn ich nicht vom Champagner schon ein wenig angeheitert gewesen wäre... Dann hatte sie sich in einen Studenten der Medizin verliebt, der in der Anatomie arbeitete, den holte sie manchmal aus der Leichenkammer ab... oder blieb vielmehr mit ihm dort... nein, es ist nicht möglich, zu wiederholen, was sie uns erzählt hat! – Der Mediziner verließ sie natürlich auch. Und das wollte sie nicht überleben – gerade das! Und sie brachte sich um, das heißt, sie versuchte es. Sie machte sich selbst darüber lustig... in Ausdrücken! Ich höre noch ihre Stimme... es klang gar nicht so gemein, als es war. Und sie lüftete ihr Kleid ein wenig und zeigte über der linken Brust eine kleine rötliche Narbe. Und wie wir alle diese kleine Narbe ganz ernsthaft betrachten, sagt sie – nein, schreit sie plötzlich meinen Mann an: ›Küssen!‹ Ich sagte Ihnen schon, Gregor kümmerte sich gar nicht um sie. Auch während sie ihre Geschichten erzählte, hörte er kaum zu, sah in den Saal hinein, rauchte Zigaretten, und jetzt, wie sie ihn so anrief, lächelte er kaum. Ich hab' ihn aber gestoßen, gezwickt, ich war ja wirklich etwas beduselt... jedenfalls war es die sonderbarste Stimmung meines Lebens. Und ob er nun wollte oder nicht, er mußte die Narbe... das heißt, er mußte so tun, als berührte er die Stelle mit den Lippen. Ja, und dann wurde es immer lustiger und toller. Nie hab' ich so viel gelacht wie an diesem Abend – und gar nicht gewußt, warum. Und nie hätte ich es für möglich gehalten, daß sich ein weibliches Wesen – und noch dazu solch eines – im Verlauf einer Stunde so wahnsinnig in einen Mann verlieben könnte, wie dieses Geschöpf in Gregor. Sie hieß Madeleine. «

Ich weiß nicht, ob Frau Mathilde den Namen absichtlich lauter aussprach – jedenfalls schien es mir, als hörte ihn ihr Gatte, denn er sah zu uns herüber; seine Frau sah er sonderbarerweise nicht an, aber unsere Blicke begegneten sich und blieben eine ganze Weile ineinander ruhen, nicht eben mit besonderer Sympathie. Dann plötzlich lächelte er seiner Gattin zu, sie nickte zurück, er sprach mit seinen Nachbarinnen weiter, und sie wandte sich wieder zu mir.

»Ich kann mich natürlich nicht mehr an alles erinnern, was Madeleine später gesprochen hat«, sagte sie, »es war ja alles so wirr. Aber ich will aufrichtig sein: es gab eine Sekunde, in der ich ein bißchen verstimmt wurde. Das war, als Madeleine die Hand meines Mannes nahm und küßte. Aber gleich war es wieder vorbei. Denn, sehen Sie, in diesem Augenblick mußte ich an unser Kind denken. Und da hab' ich gefühlt, wie unauflöslich ich und Gregor miteinander verbunden waren, und wie alles andere nichts sein konnte, als Schatten, Nichtigkeiten oder Komödie, wie heute abend. Und da war alles wieder gut. Wir sind dann noch alle bis zum Morgengrauen auf dem Boulevard in einem Kaffeehause gesessen. Da hörte ich, wie Madeleine meinen Gatten bat, er solle sie nach Hause begleiten. Er lachte sie aus. Und dann, um den Spaß zu einem guten und in gewissem Sinne vorteilhaften Ende zu führen – Sie wissen ja, was die Künstler alle für Egoisten sind... insofern es sich nämlich um ihre Kunst handelt... – kurz, er sagte ihr, daß er Bildhauer sei, und forderte sie auf, nächstens zu ihm zu kommen, er wollte sie modellieren. Sie antwortete: ›Wenn du ein Bildhauer bist, lasse ich mich hängen! Aber ich komm' doch.‹«

Mathilde schwieg. Aber nie habe ich die Augen eines weiblichen Wesens so viel Leid ausdrücken – oder verbergen sehen. Dann, nachdem sie sich gefaßt zu dem Letzten, was sie mir noch zu sagen hatte, fuhr sie fort: »Gregor wollte durchaus, ich sollte am nächsten Tag im Atelier sein. Ja, er machte mir sogar den Vorschlag, hinter dem Vorhang verborgen zu bleiben, wenn sie käme. Nun, es gibt Frauen, viele Frauen, ich weiß es, die darauf eingegangen wären. Ich aber finde: entweder man glaubt oder man glaubt nicht... Und ich habe mich entschlossen, zu glauben. Hab' ich nicht recht?« Und sie sah mich mit großen, fragenden Augen an. Ich nickte nur und sie sprach weiter: »Madeleine kam natürlich am Tag darauf und dann sehr oft... wie manche andere vorher und nachher gekommen ist... und daß sie eine der schönsten war, können Sie mir glauben. Sie selbst sind erst heute vor ihr in Bewunderung gestanden, draußen am Teich.«

»Die Tänzerin?«

»Ja, Madeleine hat zu ihr Modell gestanden. Und nun denken Sie, daß ich in einem solchen oder in einem anderen Falle mißtrauisch gewesen wäre! Würde ich nicht ihm und mir das Dasein zur Qual gemacht haben? Ich bin sehr froh, daß ich keine Anlage zur Eifersucht habe. «

Irgend jemand stand in der offenen Mitteltür und hatte begonnen, einen wahrscheinlich sehr witzigen Toast auf den Hausherrn zu sprechen, denn die Leute lachten von ganzem Herzen. Ich aber betrachtete Mathilde, die ebensowenig zuhörte wie ich. Und ich sah, wie sie zu ihrem Gatten hinüberschaute und ihm einen Blick zuwarf, der nicht nur eine unendliche Liebe verriet, sondern auch ein unerschütterliches Vertrauen heuchelte, als wäre es wahrhaftig ihre höchste Pflicht, ihn im Genuß des Daseins auf keine Weise zu stören. Und er empfing auch diesen Blick – lächelnd, unbeirrt, obwohl er natürlich ebensogut wußte als ich, daß sie litt und ihr Leben lang gelitten hat wie ein Tier.

Und darum glaub' ich nicht an die Fabel von dem Herzschlag. – Ich habe an jenem Abend Mathilde zu gut kennen gelernt, und für mich steht es fest: so wie sie vor ihrem Gatten die glückliche Frau gespielt hat vom ersten Augenblick bis zum letzten, während er sie belogen und zum Wahnsinn getrieben hat, so hat sie ihm auch schließlich einen natürlichen Tod vorgespielt, als sie das Leben hinwarf, weil sie es nicht mehr ertragen konnte. Und er hatte auch dieses letzte Opfer hingenommen, als käme es ihm zu.

Da stehe ich vor dem Gitter... Die Läden sind fest geschlossen. Weiß und wie verzaubert liegt die kleine Villa im Dämmerschein, und dort schimmert der Marmor zwischen den roten Zweigen...

Vielleicht bin ich übrigens ungerecht gegen Samodeski. Am Ende ist er so dumm, daß er die Wahrheit wirklich nicht ahnt.

Aber es ist traurig, zu denken, daß es für Mathilde im Tode keine größere Wonne gäbe, als zu wissen, daß ihr letzter himmlischer Betrug gelungen ist.

Oder irre ich mich gar? Und es war ein natürlicher Tod?... Nein, ich lasse mir nicht das Recht nehmen, den Mann zu hassen, den Mathilde so sehr geliebt hat. Das wird ja wahrscheinlich für lange Zeit mein einziges Vergnügen sein...

Wohltaten,
still und rein gegeben

Er ging, so schnell er konnte; zuweilen lief er geradezu. Aber es war ganz vergeblich – ihn fror immer heftiger. Seit Anbruch der Dunkelheit schneite es überdies, und die Straßen leuchteten im Laternenschein. Was sollte er beginnen? Er konnte sich nicht einmal mehr in eine Branntweinbudike wagen; die letzten paar Heller hatte er nachmittags für einen Kaffee ausgegeben. Er war hungrig geworden, nachdem er den ganzen Tag treppauf treppab gelaufen war. Vor acht Tagen, als die ersten trügerischen Frühjahrsdüfte wehten, hatte er seinen dicken Rock verkauft, und nun, zu allem anderen Elend, schien ein neuer Winter einbrechen zu wollen.

Die Straße öffnete sich. Franz befand sich einem großen Gebäude gegenüber, vor dem Bogenlampen brannten und dessen riesige Fenster in hellem Licht erstrahlten. Wagen näherten sich in geschlossener dichter Reihe langsam dem Tor, von verschiedenen Seiten kamen Fußgänger mit heraufgeschlagenen Kragen und verschwanden in der Halle. Franz wußte, daß er vor dem Sophiensaal stand. Drüben lief ein großer Bursche hin und her, der die Wagentüren öffnete und von den Aussteigenden Trinkgeld erhielt.

In Franz regte sich der Neid. Wenn er sich doch auch zu dergleichen entschließen könnte. Aber das war ja schon Bettelei. Und er war Student... inskribiert an der Universität. Mit Erbitterung erinnerte er sich, wie er vor ein paar Monaten, der Verzweiflung nahe so wie heute, beim Studentenverein um Unterstützung eingekommen war, wie er dann mit dreißig oder vierzig anderen in einem großen Vorraum hatte warten müssen, wie ihm ein Herr mit einer Brille an einem grünen Tisch ein paar Gulden eingehändigt und, als er danken wollte, mit einem »Schon gut, vorwärts – der Nächste« förmlich die Tür gewiesen hatte.

Ein junger Mann und eine Dame gingen an ihm vorüber; sie aßen gebratene Kastanien und lachten, als ob sie das sehr komisch fänden, daß sie naschen durften, während andere hungerten. Der Geruch stieg Franz verlockend in die Nase. Am liebsten hätte er ihnen die warmen duftenden Dinger einfach aus der Hand gerissen und verschlungen, und er spürte, daß ihm zu einer solchen Handlung eigentlich nichts fehlte als der Mut. Er biß die Zähne zusammen vor Wut, wenn er daran dachte, was für einen feigen Hungerleider die Not aus dem frischen Knaben von einst gemacht hatte. Wäre er doch daheim geblieben. Ein tüchtiges Handwerk oder irgendeine Arbeit auf freiem Feld, das wäre seine Sache gewesen, da wär' er heute stark und gesund wie früher, als er sich in Wäldern und auf Bergen herumtreiben oder stundenlang auf den Wiesen liegen und in den Himmel starren durfte. Daheim hätt' er schon irgendwie ehrlich sein Brot verdient, ohne sich demütigen zu müssen wie hier. Was war aus ihm geworden!

Durch die stille kalte Luft drangen die Klänge der Tanzmusik scheinbar stärker als früher zu ihm. In diesem Augenblick merkte er, daß ihn jemand betrachtete, wie er zähneklappernd, die Hände in den Hosentaschen, an der Laterne lehnte. Ein junger Mann im Pelz, mit einem kleinen Schnurrbart, war es, der gemächlich durch den Schnee gestapft kam und plötzlich vor ihm stehen blieb. Er schlug den Pelz zurück, griff mit einer weißbehandschuhten Hand in die Tasche und zog seine Börse hervor. Gegen seinen Willen, ja mit einem dumpfen Staunen über sich selbst, hielt Franz die Augen auf den Herrn fast flehentlich gerichtet und die Rechte wie zum Empfang ausgestreckt. Der Herr suchte in seiner Börse, offenbar ohne zu finden, was er wollte. Dann schüttelte er leicht den Kopf, murmelte »Ah, was« und reichte Franz ein Zehnkronenstück. Franz riß unwillkürlich Mund und Augen auf. Ein ungeheures Entzücken erfüllte ihn. Er wußte, daß er in einer Minute essen konnte. Er roch den Duft von Braten und frisch gebackenem Brot. Mit Inbrunst faßte er die Hand des jungen Mannes – drückte sie und preßte sie endlich an die Lippen. Dieser wich, wie erstaunt, zurück, schien etwas fragen zu wollen, rasch aber besann er sich, ging eilends über die Fahrstraße, wand sich drüben zwischen zwei Wagen durch und verschwand in der Halle. Franz hatte ihm nachgeschaut, solang er konnte, in der dunklen Empfindung, daß er sich die Gestalt und den Gang seines Retters einprägen müsse. Dann führte er das Goldstück mit plötzlicher Angst näher an die Augen, und tief atmete er auf, als er sah, daß er sich nicht getäuscht hatte. Nun lief er eine ganze Weile durch die Straßen, ohne an Hunger, Durst und Kälte zu denken. Aber als er an einer Ecke die erleuchteten Fenster eines bescheidenen Gasthauses blinken sah, kam er zu Besinnung und trat ein.

Das Lokal war sehr spärlich besucht. An einem länglichen Tisch saß eine kleine Gesellschaft von älteren Leuten, die laut redeten und sich um den Eintretenden nicht kümmerten. Franz setzte sich an einen großen runden Tisch in die andere Ecke, bestellte sich ein Nachtmahl, aß und trank hastig und mit schmerzlich süßem Behagen. Als er fertig war, schob er den Teller weg und lehnte sich zurück. Er hatte keine Eile. In das schmutzige Quartier, wo er die letzten Nächte verbracht hatte, kam er immer noch früh genug. Auch war ihm die Aussicht, wieder in den Schnee hinaus zu müssen, immer unangenehmer.

Es schien ihm, als sähen die anderen zu ihm herüber. Unruhig rückte er auf seinem Sessel hin und her. Jetzt, da er in einem warmen Lokal saß, mit gesättigtem Magen wie andere Leute, war ihm beinahe, als wenn er in den letzten Stunden nicht ganz bei Verstande gewesen wäre. Mit Unbehagen dachte er an den Moment, in dem er dem jungen Herrn flehentlich die Hand entgegengestreckt hatte, und noch viel ärgerlicher an den Augenblick, der gleich darauf gefolgt war ... Er hatte nicht übel Lust, wieder zum Sophiensaal zurückzukehren, um dort seinen Wohltäter beim Ausgang abzupassen und ihm zu erklären, daß er keineswegs ein Bettler sei.

Franz zahlte und ging. Auf der Straße schwindelte ihm ein wenig, vor dem trübseligen Gasthof in der Brigittenau graute ihm noch heftiger als früher, und so trat er gleich wieder in ein Kaffeehaus, um noch einen Schnaps zu trinken.

Hier schlug ihm eine schwüle rauchige Luft entgegen; der geräumige, aber niedrige Saal war ziemlich gefüllt, auf den Billardbrettern rollten die Kugeln, lachende laute Stimmen tönten überall. Franz fand ein kleines Tischchen am letzten Fenster frei. Nicht weit von ihm saßen zwei junge Leute im Frack, in Gesellschaft eines hübschen jungen Mädchens mit dunklen unruhigen Augen. Der eine Herr sah einen Moment lang scharf auf Franz hinüber, der zusammenzuckte, denn er hatte schon geglaubt, den Herrn im Pelz zu erkennen. Dann ärgerte er sich aber, daß er so erschrocken war. Gerade als hätte er nicht das Recht, die gleichen Lokale zu besuchen wie jener andere. Der tanzte wohl in diesem Augenblick mit schönen Damen durch den leuchtenden Saal und hatte das stolze Gefühl, einen armen Teufel glücklich gemacht, zu ewigem Dank verpflichtet zu haben. Franz biß sich in die Lippen... Ja, wenn es zehnmal soviel gewesen wäre – oder hundertmal!... Ja, dann hätte er ihm wohl die Hand küssen dürfen. Dann hätte er seine Existenz von Grund auf ändern, ein neues Leben beginnen, ein Mensch... ein Mensch wie andere Menschen werden können!... Aber dieses eine Goldstück!... Es war gerade genug, um ihn seine Armut noch bitterer empfinden zu lassen und ihn tiefer zu erniedrigen als je zuvor... Die Erinnerung trieb ihm die Schamröte in die Wangen... Er wünschte seinen Wohltäter eintreten zu sehen – er würde aufstehen, sich vor ihn hinpflanzen und ihm den Rest des Geldes vor die Füße schmeißen...

Franz merkte, daß die Gesellschaft drüben auf ihn aufmerksam wurde. Vielleicht hatte er in der Erregung halblaut gesprochen. Das Mädchen hatte ihm den Rücken zugewandt, ihre Frisur war ein wenig verwirrt, feine lose Haare kräuselten sich ihr im Nacken. Franz dachte an einen Sommerabend daheim: wie er auf der Bank am Mühlenweg saß und wie die Kellnerin von der ›Grünen Traube‹ ganz erhitzt über die Wiese zu ihm gelaufen kam; im Mondenschein hatte es ausgesehen, als flöge sie über das Gras. Es war an dem Abend gewesen, bevor er in die Stadt mußte, und seither hatte er keine mehr in den Armen gehalten. Eine plötzliche Sehnsucht nach dem blonden Geschöpf mit den heißen feuchten Wangen, an das er so lange nicht mehr gedacht hatte, ergriff ihn, und er bekam förmlich Lust, sich morgen früh aufzumachen und zu Fuß nach Hause zu wandern über die verschneiten Straßen und Hügel.

Ein blasses Mädchen stand plötzlich vor ihm, ganz still, mit einem Körbchen voll Blumen, und hielt ihm, ohne ihn recht anzusehen, ein kleines Bukett von roten Nelken und Reseda entgegen. In seiner Verlegenheit griff er wie mechanisch nach dem Sträußchen und legte es vor sich hin. Während er nach einem Zwanzighellerstück suchte, nahm das Mädchen die Blumen vom Tische auf und steckte sie ihm ins Knopfloch, immer schweigsam, ohne die Miene zu verziehen, als dächte sie an etwas ganz anderes. Franz hatte endlich das Geldstück aus dem Sack hervorgeholt – es war zwar eine Krone, aber er schämte sich weiterzusuchen und gab der Kleinen die Münze. Sie lächelte ein wenig, und Franz sah, daß sie viel älter sein mußte, als er anfangs vermutet hatte. »Küss' die Hand, gnädiger Herr«, sagte sie, indem sie sich entfernte. Der Klang dieser Worte durchbebte ihn... Und wie er jetzt wieder seine Blicke zu den anderen Tischen sandte, kam es ihm vor, als sähe man ihn überall mit einer gewissen ruhigen und selbstverständlichen Hochschätzung an. Unwillkürlich nahm er eine leichtere Haltung an, winkte dem Kellner, verlangte Zigaretten und zündete sich eine an. Dann ging er.

Es schneite noch immer, und die Straßen, durch die er jetzt spazierte, waren menschenleer. Die Kälte empfand er nicht mehr, aber der Boden schwankte ein wenig unter den Füßen.

Ein verlockender Gedanke fuhr ihm durch den Sinn. Er schauerte zusammen... und blieb einen Augenblick lang stehen. Dann stapfte er mit den Füßen durch den Schnee weiter und empfand ein gewisses Vergnügen daran, den Schritt des Herrn im Pelz nachzuahmen...

In einer ganz engen Gasse kamen ihm zwei Frauenzimmer entgegen; die eine hielt einen Muff vors Gesicht. Als sie Franz gerade gegenüberstand, ließ sie den Arm heruntergleiten und zeigte ein lachendes Gesicht. Franz starrte sie an. Die andere

Frauensperson ging weiter, als gäbe sie von vornherein jede Hoffnung auf. Die mit dem Muff faßte nach dem Sträußchen und drängte sich an Franz. Er war sehr verlegen. »Ich habe keine Zeit«, sagte er. – »Was hast' denn so spät bei der Nacht andres zu tun? Komm nur; das ist schon mein Haustor.« Und resolut zog sie an der Glocke. Sie trällerte einen Gassenhauer und schaute Franz lachend an. Er rührte sich nicht... Das Tor wurde geöffnet und schloß sich gleich darauf wieder hinter den beiden.

Das Zimmer, in das er mit ihr trat, war klein und niedrig, auf dem Fensterbrett stand eine Petroleumlampe, die matt brannte und nach der das ganze Zimmer roch. Wieder dachte Franz an jene letzte Sommernacht daheim, an den kühlen Duft der Wiesen und Wälder, der ihn damals umströmt hatte, und wäre am liebsten davongelaufen. Aber er blieb.

Später schlummerte er an ihrer Seite ein.

Im Traum ging er eine große Treppe in ein schönes Haus hinauf, wo er in den ersten Wochen seines Wiener Aufenthalts Lektion gegeben hatte. Da standen Männer oben, die sich nicht um ihn kümmerten. Plötzlich ertönte hinter ihnen eine Stimme, schrill wie ein Befehl – da wandten sich die beiden zu ihm und trieben ihn mit Fußtritten die Treppe hinunter. Aber unten, auf einer samtgepolsterten Bank, saß der Herr vom Sophiensaal, hielt das Blumenmädchen auf dem Schoß, und sie aßen beide Kastanien und erkannten Franz nicht, was ihn wütend machte. Er schrie sie an – sie hörten ihn nicht. Und alle, die vorbeigingen, Hunderte, Tausende Menschen, lachten nun über ihn. Er wollte um sich schlagen, aber er konnte sich nicht rühren.

Er erwachte jäh und stand auf. Das Frauenzimmer erhob sich im Bett, hatte offenbar schon tief geschlafen und war sehr ärgerlich. Sie kleidete sich notdürftig an und schlürfte in zerrissenen Pantoffeln herum. Franz mußte ihr beinah den ganzen Rest seines Geldes geben und eilte davon.

Als das Haustor hinter ihm zudröhnte, schlug es eben drei Uhr von einem nahen Kirchturm. Franz nahm den Weg schnurgerade zum Sophiensaal. Den Herrn im Pelz mußte er finden; wenn es ihm jetzt nicht gelang, so wollte er die Stadt nach allen

Ecken und Enden durchstreifen, bis er ihm begegnete. Die Sache war nicht in Ordnung, und sie mußte geregelt werden. Auf den Lippen hatte er ein schmerzlich brennendes Gefühl. Es war ihm jetzt, als wenn er dem Herrn die Hand geküßt hätte, nicht für die zehn Kronen, die er ihm geschenkt, sondern für all das Nichtige und Erbärmliche, auf das das Geld aufgegangen war... Die Erlebnisse der Nacht wirrten ihm durcheinander. Jetzt erst fiel ihm mit vollkommener Deutlichkeit ein, daß er dem völligen Elend gegenüberstand, daß er wieder einmal nicht wußte, wovon er morgen leben sollte.

Die Straße war verlassen, der kalte Morgenwind wehte über den Schnee. Eine Budike, an der er vorbeiging, wurde eben geöffnet, verschlafen und ungekämmt staubte ein dickes Judenmädel den Schanktisch ab. Franz trat ein, und wie sich selber und der ganzen Welt zum Trotz stürzte er noch ein Glas Branntwein hinunter. Dann eilte er weiter, und in ein paar Minuten war er an seinem Ziel. Nah beim Tor nahm er Aufstellung und wartete. Noch immer klang die Tanzmusik durch die leise klirrenden Fenster. War es wirklich kaum eine Nacht, die seither vergangen war?...

Leere Wagen fuhren vor. Herren und Damen kamen aus der Halle und stiegen ein, andere eilten zu Fuß davon. Franz wunderte sich selbst über die Sicherheit, mit der er einige Herren passieren ließ, die doch einen ähnlichen Pelz trugen wie sein Wohltäter. Er war entschlossen, nicht vom Platze zu weichen, ehe der letzte Ballgast das Gebäude verlassen hätte. –

Er wartete.

Plötzlich stand ihm das Herz still... Das war er... Da trat er aus dem Tor, knöpfte den Pelz zu und schlug den Kragen hinauf. Es war ein rechtes Glück, daß ihn Franz noch hinter der Glastür erkannt hatte, denn jetzt war er beinahe vermummt. Franz wartete, beide Hände in den Taschen, und der Herr stapfte wieder mit den Füßen durch den Schnee, was Franz erbitterte. Er stellte sich dem Herrn in den Weg. Dieser blickte auf und fragte: »Wie?...« Dann schien er ihn zu erkennen und lächelte.

»Mein Herr...«, begann Franz, aber es schnürte ihm die

Kehle zusammen, und er konnte nicht weiter. Der hochmütige Blick des andern, der zugleich die Erinnerung an seine außergewöhnliche Freigebigkeit von gestern abend und unbewußte Verachtung für den Bettler ausstrahlte, der da vor ihm stand, erbitterte Franz bis zum Wahnsinn, so daß ihm die Augen zu glühen begannen. Ein unsäglicher Haß grimmte in ihm auf – breit ausholend hob er seine Hand und gab dem Wohltäter eine mächtige Ohrfeige, daß ihm der Zylinder herunterfiel. Der junge Herr riß zuerst vor Entsetzen den Mund weit auf, dann packte er den erhobenen Arm des Bettlers und fing an, nach der Wache zu schreien. Einige Leute, die aus der Halle kamen, blieben stehen, Kutscher liefen herüber, ein Polizeimann war sofort zur Stelle. »Ist der Kerl verrückt?« schrie der Wohltäter, indem er seinen Zylinder aufhob. »Ich habe nämlich zu bemerken«, rief er in größter Erregung, ohne die Kraft, seine bisherige Vornehmheit aufrechtzuerhalten, »daß ich diesem Kerl gestern eine Unsumme – zehn Kronen! – ja, zehn Kronen!... bitte, Herr Sicherheitswachmann...«, dabei stülpte er sich den Hut auf den Kopf, »...nie ist mir etwas Ähnliches vorgekommen!«

Franz ließ den Herrn schreien, befand sich sehr wohl und sprach kein Wort. Die Sache war erledigt. Er hatte seine Dankesschuld abgetragen. Und gleichsam erlöst, mit einem heiteren Lächeln auf den Lippen, ließ er sich auf die Wache führen.

Die Weissagung

1

Unweit von Bozen, auf einer mäßigen Höhe, im Walde wie versunken und von der Landstraße aus kaum sichtbar, liegt die kleine Besitzung des Freiherrn von Schottenegg. Ein Freund, der seit zehn Jahren als Arzt in Meran lebt und dem ich im Herbste dort wieder begegnete, hatte mich mit dem Freiherrn bekannt gemacht. Dieser war damals fünfzig Jahre alt und dilettierte in mancherlei Künsten. Er komponierte ein wenig, war tüchtig auf Violine und Klavier, auch zeichnete er nicht übel. Am ernstesten aber hatte er in früherer Zeit die Schauspielerei getrieben. Wie es hieß, war er als ganz junger Mensch unter angenommenem Namen ein paar Jahre lang auf kleinen Bühnen draußen im Reiche umhergezogen. Ob nun der dauernde Widerstand des Vaters, unzureichende Begabung oder mangelndes Glück der Anlaß war, jedenfalls hatte der Freiherr diese Laufbahn früh genug aufgegeben, um noch ohne erhebliche Verspätung in den Staatsdienst treten zu können und damit dem Beruf seiner Vorfahren zu folgen, den er dann auch zwei Jahrzehnte hindurch treu, wenn auch ohne Begeisterung erfüllte. Aber als er, kaum über vierzig Jahre alt, gleich nach dem Tode des Vaters, das Amt verließ, sollte sich erst zeigen, mit welcher Liebe er an dem Gegenstand seiner jugendlichen Träume noch immer hing. Er ließ die Villa auf dem Abhang des Guntschnaberges in Stand setzen und versammelte dort, insbesondere zur Sommers- und Herbstzeit, einen allmählich immer größer werdenden Kreis von Herren und Damen, die allerlei leicht zu agierende Schauspiele oder lebende Bilder vorführten. Seine Frau, aus einer alten Tiroler Bürgersfamilie, ohne wirkliche Anteilnahme an künstlerischen Dingen, aber klug und ihrem Gatten mit kameradschaftlicher Zärtlichkeit zugetan, sah seiner Liebhaberei mit einigem Spotte zu, der sich aber um so gutmütiger anließ, als das Interesse des Freiherrn ihren eigenen geselligen Neigungen entgegenkam. Die Gesellschaft, die man im Schlosse antraf, mochte strengen Beurteilern nicht gewählt genug erscheinen, aber auch Gäste, die sonst nach Geburt und Erziehung zu Standesvorurteilen geneigt waren, nahmen keinerlei Anstoß an der zwanglosen Zusammensetzung eines Kreises, die durch die dort geübte Kunst genügend gerechtfertigt schien und von dem überdies der Name und Ruf des freiherrlichen Paares jeden Verdacht freierer Sitten durchaus fernhielt. Unter manchen anderen, deren ich mich nicht mehr entsinne, begegnete ich auf dem Schlosse einem jungen Grafen von der Innsbrucker Bezirkshauptmannschaft, einem Jägeroffizier aus Riva, einem Generalstabshauptmann mit Frau und Tochter, einer Operettensängerin aus Berlin, einem Bozener Likörfabrikanten mit zwei Söhnen, dem Baron Meudolt, der damals eben von seiner Weltreise zurückgekommen war, einem pensionierten Hofschauspieler aus Bückeburg, einer verwitweten Gräfin Saima, die als junges Mädchen Schauspielerin gewesen war, mit ihrer Tochter, und dem dänischen Maler Petersen.

Im Schlosse selbst wohnten nur die wenigsten Gäste. Einige nahmen in Bozen Quartier, andere in einem bescheidenen Gasthaus, der unten an der Wegscheide lag, wo eine schmälere Straße nach dem Gute abzweigte. Aber meist in den ersten Nachmittagsstunden war der ganze Kreis oben versammelt, und dann wurden, manchmal unter der Leitung des ehemaligen Hofschauspielers, zuweilen unter der des Freiherrn, der selbst niemals mitwirkte, bis in die späten Abendstunden Proben abgehalten, anfangs unter Scherzen und Lachen, allmählich aber mit immer größerem Ernste, bis der Tag der Vorstellung herannahte, und je nach Witterung, Laune, Vorbereitung, möglichst mit Rücksicht auf den Schauplatz der Handlung, entweder auf dem an den Wald grenzenden Wiesenplatz hinter dem Schloßgärtchen oder in dem ebenerdigen Saal mit den drei großen Bogenfenstern die Aufführung stattfand.

Als ich das erstemal den Freiherrn besuchte, hatte ich keinen anderen Vorsatz, als an einem neuen Ort unter neuen Menschen einen heiteren Tag zu verbringen. Aber wie das so kommt,

wenn man ohne Ziel und in vollkommener Freiheit umher-
streift, und überdies bei allmählich schwindender Jugend keinerlei Beziehungen bestehen, die lebhafter in die Heimat zu-
rückrufen, ließ ich mich vom Freiherrn zu längerem Bleiben
bereden. Aus dem einen Tag wurden zwei, drei und mehr, und
so, zu meiner eigenen Verwunderung, wohnte ich bis tief in den
Herbst oben auf dem Schlößchen, wo mir in einem kleinen
Turm ein sehr wohnlich ausgestattetes Zimmer mit dem Blick
ins Tal eingeräumt war. Dieser erste Aufenthalt auf dem Gunt-
schnaberg wird für mich stets eine angenehme und, trotz aller
Lustigkeit und alles Lärms um mich herum, sehr stille Erinnerung bleiben, da ich mit keinem der Gäste anders als flüchtig
verkehrte und überdies einen großen Teil meiner Zeit, zu Nach-
denken und Arbeit gleichermaßen angeregt, auf einsamen Wald-
spaziergängen verbrachte. Auch der Umstand, daß der Freiherr
aus Höflichkeit einmal eines meiner kleinen Stücke darstellen
ließ, störte die Ruhe meines Aufenthaltes nicht, da niemand von
meiner Eigenschaft als Verfasser Notiz nahm. Vielmehr bedeutete mir dieser Abend ein höchst anmutiges Erlebnis, da mit dieser Aufführung auf grünem Rasen, unter freiem Himmel ein
bescheidener Traum meiner Jugendjahre so spät als unerwartet
in Erfüllung ging.

Die lebhafte Bewegung im Schlosse ließ allmählich nach, der
Urlaub der Herren, die in einem Berufe standen, war großen-
teils abgelaufen, und nur manchmal kam Besuch von Freunden,
die in der Nähe ansässig waren. Erst jetzt gewann ich selbst zu
dem Freiherrn ein näheres Verhältnis und fand bei ihm zu einiger
Überraschung mehr Selbstbescheidung, als sie Dilettanten sonst
eigen zu sein pflegt. Er täuschte sich keineswegs darüber, daß
das, was auf seinem Schlosse getrieben wurde, nichts anderes
war, als eine höhere Art von Gesellschaftsspiel. Aber da es ihm
im Gange seines Lebens versagt geblieben war, in eine dauernde
und ernsthafte Beziehung zu seiner geliebten Kunst zu treten, so
ließ er sich an dem Schimmer genügen, der wie aus entlegenen
Fernen über das harmlose Theaterwesen im Schlosse geglänzt
kam, und freute sich überdies, daß hier von mancher Erbärm-

lichkeit, die das Berufliche doch überall mit sich bringt, kein Hauch zu spüren war.

Auf einem unserer Spaziergänge sprach er ohne jede Zudringlichkeit den Einfall aus, einmal auf seiner Bühne im Freien ein Stück dargestellt zu sehen, das schon in Hinblick auf den unbegrenzten Raum und auf die natürliche Umgebung geschaffen wäre. Diese Bemerkung kam einem Plan, den ich seit einiger Zeit in mir trug, so ungezwungen entgegen, daß ich dem Freiherrn versprach, seinen Wunsch zu erfüllen.

Bald darauf verließ ich das Schloß.

In den ersten Tagen des nächsten Frühlings schon sandte ich mit freundlichen Worten der Erinnerung an die schönen Tage des vergangenen Herbstes dem Freiherrn ein Stück, wie es den Forderungen der Gelegenheit wohl entsprechen mochte. Bald darauf traf die Antwort ein, die den Dank des Freiherrn und eine herzliche Einladung für den kommenden Herbst enthielt. Ich verbrachte den Sommer im Gebirge, und in den ersten Septembertagen bei einbrechender kühler Witterung reiste ich an den Gardasee, ohne daran zu denken, daß ich nun dem Schlosse des Freiherrn von Schottenegg recht nahe war. Ja, mir ist heute, als hätte ich zu dieser Zeit das kleine Schloß und alles dortige Treiben völlig vergessen gehabt. Da erhielt ich am 8. September aus Wien ein Schreiben des Freiherrn nachgesandt. Dieses sprach ein gelindes Erstaunen aus, daß ich nichts von mir hören ließe, und enthielt die Mitteilung, daß am 9. September die Aufführung des kleinen Stückes stattfände, das ich ihm im Frühling übersandt hatte und bei der ich keineswegs fehlen dürfte. Besonderes Vergnügen versprach mir der Freiherr von den Kindern, die in dem Stück beschäftigt waren und die es sich jetzt schon nicht nehmen ließen, auch außerhalb der Probezeit in ihren zierlichen Kostümen umherzulaufen und auf dem Rasen zu spielen. Die Hauptrolle – so schrieb er weiter – sei nach einer Reihe von Zufälligkeiten an seinen Neffen, Herrn Franz von Umprecht, übergegangen, der – wie ich mich gewiß noch erinnere – im vorigen Jahre nur zweimal in lebenden Bildern mitgewirkt habe, der aber nun auch als Schauspieler ein überraschendes Talent erweise.

Ich reiste ab, war abends in Bozen und kam am Tage der Vorstellung im Schlosse an, wo mich der Freiherr und seine Frau freundlich empfingen. Auch andere Bekannte hatte ich zu begrüßen: den pensionierten Hofschauspieler, die Gräfin Saima mit Tochter, Herrn von Umprecht und seine schöne Frau; sowie die vierzehnjährige Tochter des Försters, die zu meinem Stücke den Prolog sprechen sollte. Für den Nachmittag wurde große Gesellschaft erwartet und abends bei der Vorstellung sollten mehr als hundert Zuschauer anwesend sein, nicht nur persönliche Gäste des Freiherrn, sondern auch Leute aus der Gegend ringsum, denen heute, wie schon öfter, der Zugang zu dem Bühnenplatz freistand. Überdies war diesmal auch ein kleines Orchester engagiert, aus Berufsmusikern einer Bozener Kapelle und einigen Dilettanten bestehend, die eine Ouvertüre von Weber und überdies eine Zwischenaktsmusik exekutieren sollten, welch letztere der Freiherr selbst komponiert hatte.

Man war bei Tisch sehr heiter, nur Herr von Umprecht schien mir etwas stiller als die anderen. Anfangs hatte ich mich seiner kaum entsinnen können, und es fiel mir auf, daß er mich sehr oft, manchmal mit Sympathie, dann wieder etwas scheu ansah, ohne je das Wort an mich zu richten. Allmählich wurde mir der Ausdruck seines Gesichtes bekannter, und plötzlich erinnerte ich mich, daß er voriges Jahr in einem der lebenden Bilder mit aufgestützten Armen in Mönchstracht vor einem Schachbrett gesessen war. Ich fragte ihn, ob ich mich nicht irrte. Er wurde beinahe verlegen, als ich ihn ansprach; der Freiherr antwortete für ihn und machte dann eine lächelnde Bemerkung über das neuentdeckte schauspielerische Talent seines Neffen. Da lachte Herr von Umprecht in einer ziemlich sonderbaren Weise vor sich hin, dann warf er rasch einen Blick zu mir herüber, der eine Art von Einverständnis zwischen uns beiden auszudrücken schien und den ich mir durchaus nicht erklären konnte. Aber von diesem Augenblick an vermied er es wieder, mich anzusehen.

2

Bald nach Tisch hatte ich mich auf mein Zimmer zurückgezogen. Da stand ich wieder am offenen Fenster, wie ich so oft im vorigen Jahre getan, und freute mich des anmutigen Blickes hinunter in das sonnenglänzende Tal, das, eng zu meinen Füßen, allmählich sich dehnte und in der Ferne sich völlig aufschloß, um Stadt und Fluren in sich aufzunehmen.

Nach einer kurzen Weile klopfte es. Herr von Umprecht trat ein, blieb an der Tür stehen und sagte mit einiger Befangenheit: »Ich bitte um Verzeihung, wenn ich Sie störe.« Dann trat er näher und fuhr fort: »Aber sobald Sie mir eine Viertelstunde Gehör geschenkt haben, davon bin ich überzeugt, werden Sie meinen Besuch für genügend entschuldigt halten.«

Ich lud Herrn von Umprecht zum Sitzen ein, er achtete nicht darauf, sondern fuhr mit Lebhaftigkeit fort: »Ich bin nämlich in der seltsamsten Art Ihr Schuldner geworden und fühle mich verpflichtet, Ihnen zu danken.«

Da mir natürlich nichts anderes beifallen konnte, als daß sich diese Worte des Herrn von Umprecht auf seine Rolle bezögen und sie mir allzuhöflich schienen, so versuchte ich abzuwehren. Doch Umprecht unterbrach mich sofort: »Sie können nicht wissen, wie meine Worte gemeint sind. Darf ich Sie bitten, mich anzuhören?« Er setzte sich auf das Fensterbrett, kreuzte die Beine, und, mit offenbarer Absichtlichkeit so ruhig als möglich scheinend, begann er: »Ich bin jetzt Gutsbesitzer, wie Sie vielleicht wissen, bin aber früher Offizier gewesen. Und zu jener Zeit, vor zehn Jahren – heute vor zehn Jahren – begegnete mir das unbegreifliche Abenteuer, unter dessen Schatten ich gewissermaßen bis heute gelebt habe und das heute durch Sie ohne Ihr Wissen und Zutun seinen Abschluß findet. Zwischen uns beiden besteht nämlich ein dämonischer Zusammenhang, den Sie wahrscheinlich so wenig werden aufklären können wie ich; aber Sie sollen wenigstens von seinem Vorhandensein erfahren. – Mein Regiment lag damals in einem öden polnischen Nest. An Zerstreuungen gab es außer dem Dienst, der nicht immer anstrengend genug war, nur Trunk und Spiel. Überdies hatte man die Möglichkeit vor Augen, jahrelang hier festsitzen zu müssen, und nicht alle von uns verstanden es, ein Leben in dieser trostlosen Aussicht mit Fassung zu tragen. Einer meiner besten Freunde hat sich im dritten Monat unseres dortigen Aufenthalts erschossen. Ein anderer Kamerad, früher der liebenswürdigste Offizier, fing plötzlich an, ein arger Trinker zu werden, wurde unmanierlich, aufbrausend, nahezu unzurechnungsfähig und hatte irgend einen Auftritt mit einem Advokaten, der ihn seine Charge kostete. Der Hauptmann meiner Kompagnie war verheiratet und, ich weiß nicht, ob mit oder ohne Grund, so eifersüchtig, daß er seine Frau eines Tages zum Fenster hinunterwarf. Sie blieb rätselhafterweise heil und gesund; der Mann starb im Irrenhause. Einer unserer Kadetten, bis dahin ein sehr lieber, aber ausnehmend dummer Junge, bildete sich plötzlich ein, Philosophie zu verstehen, studierte Kant und Hegel und lernte ganze Partien aus deren Werken auswendig, wie Kinder die Fibel. Was mich anbelangt, so tat ich nichts als mich langweilen, und zwar in einer so ungeheuerlichen Weise, daß ich an manchen Nachmittagen, wenn ich auf meinem Bette lag, fürchtete, verrückt zu werden. Unsere Kaserne lag außerhalb des Dorfes, das aus höchstens dreißig verstreuten Hütten bestand; die nächste Stadt, eine gute Reitstunde entfernt, war schmierig, widerwärtig, stinkend und voll von Juden. Notgedrungen hatten wir manchmal mit ihnen zu tun – der Hotelier war ein Jude, der Cafetier, der Schuster desgleichen. Daß wir uns möglichst beleidigend gegen sie benahmen, das können Sie sich denken. Wir waren besonders gereizt gegen dieses Volk, weil ein Prinz, der unserem Regiment als Major zugeteilt war, den Gruß der Juden – ob nun aus Scherz oder aus Vorliebe, weiß ich nicht – mit ausgesuchter Höflichkeit erwiderte und überdies mit auffallender Absichtlichkeit unseren Regimentsarzt protegierte, der ganz offenbar von Juden abstammte. Das würde ich Ihnen natürlich nicht erzählen, wenn nicht gerade diese Laune des Prinzen mich mit demjenigen Menschen zusammengeführt hätte, der in so geheimnisvoller Weise die Verbindung zwischen Ihnen und mir herzustellen berufen war. Es war ein Taschenspieler, und zwar der Sohn eines Branntweinjuden aus dem benachbarten polnischen Städtchen. Er war als junger Bursche in ein Geschäft nach Lemberg, dann nach Wien gekommen und hatte einmal irgend jemandem einige Kartenkunststücke abgelernt. Er bildete sich auf eigene Faust weiter aus, eignete sich allerlei andere Taschenspielereien an und brachte es allmählich soweit, daß er in der Welt umherziehen und sich auf Varietébühnen oder in Vereinen mit Erfolg produzieren konnte. Im Sommer kam er immer in seine Vaterstadt, um die Eltern zu besuchen. Dort trat er nie öffentlich auf, und so sah ich ihn zuerst auf der Straße, wo er mir durch seine Erscheinung augenblicklich auffiel. Er war ein kleiner, magerer, bartloser Mensch, der damals etwa dreißig Jahre alt sein mochte, mit einer vollkommen lächerlichen Eleganz gekleidet, die zur Jahreszeit gar nicht paßte: er spazierte in einem schwarzen Gehrock und mit gebügeltem Zylinder herum und trug Westen vom herrlichsten Brokat; bei starkem Sonnenschein hatte er einen dunklen Zwicker auf der Nase.

Einmal saßen wir unser fünfzehn oder sechzehn nach dem Abendessen im Kasino an unserem langen Tisch wie gewöhnlich. Es war eine schwüle Nacht, und die Fenster standen offen. Einige Kameraden hatten zu spielen begonnen, andere lehnten am Fenster und plauderten, wieder andere tranken und rauchten schweigend. Da trat der Korporal vom Tage ein und meldete die Ankunft des Taschenspielers. Wir waren zuerst einigermaßen erstaunt. Aber ohne weiteres abzuwarten, trat der Gemeldete in guter Haltung ein und sprach in leichtem Jargon einige einleitende Worte, mit denen er sich für die an ihn ergangene Einladung bedankte. Er wandte sich dabei an den Prinzen, der auf ihn zutrat und ihm – natürlich ausschließlich, um uns zu ärgern – die Hand schüttelte. Der Taschenspieler nahm das wie selbstverständlich hin und bemerkte dann, er werde zuerst einige Kartenkunststücke zeigen, um sich hierauf im Magnetismus und in der Chiromantie zu produzieren. Er hatte kaum zu Ende gesprochen, als einige unserer Herren, die in einer Ecke beim Kartenspiel saßen, merkten, daß ihnen die Figuren fehlten: auf einen

Wink des Zauberers kamen sie aber durch das geöffnete Fenster hereingeflogen. Auch die Kunststücke, die er folgen ließ, unterhielten uns sehr und übertrafen so ziemlich alles, was ich auf diesem Gebiete gesehen hatte. Noch sonderbarer erschienen mir die magnetischen Experimente, die er dann vollführte. Nicht ohne Grauen sahen wir alle zu, wie der philosophische Kadett, in Schlaf versetzt, den Befehlen des Zauberers gehorchend, zuerst durchs offene Fenster sprang, die glatte Mauer bis zum Dach hinaufkletterte, oben knapp am Rand um das ganze Viereck herumeilte und sich dann in den Hof hinabgleiten ließ. Als er wieder unten stand, noch immer im schlafenden Zustand, sagte der Oberst zu dem Zauberer: ›Sie, wenn er sich den Hals gebrochen hätte, ich versichere Sie, Sie wären nicht lebendig aus der Kaserne gekommen.‹ Nie werde ich den Blick voll Verachtung vergessen, mit dem der Jude diese Bemerkung wortlos erwiderte. Dann sagte er langsam: ›Soll ich Ihnen aus der Hand lesen, Herr Oberst, wann Sie tot oder lebendig diese Kaserne verlassen werden?‹ Ich weiß nicht, was der Oberst oder wir anderen ihm auf diese verwegene Bemerkung sonst entgegnet hätten – aber die allgemeine Stimmung war schon so wirr und erregt, daß sich keiner wunderte, als der Oberst dem Taschenspieler die Hand hinreichte und, dessen Jargon nachahmend, sagte: ›Nu, lesen Sie.‹ Dies alles ging im Hof vor sich, und der Kadett stand noch immer schlafend mit ausgestreckten Armen wie ein Gekreuzigter an der Wand. Der Zauberer hatte die Hand des Obersten ergriffen und studierte aufmerksam die Linien. ›Siehst du genug, Jud?‹ fragte ein Oberleutnant, der ziemlich betrunken war. Der Gefragte sah sich flüchtig um und sagte ernst: ›Mein Künstlername ist Marco Polo.‹ Der Prinz legte dem Juden die Hand auf die Schulter und sagte: ›Mein Freund Marco Polo hat scharfe Augen.‹ – ›Nun, was sehen Sie?‹ fragte der Oberst höflicher. ›Muß ich reden?‹ fragte Marco Polo. ›Wir können Sie nicht zwingen‹, sagte der Prinz. ›Reden Sie!‹ rief der Oberst. ›Ich möcht' lieber nicht reden‹, erwiderte Marco Polo. Der Oberst lachte laut. ›Nur heraus, es wird nicht so arg sein. Und wenn es arg ist, muß es auch noch nicht wahr sein.‹ – ›Es ist sehr arg‹,

sagte der Zauberer, ›und wahr ist es auch.‹ Alle schwiegen.
›Nun?‹ fragte der Oberst. ›Von Kälte werden Sie nichts mehr zu
leiden haben‹, erwiderte Marco Polo. ›Wie?‹ rief der Oberst aus.
›Kommt unser Regiment also endlich nach Riva?‹ – ›Vom Regiment les' ich nichts, Herr Oberst. Ich seh' nur, daß Sie im Herbst
sein werden ein toter Mann.‹ Der Oberst lachte, aber alle anderen schwiegen; ich versichere Sie, uns allen war, als ob der
Oberst in diesem Augenblick gezeichnet worden wäre. Plötzlich lachte irgend einer absichtlich sehr laut, andere taten ihm
nach, und lärmend und lustig ging es zurück ins Kasino. ›Nun‹,
rief der Oberst, ›mit mir wär's in Ordnung. Ist keiner von den
anderen Herren neugierig?‹ Einer rief wie zum Scherz: ›Nein,
wir wünschen nichts zu erfahren.‹ Ein anderer fand plötzlich,
daß man gegen diese Art, sich das Schicksal vorhersagen zu lassen, aus religiösen Gründen eingenommen sein müßte, und ein
junger Leutnant erklärte heftig, man sollte Leute wie Marco
Polo auf Lebenszeit einsperren. Den Prinzen sah ich mit einem
unserer älteren Herren rauchend in einer Ecke stehen und hörte
ihn sagen: ›Wo fängt das Wunder an?‹ Indessen trat ich zu Marco
Polo hin, der sich eben zum Fortgehen bereitete, und sagte zu
ihm, ohne daß es jemand hörte. ›Prophezeien Sie mir.‹ Er griff
wie mechanisch nach meiner Hand. Dann sagte er: ›Hier sieht
man schlecht.‹ Ich merkte, daß die Öllampen zu flackern begonnen hatten und daß die Linien meiner Hand zu zittern schienen.
›Kommen Sie hinaus, Herr Leutnant, in den Hof. Mir is lieber
bei Mondschein.‹ Er hielt mich an der Hand, und ich folgte ihm
durch die offene Tür ins Freie.

Mir kam plötzlich ein sonderbarer Gedanke. ›Hören Sie,
Marco Polo‹, sagte ich, ›wenn Sie nichts anderes können als das,
was Sie eben an unserem Herrn Oberst gezeigt haben, dann lassen wir's lieber.‹ Ohne weiteres ließ der Zauberer meine Hand
los und lächelte. ›Der Herr Leutnant haben Angst.‹ Ich wandte
mich rasch um, ob uns niemand gehört hätte; aber wir waren
schon durch das Kasernentor geschritten und befanden uns auf
der Landstraße, die der Stadt zuführte. ›Ich wünsche etwas Bestimmteres zu wissen‹, sagte ich, ›das ist es. Worte lassen sich

immer in verschiedener Weise auslegen.‹ Marco Polo sah mich an. ›Was wünschen der Herr Leutnant?... Vielleicht das Bild von der künftigen Frau Gemahlin?‹ – ›Könnten Sie das?‹ Marco Polo zuckte die Achseln. ›Es könnte sein... es wär' möglich...‹ – ›Aber das will ich nicht‹, unterbrach ich ihn. ›Ich möchte wissen, was später einmal, zum Beispiel in zehn Jahren, mit mir los sein wird.‹ Marco Polo schüttelte den Kopf. ›Das kann ich nicht sagen... aber was anderes kann ich vielleicht.‹ – ›Was?‹ – ›Irgend einen Augenblick, Herr Leutnant, aus Ihrem künftigen Leben könnte ich Ihnen zeigen, wie ein Bild.‹ Ich verstand ihn nicht gleich. ›Wie meinen Sie das?‹ – ›So mein' ich das: ich kann einen Moment aus Ihrem künftigen Leben hineinzaubern in die Welt, mitten in die Gegend, wo wir gerade stehen.‹ – ›Wie?‹ – ›Der Herr Leutnant müssen mir nur sagen, was für einen.‹ Ich begriff ihn nicht ganz, aber ich war höchst gespannt. ›Gut‹, sagte ich, ›wenn Sie das können, so will ich sehen, was heut' in zehn Jahren in derselben Sekunde mit mir geschehen wird... Verstehen Sie mich, Marco Polo?‹ – ›Gewiß, Herr Leutnant‹, sagte Marco Polo und sah mich starr an. Und schon war er fort... aber auch die Kaserne war fort, die ich eben noch im Mondschein hatte glänzen sehen – fort die armen Hütten, die in der Ebene verstreut und mondbeglänzt gelegen waren – und ich sah mich selbst, wie man sich manchmal im Traume selber sieht... sah mich um zehn Jahre gealtert, mit einem braunen Vollbart, einer Narbe auf der Stirn, auf einer Bahre hingestreckt, mitten auf einer Wiese – an meiner Seite kniend eine schöne Frau mit rotem Haar, die Hand vor dem Antlitz, einen Knaben und ein Mädchen neben mir, dunklen Wald im Hintergrund und zwei Jagdleute mit Fackeln in der Nähe... Sie staunen – nicht wahr, Sie staunen?«

Ich staunte in der Tat, denn das was er mir hier schilderte, war genau das Bild, mit welchem mein Stück heute abend um zehn Uhr schließen und in dem er den sterbenden Helden spielen sollte. »Sie zweifeln«, fuhr Herr von Umprecht fort, »und ich bin fern davon, es Ihnen übel zu nehmen. Aber mit Ihrem Zweifel soll es gleich ein Ende haben.«

Herr von Umprecht griff in seine Rocktasche und zog ein ver-

schlossenes Kuvert heraus. »Bitte, sehen Sie, was auf der Rück-
seite steht.« Ich las laut: »Notariell verschlossen am 4. Januar
1859, zu eröffnen am 9. September 1868.« Darunter stand die
Namenszeichnung des mir persönlich wohlbekannten Notars
Doktor Artiner in Wien.

»Das ist heute«, sagte Herr von Umprecht. »Und heute sind
es eben zehn Jahre, daß mir das rätselhafte Abenteuer mit Marco
Polo begegnete, das sich nun auf diese Weise löst, ohne sich aufzuklären. Denn von Jahr zu Jahr, als triebe ein launisches Schicksal sein Spiel mit mir, schwankten die Erfüllungsmöglichkeiten
für jene Prophezeiung in der seltsamsten Weise, schienen
manchmal zu drohender Wahrscheinlichkeit zu werden, verschwanden in nichts, wurden zu unerbittlicher Gewißheit, ver-
flatterten, kamen wieder... Aber lassen Sie mich nun zu meinem Berichte zurückkehren. Die Erscheinung selbst hatte gewiß
nicht länger gedauert als einen Augenblick; denn noch klang von
der Kaserne her das gleiche laute Auflachen des Oberleutnants.
an mein Ohr, das ich gehört hatte, ehe die Erscheinung aufgestiegen war. Und nun stand auch Marco Polo wieder vor mir,
mit einem Lächeln um die Lippen, von dem ich nicht sagen
kann, ob es schmerzlich oder höhnisch sein sollte, nahm den
Zylinder ab, sagte: ›Guten Abend, Herr Leutnant, ich hoffe, Sie
sind zufrieden gewesen‹, wandte sich um und ging langsam auf
der Landstraße vorwärts in der Richtung der Stadt. Er ist übrigens am nächsten Tage abgereist.

Mein erster Gedanke, als ich der Kaserne wieder zuging, war,
daß es sich um eine Geistererscheinung gehandelt haben mußte,
die Marco Polo, vielleicht von einem unbekannten Gehilfen un-
terstützt, mittelst irgend welcher Spiegelungen hervorzubrin-
gen imstande gewesen war. Als ich durch den Hof kam, sah ich
zu meinem Entsetzen den Kadetten noch immer in der Stellung
eines Gekreuzigten an der Mauer lehnen. Man hatte seiner offenbar völlig vergessen. Die anderen hörte ich drin in der höchsten
Erregung reden und streiten. Ich packte den Kadetten beim
Arm, er wachte sofort auf, war nicht im geringsten verwundert
und konnte sich nur die Erregung nicht erklären, in welcher sich

alle Herren des Regiments befanden. Ich selbst mischte mich gleich mit einer Art von Grimm in die aufgeregte, aber hohle Unterhaltung, die sich über die Seltsamkeiten, deren Zeugen wir gewesen, entwickelt hatte, und redete wohl nicht klüger als die anderen. Plötzlich schrie der Oberst: ›Nun, meine Herren, ich wette, daß ich noch das nächste Frühjahr erlebe! Fünfundvierzig zu eins!‹ Und er wandte sich zu einem unserer Herren, einem Oberleutnant, der eines gewissen Rufes als Spieler und Wetter genoß. ›Nichts zu machen?‹ Obzwar es klar war, daß der Angeredete der Versuchung schwer widerstand, so schien er es doch unziemlich zu finden, eine Wette auf den Tod seines Obersten mit diesem selbst abzuschließen, und so schwieg er lächelnd. Wahrscheinlich hat er es bedauert. Denn schon nach vierzehn Tagen, am zweiten Morgen der großen Kaisermanöver, stürzte unser Oberst vom Pferde und blieb auf der Stelle tot. Und bei dieser Gelegenheit merkten wir alle, daß wir es gar nicht anders erwartet hatten. Ich aber begann erst von jetzt an mit einer gewissen Unruhe an die nächtliche Prophezeiung zu denken, von der ich in einer sonderbaren Scheu niemandem Mitteilung gemacht hatte. Erst zu Weihnachten, anläßlich einer Urlaubsreise nach Wien, eröffnete ich mich einem Kameraden, einem gewissen Friedrich von Gulant – Sie haben vielleicht von ihm gehört, er hat hübsche Verse gemacht und ist sehr jung gestorben... Nun, der war es, der mit mir zusammen das Schema entwarf, das Sie in diesem Umschlag eingeschlossen finden werden. Er war nämlich der Ansicht, daß solche Vorfälle für die Wissenschaft nicht verloren gehen dürften, ob sich nun am Ende ihre Voraussetzungen als wahr oder falsch herausstellten. Mit ihm bin ich bei Doktor Artiner gewesen, vor dessen Augen das Schema in diesem Kuvert verschlossen wurde. In der Kanzlei des Notars war es bisher aufbewahrt, und gestern erst ist es, meinem Wunsche gemäß, mir zugestellt worden. Ich will es gestehen: der Ernst, mit dem Gulant die Sache behandelte, hatte mich anfangs ein wenig verstimmt; aber als ich ihn nicht mehr sah und besonders, als er kurz darauf starb, fing die ganze Geschichte an, mir sehr lächerlich vorzukommen. Vor allem war es mir klar, daß ich mein Schicksal vollkommen in der Hand hatte. Nichts in der Welt konnte mich dazu zwingen, am 9. September 1868, abends zehn Uhr, mit einem braunen Vollbart auf einer Bahre zu liegen; Wald- und Wiesenlandschaft konnte ich vermeiden, auch brauchte ich nicht eine Frau mit roten Haaren zu heiraten und Kinder zu bekommen. Das einzige, dem ich vielleicht nicht ausweichen konnte, war ein Unfall, etwa ein Duell, von dem mir die Narbe auf der Stirn zurückbleiben konnte. Ich war also fürs erste beruhigt. – Ein Jahr nach jener Weissagung heiratete ich Fräulein von Heimsal, meine jetzige Gattin; bald darauf quittierte ich den Dienst und widmete mich der Landwirtschaft. Ich besichtigte verschiedene kleinere Güter und – so komisch es klingen mag – ich achtete darauf, daß sich womöglich innerhalb dieser Besitzungen keine Partie zeigte, die dem Rasenplatz jenes Traumes (wie ich den Inhalt jener Erscheinung bei mir zu nennen liebte) gleichen könnte. Ich war schon daran, einen Kauf abzuschließen, als meine Frau eine Erbschaft machte, und uns dadurch eine Besitzung in Kärnten mit einer schönen Jagd zufiel. Beim ersten Durchwandern des neuen Gebietes gelangte ich zu einer Wiesenpartie, die, von Wald begrenzt und leicht gesenkt, mir in eigentümlicher Art der Örtlichkeit zu gleichen schien, vor der mich zu hüten ich vielleicht allen Anlaß hatte. Ich erschrak ein wenig. Meiner Frau hatte ich von der Prophezeiung nichts erzählt; sie ist so abergläubisch, daß ich ihr mit meinem Geständnis gewiß das ganze Leben bis zum heutigen Tage« – er lächelte wie befreit – »vergiftet hätte. So konnte ich ihr natürlich auch meine Bedenken nicht mitteilen. Aber mich selbst beruhigte ich mit der Überlegung, daß ich ja keineswegs den September 1868 auf meinem Gute zubringen müßte. – Im Jahre 1860 wurde mir ein Knabe geboren. Schon in seinen ersten Lebensjahren glaubte ich, in seinen Zügen Ähnlichkeit mit den Zügen des Knaben aus dem Traume zu entdecken; bald schien sie sich zu verwischen, bald wieder sprach sie sich deutlicher aus – und heute darf ich mir ja selbst gestehen, daß der Knabe, der heute abends um zehn an meiner Bahre stehen wird, dem Knaben der Erscheinung aufs Haar gleicht. – Eine Tochter habe ich nicht. Da ereignete es sich vor drei Jahren, daß die verwitwete Schwester meiner Frau, die bisher in Amerika gelebt hatte, starb und ein Töchterchen hinterließ. Auf Bitten meiner Frau fuhr ich über das Meer, holte das Mädchen ab, um es bei uns im Hause aufzunehmen. Als ich es zum erstenmal erblickte, glaubte ich zu merken, daß es dem Mädchen aus dem Traume vollkommen gliche. Der Gedanke fuhr mir durch den Kopf, das Kind in dem fremden Lande bei fremden Leuten zu lassen. Natürlich wies ich diesen unedlen Einfall gleich wieder von mir, und wir nahmen das Kind in unserem Hause auf. Wieder beruhigte ich mich vollkommen, trotz der zunehmenden Ähnlichkeit der Kinder mit den Kindern jener prophetischen Erscheinung, denn ich bildete mir ein, daß die Erinnerung an die Kindergesichter des Traumes mich doch vielleicht trügen mochte. Mein Leben floß eine Zeitlang in vollkommener Ruhe hin. Ja, ich hatte beinahe aufgehört, an jenen sonderbaren Abend in dem polnischen Nest zu denken, als ich vor zwei Jahren durch eine neue Warnung des Schicksals in begreiflicher Weise erschüttert wurde. Ich hatte auf ein paar Monate verreisen müssen; als ich zurückkam, trat mir meine Frau mit roten Haaren entgegen, und ihre Ähnlichkeit mit der Frau des Traumes, deren Antlitz ich ja nicht gesehen hatte, schien mir vollständig. Ich fand es für gut, meinen Schrecken unter dem Ausdruck des Zornes zu verbergen; ja, ich wurde mit Absicht immer heftiger, denn plötzlich kam mir ein an Wahnsinn grenzender Einfall: wenn ich mich von meiner Frau und den Kindern trennte, so müßte ja all die Gefahr schwinden und ich hätte das Schicksal zum Narren gehalten. Meine Frau weinte, sank wie gebrochen zu Boden, bat mich um Verzeihung und erklärte mir den Grund ihrer Veränderung. Vor einem Jahre, anläßlich einer Reise nach München, war ich in der Kunstausstellung von dem Bildnis einer rothaarigen Frau besonders entzückt gewesen, und meine Frau hatte schon damals den Plan gefaßt, sich bei irgend einer Gelegenheit diesem Bildnis dadurch ähnlich zu machen, daß sie sich die Haare färben ließ. Ich beschwor sie natürlich, ihrem Haar möglichst bald die natürliche dunkle Farbe wieder zu verleihen, und als es geschehen war, schien alles wieder gut zu sein. Sah ich nicht deutlich, daß ich mein Schicksal nach wie vor in meiner Gewalt hatte?... War nicht alles, was bisher geschehen, auf natürliche Weise zu erklären?... Hatten nicht tausend andere Güter mit Wiesen und Wald und Frau und Kinder?... Und das einzige, was vielleicht Abergläubische schrecken durfte, stand noch aus – bis zum heurigen Winter: die Narbe, die Sie nun doch auf meiner Stirn prangen sehen. Ich bin nicht mutlos – erlauben Sie mir, daß ich Ihnen das sage; ich habe mich als Offizier zweimal geschlagen und unter recht gefährlichen Bedingungen – auch vor acht Jahren, kurz nach meiner Verheiratung, als ich schon den Dienst verlassen hatte. Aber als ich im vorigen Jahr aus irgend einem lächerlichen Grund – wegen eines nicht ganz höflichen Grußes – von einem Herrn zur Rede gestellt wurde, habe ich es vorgezogen« – Herr von Umprecht errötete leicht – »mich zu entschuldigen. Die Sache wurde natürlich in ganz korrekter Weise erledigt, aber ich weiß ja doch ganz bestimmt, daß ich mich auch damals geschlagen hätte, wäre nicht plötzlich eine wahnwitzige Angst über mich gekommen, daß mein Gegner mir eine Wunde an der Stirne beibringen und dem Schicksal damit einen neuen Trumpf in die Hand spielen könnte... Aber Sie sehen, es half mir nichts: die Narbe ist da. Und der Augenblick, in dem ich hier verwundet wurde, war vielleicht derjenige innerhalb der ganzen zehn Jahre, der mich am tiefsten zum Bewußtsein meiner Wehrlosigkeit brachte. Es war heuer im Winter gegen Abend; ich fuhr mit zwei oder drei anderen Personen, die mir vollkommen unbekannt waren, in der Eisenbahn zwischen Klagenfurt und Villach. Plötzlich klirren die Fensterscheiben, und ich fühle einen Schmerz an der Stirn; zugleich höre ich, daß etwas Hartes zu Boden fällt; ich greife zuerst nach der schmerzenden Stelle – sie blutet; dann bücke ich mich rasch und hebe einen spitzen Stein vom Fußboden auf. Die Leute im Coupé sind aufgefahren. ›Ist was geschehen?‹ ruft einer. Man merkt, daß ich blute, und bemüht sich um mich. Ein Herr aber – ich seh' es ganz deutlich – ist in die Ecke wie zurückgesunken. In der nächsten Haltestelle bringt man Wasser, der Bahnarzt legt mir einen notdürftigen

Verband an, aber ich fürchte natürlich nicht, daß ich an der Wunde sterben könnte: ich weiß ja, daß es eine Narbe werden muß. Ein Gespräch im Waggon hat sich entsponnen, man fragt sich, ob ein Attentat beabsichtigt war, ob es sich um einen gemeinen Bubenstreich handle; der Herr in der Ecke schweigt und starrt vor sich hin. In Villach steige ich aus. Plötzlich ist der Mann an meiner Seite und sagt: ›Es galt mir.‹ Eh' ich antworten, ja nur mich besinnen kann, ist er verschwunden; ich habe nie erfahren können, wer es war. Ein Verfolgungswahnsinniger vielleicht… vielleicht auch einer, der sich mit Recht verfolgt glaubte von einem beleidigten Gatten oder Bruder, und den ich möglicherweise gerettet habe, da eben mir die Narbe bestimmt war… wer kann es wissen?… Nach ein paar Wochen leuchtete sie auf meiner Stirn an derselben Stelle, wo ich sie in jenem Traume gesehen hatte. Und mir war es immer klarer, daß ich mit irgend einer unbekannten höhnischen Macht in einem ungleichen Kampf begriffen war, und ich sah dem Tag, wo das Letzte in Erfüllung gehen sollte, mit wachsender Unruhe entgegen.

Im Frühling erhielten wir die Einladung meines Onkels. Ich war fest entschlossen, ihr nicht zu folgen, denn ohne daß mir ein deutliches Bild in Erinnerung gekommen wäre, schien es mir doch möglich, daß gerade auf seinem Gut hier die verruchte Stelle zu finden wäre. Meine Frau hätte aber eine Ablehnung nicht verstanden, und so entschloß ich mich doch, mit ihr und den Kindern schon Anfang Juli herzureisen, in der bestimmten Absicht, so bald als möglich das Schloß wieder zu verlassen und weiter in den Süden, nach Venedig oder an den Lido, zu gehen. An einem der ersten Tage unseres Aufenthaltes kam das Gespräch auf Ihr Stück, mein Onkel sprach von den kleinen Kinderrollen, die darin enthalten wären, und bat mich, meine Kleinen mitspielen zu lassen. Ich hatte nichts dagegen. Es war damals bestimmt, daß der Held von einem Berufsschauspieler dargestellt werden sollte. Nach einigen Tagen packte mich die Angst, daß ich gefährlich erkranken und nicht würde abreisen können. So erklärte ich denn eines Abends, daß ich am nächsten

Tage das Schloß auf einige Zeit verlassen und Seebäder zu nehmen gedächte. Ich mußte versprechen, Anfang September wieder zurück zu sein. Am selben Abend kam ein Brief des Schauspielers, der aus irgend welchen gleichgültigen Gründen dem Freiherrn seine Rolle zurückstellte. Mein Onkel war sehr ärgerlich. Er bat mich, das Stück zu lesen – vielleicht könnte ich ihm unter unseren Bekannten einen nennen, der geeignet wäre, die Rolle darzustellen. So nahm ich denn das Stück auf mein Zimmer mit und las es. Nun versuchen Sie sich vorzustellen, was in mir vorging, als ich zu dem Schlusse kam und hier Wort für Wort die Situation aufgezeichnet fand, die mir für den 9. September dieses Jahres prophezeit worden war. Ich konnte den Morgen nicht erwarten, um meinem Onkel zu sagen, daß ich die Rolle spielen wollte. Ich fürchtete, daß er Einwendungen machen könnte; denn seit ich das Stück gelesen, kam ich mir vor wie in sicherer Hut, und wenn mir die Möglichkeit entging, in Ihrem Stück zu spielen, so war ich wieder jener unbekannten Macht preisgegeben. Mein Onkel war gleich einverstanden, und von nun an nahm alles seinen einfachen und guten Gang. Wir probieren seit einigen Wochen Tag für Tag, ich habe die Situation, die mir heute bevorsteht, schon fünfzehn- oder zwanzigmal durchgemacht: ich liege auf der Bahre, die junge Komtesse Saima mit ihren schönen roten Haaren, die Hände vor dem Antlitz, kniet vor mir, und die Kinder stehen an meiner Seite.«

Während Herr von Umprecht diese Worte sprach, fielen meine Augen wieder auf das Kuvert, das noch immer versiegelt auf dem Tische lag. Herr von Umprecht lächelte. »Wahrhaftig, den Beweis bin ich Ihnen noch schuldig«, sagte er und öffnete die Siegel. Ein zusammengefaltetes Papier lag zutage. Umprecht entfaltete es und breitete es auf dem Tische aus. Vor mir lag ein vollkommener, wie von mir selbst entworfener Situationsplan zu der Schlußszene des Stückes, Hintergrund und Seiten waren schematisch aufgezeichnet und mit der Bezeichnung »Wald« versehen; ein Strich mit einer männlichen Figur war etwa in der Mitte des Planes eingetragen; darüber stand: »Bahre«.... Bei den anderen schematischen Figuren stand in kleinen Buchstaben mit roter Tinte zugeschrieben: »Frau mit rotem Haar«, »Knabe«, »Mädchen«, »Fackelträger«, »Mann mit erhobenen Händen«. Ich wandte mich zu Herrn von Umprecht: »Was bedeutet das: ›Mann mit erhobenen Händen‹?«

»Daran«, sagte Herr von Umprecht zögernd, »hätt' ich nun beinahe vergessen. Mit dieser Figur verhält es sich folgendermaßen: In jener Erscheinung gab es nämlich auch, von den Fackeln grell beleuchtet, einen alten, ganz kahlen Mann, glatt rasiert, mit einer Brille, einen dunkelgrünen Shawl um den Hals, mit erhobenen Händen und weit aufgerissenen Augen.«

Diesmal stutzte ich.

Wir schwiegen eine Weile, dann fragte ich, seltsam beunruhigt: »Was vermuten Sie eigentlich? Wer sollte das sein?«

»Ich nehme an«, sagte Umprecht ruhig, »daß irgend einer von den Zuschauern, vielleicht aus der Dienerschaft des Onkels... oder einer von den Bauern am Schluß des Stückes in besondere Bewegung geraten und auf unsere Bühne stürzen könnte... vielleicht aber will es das Schicksal, daß ein aus dem Irrenhause Entsprungener durch einen jener Zufälle, die mich wirklich nicht mehr überraschen, gerade in dem Augenblick, wo ich auf der Bahre liege, über die Bühne gerannt käme.«

Ich schüttelte den Kopf.

»Wie sagten Sie?... Kahl – Brille – ein grüner Shawl...? – Nun erscheint mir die Sache noch seltsamer als früher. Die Gestalt des Mannes, den Sie damals gesehen, ist tatsächlich von mir in meinem Stück beabsichtigt gewesen, und ich habe darauf verzichtet. Es war der wahnsinnige Vater der Frau, von dem im ersten Akt die Rede ist, und der zum Schluß auf die Szene stürmen sollte.«

»Aber Shawl und Brille?«

»Das hätte wohl der Schauspieler aus Eigenem getan – glauben Sie nicht?«

»Es ist möglich.«

Wir wurden unterbrochen. Frau von Umprecht ließ ihren Gatten zu sich bitten, da sie ihn gerne vor der Vorstellung sprechen möchte, und er empfahl sich. Ich blieb noch eine Weile und betrachtete aufmerksam den Situationsplan, den Herr von Umprecht auf dem Tisch hatte liegen lassen.

3

Bald trieb es mich zu dem Orte hin, an dem die Vorstellung stattfinden sollte. Er lag hinter dem Schlößchen, durch eine anmutige Gartenanlage davon geschieden. Dort, wo diese mit niederen Hecken abschloß, waren etwa zehn lange Bankreihen aus einfachem Holz aufgestellt; die vorderen Reihen waren mit dunkelrotem Teppichstoff bedeckt. Vor der ersten standen einige Notenpulte und Stühle; einen Vorhang gab es nicht. Die Trennung der Bühne von dem Zuschauerraum war durch zwei seitlich ragende hohe Tannenbäume angedeutet; rechts schloß sich wildes Gesträuch an, hinter dem ein bequemer Lehnstuhl, dem Zuschauer unsichtbar, für den Souffleur bestimmt, stand. Zur Linken lag der Platz frei und ließ den Blick ins Tal offen. Der Hintergrund der Szene war von hohen Bäumen gebildet; sie standen dicht aneinandergedrängt nur in der Mitte, und links schlichen schmale Wege aus dem Schatten hervor. Weiter drin im Wald, innerhalb einer kleinen künstlichen Lichtung, waren Tisch und Stühle aufgestellt, wo die Schauspieler ihrer Stichworte harren mochten. Für die Beleuchtung war gesorgt, indem man zur Seite der Bühne und des Zuschauerraumes kulissenartig hohe alte Kirchenleuchter mit riesigen Kerzen aufgerichtet hatte. Hinter dem Gesträuch zur Rechten war eine Art Requisitenraum im Freien; hier sah ich nebst anderem kleinern Gerät, das im Stück notwendig war, die Bahre stehen, auf der Herr von Umprecht am Schlusse des Stückes sterben sollte. – Als ich jetzt über die Wiese schritt, war sie von der Abendsonne mild überglänzt. ... Ich hatte natürlich über die Erzählung des Herrn von Umprecht nachgedacht. Nicht für unmöglich hielt ich es anfangs, daß Herr von Umprecht zu der Art von phantastischen Lügnern gehörte, die eine Mystifikation unter Schwierigkeiten von langer Hand vorbereiten, um sich interessant zu machen. Ich hielt es selbst für denkbar, daß die Unterschrift des Notars gefälscht war und daß Herr von Umprecht andre Leute eingeweiht hatte, um die Sache folgerecht durchzuführen. Besondere Bedenken stiegen mir über den vorläufig unbekannten Mann mit den erhobenen Händen auf, mit dem sich Umprecht wohl ins Einvernehmen gesetzt haben konnte. Aber meinen Zweifeln widersprach vor allem die Rolle, die dieser Mann in meinem ersten Plane gespielt, der niemandem bekannt sein konnte – und besonders der günstige Eindruck, den ich von der Person des Herrn von Umprecht gewonnen hatte. Und so unwahrscheinlich, ja so ungeheuerlich sein ganzer Bericht mir erschien – irgend etwas in mir verlangte sogar danach, ihm glauben zu dürfen; es mochte die törichte Eitelkeit sein, mich als Vollstrecker eines über uns waltenden Willens zu empfinden. – Indes hatte einige Bewegung in meiner Nähe angehoben; Diener kamen aus dem Schloß, Kerzen wurden angezündet, Leute aus der Umgebung, manche auch in bäurischer Kleidung, stiegen langsam den Hügel herauf und stellten sich bescheiden zu seiten der Bänke auf. Bald erschien die Frau des Hauses mit einigen Herren und Damen, die zwanglos Platz nahmen. Ich gesellte mich zu ihnen und plauderte mit Bekannten vom vorigen Jahr. Die Mitglieder des Orchesters waren erschienen und begaben sich auf ihre Plätze; die Zusammenstellung war ungewöhnlich genug; es waren zwei Violinen, ein Cello, eine Viola, ein Kontrabaß, eine Flöte und eine Oboe. Sie begannen sofort, offenbar verfrüht, eine Ouvertüre von Weber zu spielen. Ganz vorne, in der Nähe des Orchesters, stand ein alter Bauer, der glatzköpfig war und eine Art von dunklem Tuch um den Hals geschlungen hatte. Vielleicht war der vom Schicksal dazu bestimmt, dacht' ich, später eine Brille herauszunehmen, irrsinnig zu werden und auf die Szene zu laufen. Das Tageslicht war völlig dahin, die hohen Kerzen flackerten ein wenig, da sich ein leichter Wind erhoben hatte. Hinter dem Gesträuch wurde es lebendig, auf verborgenen Wegen waren die Mitwirkenden in die Nähe der Bühne gelangt. Jetzt erst dachte ich wieder an die anderen, die mitzuspielen hatten, und es fiel mir ein, daß ich noch niemanden außer Herrn von Umprecht, seinen Kindern und der Försterstochter gesehen hatte. Nun hörte ich die laute Stimme des Regisseurs und das Lachen der jungen Komtesse Saima. Die Bänke waren alle besetzt, der Freiherr saß in einer der vordersten Reihen und sprach mit der Gräfin Saima. Das Orchester fing an zu spielen, dann trat die Försterstochter vor und sprach den Prolog, der das Stück einleitete. Den Inhalt des Ganzen bildete das Schicksal eines Mannes, der, ergriffen von einer plötzlichen Sehnsucht nach Abenteuern und Fernen, die Seinen ohne Abschied verläßt und im Verlaufe eines Tages so viel Schmerzliches und Widriges erlebt, daß er wieder zurückzukehren gedenkt, ehe Frau und Kinder ihn vermißt haben; aber ein letztes Abenteuer auf dem Rückweg, nahe der Tür seines Hauses, hat seine Ermordung zur Folge, und nur mehr sterbend kann er die Verlassenen begrüßen, die seiner Flucht und seinem Tod als den unlösbarsten Rätseln gegenüberstehen.

Das Spiel hatte begonnen, Herren und Damen sprachen ihre Rollen angenehm; ich erfreute mich an der einfachen Darstellung der einfachen Vorgänge und dachte im Anfang nicht mehr an die Erzählung des Herrn von Umprecht. Nach dem ersten Akt spielte das Orchester wieder, aber niemand hörte darauf, so lebhaft war das Geplauder auf den Bänken. Ich selbst saß nicht, sondern stand, ungesehen von den anderen, der Bühne ziemlich nahe, auf der linken Seite, wo der Weg sich frei dem Tale zu senkte. Der zweite Akt begann; der Wind war etwas stärker geworden, und die flackernde Beleuchtung trug zu der Wirkung des Stückes nicht wenig bei. Wieder verschwanden die Darsteller im Wald und das Orchester setzte ein. Da fiel mein Blick ganz zufällig auf den Flötisten, der eine Brille trug und glatt rasiert war; aber er hatte lange weiße Haare, und von einem Shawl war nichts zu sehen. Das Orchesterspiel schloß, die Darsteller traten wieder auf die Szene. Da merkte ich, daß der Flötenspieler, der sein Instrument vor sich hin auf das Pult gelegt hatte, in seine Tasche griff, einen großen grünen Shawl hervorzog und ihn um den Hals wickelte. Ich war im allerhöchsten Grade befremdet. In der nächsten Sekunde trat Herr von Umprecht auf; ich sah, wie sein Blick plötzlich auf dem Flötisten haften blieb, wie er den grünen Shawl bemerkte und einen Augenblick stockte; aber rasch hatte er sich wieder gefaßt und sprach seine Rolle unbeirrt weiter. Ich fragte einen jungen, einfach gekleideten Burschen neben mir, ob er den Flötisten kenne, und erfuhr von ihm, daß jener ein Schullehrer aus Kaltern war. Das Spiel ging weiter, der Schluß nahte heran. Die zwei Kinder irrten, wie es vorgeschrieben war, über die Bühne, Lärm im Walde drang näher und näher, man hörte schreien und rufen; es machte sich nicht übel, daß der Wind stärker wurde und die Zweige sich bewegten; endlich trug man Herrn von Umprecht als sterbenden Abenteurer auf der Bahre herein. Die beiden Kinder stürzten herbei, die Fackelträger standen regungslos zur Seite. Die Frau trat später auf als die anderen, und mit angstvoll verzerrtem Blick sinkt sie an der Seite des Gemordeten nieder; dieser will die Lippen noch einmal öffnen, versucht, sich zu erheben, aber – wie es in der Rolle vorgeschrieben – es gelingt ihm nicht mehr. Da kommt mit einem Mal ein ungeheurer Windstoß, daß die Fackeln zu verlöschen drohen; ich sehe, wie einer im Orchester aufspringt – es ist der Flötenspieler – zu meinem Erstaunen ist er kahl, seine Perücke ist ihm davongeflogen; mit erhobenen Händen, den grünen flatternden Shawl um den Hals, stürzt er der Bühne zu. Unwillkürlich richte ich mein Auge auf Umprecht; seine Blicke sind starr, wie verzückt auf den Mann gerichtet; er will etwas reden – er vermag es offenbar nicht – er sinkt zurück... Noch meinen viele, daß dies alles zum Stücke gehöre; ich selbst bin nicht sicher, wie dieses erneute Niedersinken zu deuten ist; indes ist der Mann an der Bahre vorüber, immer noch seiner Perücke nach, und verschwindet im Wald. Umprecht erhebt sich nicht; ein neuer Windstoß läßt eine der beiden Fackeln verlöschen; einige Menschen ganz vorne werden unruhig – ich höre die Stimme des Freiherrn: »Ruhe! Ruhe!« – es wird wieder stille – auch der Wind regt sich nicht mehr... aber Umprecht bleibt ausgestreckt liegen, rührt sich nicht und bewegt nicht die Lippen. Die Komtesse Saima schreit auf – natürlich glauben die Leute, auch dies sei im

Stücke so vorgeschrieben. Ich aber dränge mich durch die Menschen, stürze auf die Bühne, höre, wie es hinter mir unruhig wird – die Leute erheben sich, andere folgen mir, die Bahre ist umringt... »Was gibt's, was ist geschehen?«... Ich reiße einem Fackelträger seine Fackel aus der Hand, beleuchte das Antlitz des Liegenden... Ich rüttle ihn, reiße ihm das Wams auf; indes ist der Arzt an meine Seite gelangt, er fühlt nach dem Herzen Umprechts, er greift seinen Puls, er wünscht, daß alles zur Seite trete, er flüstert dem Freiherrn ein paar Worte zu... die Frau des Aufgebahrten hat sich hinaufgedrängt, sie schreit auf, wirft sich über ihren Mann, die Kinder stehen wie vernichtet da und können es nicht fassen... Niemand will es glauben, was geschehen, und doch teilt es einer dem andern mit; – und eine Minute später weiß man es rings in der Runde, daß Herr von Umprecht auf der Bahre, auf der man ihn hineingetragen, plötzlich gestorben ist...

Ich selbst bin am selben Abend noch ins Tal hinuntergeeilt, von Entsetzen geschüttelt. In einem sonderbaren Grauen habe ich mich nicht entschließen können, das Schloß wieder zu betreten. Den Freiherrn sprach ich am Tag darauf in Bozen; dort erzählte ich ihm die Geschichte Umprechts, wie sie mir von ihm selbst mitgeteilt worden war. Der Freiherr wollte sie nicht glauben, ich griff in meine Brieftasche und zeigte ihm das geheimnisvolle Blatt; er sah mich befremdet, ja angstvoll an und gab mir das Blatt zurück – es war weiß, unbeschrieben, unbezeichnet...

Ich habe Versuche gemacht, Marco Polo aufzufinden; aber das einzige, was ich von ihm erfahren konnte, war, daß er vor drei Jahren zum letzten Mal in einem Hamburger Vergnügungsetablissement niederen Ranges aufgetreten ist.

Was aber unter allem diesem Unbegreiflichen das Unbegreiflichste bleibt, ist der Umstand, daß der Schullehrer, der damals seiner Perücke mit erhobenen Händen nachlief und im Walde verschwand, niemals wiedergesehen, ja daß nicht einmal sein Leichnam aufgefunden wurde.

Den Verfasser des vorstehenden Berichtes habe ich persönlich nicht gekannt. Er war zu seiner Zeit ein ziemlich bekannter Schriftsteller, aber so gut wie verschollen, als er, kaum sechzig Jahre alt, vor etwa zehn Jahren starb. Sein gesamter Nachlaß ging, ohne besondere Bestimmung, an den in diesen Blättern genannten Meraner Jugendfreund über. Von diesem wieder, einem Arzt, mit dem ich mich anläßlich eines Aufenthaltes in Meran im vorigen Winter zuweilen über allerlei dunkle Fragen, insbesondere über Geisterseherei, Wirkung in die Ferne und Weissagekunst unterhalten hatte, wurde mir das hier abgedruckte Manuskript zur Veröffentlichung übergeben. Gern möchte ich dessen Inhalt für eine frei erfundene Erzählung halten, wenn nicht der Arzt, wie auch aus dem Bericht hervorgeht, der am Schluß geschilderten Theatervorstellung mit ihrem seltsamen Ausgang beigewohnt und den in so rätselhafter Weise verschwundenen Schullehrer persönlich gekannt hätte. Was aber den Zauberer Marco Polo anlangt, so erinnere ich mich noch sehr wohl, als ganz junger Mensch in einer Sommerfrische am Wörthersee seinen Namen auf einem Plakat gedruckt gesehen zu haben; er blieb mir im Gedächtnis, weil ich gerade zu dieser Zeit im Begriffe war, die Reisebeschreibung des berühmten Weltfahrers gleichen Namens zu lesen.

Das Schicksal des Freiherrn von Leisenbohg

An einem lauen Maiabend trat Kläre Hell als »Königin der Nacht« zum ersten Male wieder auf. Der Anlaß, der die Sängerin beinahe durch zwei Monate der Oper ferngehalten hatte, war allgemein bekannt. Fürst Richard Bedenbruck war am fünfzehnten März durch einen Sturz vom Pferde verunglückt und nach einem Krankenlager von wenigen Stunden, währenddessen Kläre nicht von seiner Seite gewichen war, in ihren Armen gestorben. Kläres Verzweiflung war so groß gewesen, daß man anfangs für ihr Leben, später für ihren Verstand und bis vor kurzem für ihre Stimme fürchtete. Diese letzte Befürchtung erwies sich so unbegründet als die früheren. Als sie vor dem Publikum erschien, wurde sie freundlich und zuwartend begrüßt; aber schon nach der ersten großen Arie konnten ihre vertrauteren Freunde die Glückwünsche der entfernteren Bekannten entgegennehmen. Auf der vierten Galerie strahlte das rote Kindergesicht des kleinen Fräulein Fanny Ringeiser vor Fröhlichkeit, und die Stammgäste der oberen Ränge lächelten ihrer Kameradin verständnisvoll zu. Sie wußten alle, daß Fanny, obzwar sie nichts weiter war als die Tochter eines Mariahilfer Posementierers, zu dem engeren Kreise der beliebten Sängerin gehörte, daß sie manchmal bei ihr zur Jause geladen war und den verstorbenen Fürsten insgeheim geliebt hatte. Im Zwischenakte erzählte Fanny ihren Freundinnen und Freunden, daß Kläre durch den Freiherrn von Leisenbohg auf die Idee gebracht worden war, die »Königin der Nacht« zu ihrem ersten Auftreten zu wählen, – in der Erwägung, daß das dunkle Kostüm am ehesten ihrer Stimmung entsprechen würde.

Der Freiherr selbst nahm seinen Orchestersitz ein; Mittelgang, erste Reihe, Ecke, wie immer, und dankte den Bekannten, die ihn grüßten, mit einem liebenswürdigen, aber beinahe schmerzlichen Lächeln. Manche Erinnerungen gingen ihm heute durch den Sinn. Vor zehn Jahren hatte er Kläre kennen gelernt. Damals sorgte er für die künstlerische Ausbildung einer schlanken jungen Dame mit rotem Haar und wohnte einem Theaterabend in der Gesangsschule Eisenstein bei, an dem sein Schützling als Mignon zum ersten Male öffentlich auftrat. An demselben Abend sah und hörte er Kläre, die in der gleichen Szene die Philine sang. Er war damals fünfundzwanzig Jahre alt, unabhängig und rücksichtslos. Er kümmerte sich um Mignon nicht mehr, ließ sich nach der Vorstellung durch Frau Natalie Eisenstein Philinen vorstellen und erklärte ihr, daß er ihr sein Herz, sein Vermögen und seine Beziehungen zu der Intendanz zur Verfügung stelle. Kläre wohnte damals bei ihrer Mutter, der Witwe eines höheren Postbeamten, und war in einen jungen Studenten der Medizin verliebt, mit dem sie manchmal auf seinem Zimmer in der Alservorstadt Tee trank und plauderte. Sie lehnte die stürmischen Werbungen des Freiherrn ab, wurde aber, durch Leisenbohgs Huldigungen zu mildern Stimmungen geneigt, die Geliebte des Mediziners. Der Freiherr, dem sie kein Geheimnis daraus machte, wandte sich wieder seinem roten Schützling zu, pflegte aber die Bekanntschaft mit Kläre weiter. Zu allen Festtagen, die irgend einen Anlaß boten, sandte er ihr Blumen und Bonbons, und zuweilen erschien er zu einem Anstandsbesuch in dem Hause der Postbeamtenswitwe.

Im Herbst trat Kläre ihr erstes Engagement in Detmold an. Der Freiherr von Leisenbohg – damals noch Ministerialbeamter – benutzte den ersten Weihnachtsurlaub, um Kläre in ihrem neuen Aufenthaltsorte zu besuchen. Er wußte, daß der Mediziner Arzt geworden war und im September geheiratet hatte, und wiegte sich in neuer Hoffnung. Aber Kläre, aufrichtig wie immer, teilte dem Freiherrn gleich nach seinem Eintreffen mit, daß sie indessen zu dem Tenor des Hoftheaters zärtliche Beziehungen angeknüpft hätte, und so geschah es, daß Leisenbohg aus Detmold keine andere Erinnerung mitnehmen durfte als die an eine platonische Spazierfahrt durch das Stadtwäldchen und an ein Souper im Theaterrestaurant in Gesellschaft einiger Kollegen und Kolleginnen. Trotzdem wiederholte er die Reise nach Detmold einige Male, freute sich in kunstsinniger Anhänglichkeit an den beträchtlichen Fortschritten Klärens und hoffte im übrigen auf die nächste Saison, für die der Tenor bereits kontraktlich nach Hamburg verpflichtet war. Aber auch in diesem Jahre wurde er enttäuscht, da Kläre sich genötigt sah, den Werbungen eines Großkaufmanns holländischer Abstammung namens Louis Verhajen nachzugeben.

Als Kläre in der dritten Saison in eine Stellung an das Dresdner Hoftheater berufen wurde, gab der Freiherr trotz seiner Jugend eine vielversprechende Staatskarriere auf und übersiedelte nach Dresden. Nun verbrachte er jeden Abend mit Kläre und ihrer Mutter, die sich allen Verhältnissen ihrer Tochter gegenüber eine schöne Ahnungslosigkeit zu bewahren gewußt hatte, und hoffte von neuem. Leider hatte der Holländer die unangenehme Gewohnheit, in jedem Brief sein Kommen für den nächsten Tag anzukündigen, der Geliebten anzudeuten, daß sie von einem Heer von Spionen umgeben sei und ihr im übrigen äußerst schmerzhafte Todesarten anzudrohen für den Fall, daß sie ihm die Treue nicht bewahrt haben sollte. Da er aber nie kam und Kläre allmählich in einen Zustand höchster Nervosität geriet, beschloß Leisenbohg, der Sache um jeden Preis ein Ende zu machen, und reiste zum Zwecke persönlicher Verhandlungen nach Detmold ab. Zu seinem Erstaunen erklärte ihm der Holländer, daß er seine Liebes- und Drohbriefe an Kläre nur aus Ritterlichkeit geschrieben hätte und daß ihm eigentlich nichts willkommener wäre, als jeder weiteren Verpflichtung ledig zu sein. Glückselig reiste Leisenbohg nach Dresden zurück und teilte Kläre den angenehmen Ausgang der Unterredung mit. Sie dankte ihm herzlich, wehrte aber schon den ersten Versuch weiterer Zärtlichkeit mit einer Bestimmtheit ab, die den Freiherrn befremdete. Nach einigen kurzen und dringenden Fragen gestand sie ihm endlich, daß während seiner Abwesenheit kein Geringerer als Prinz Kajetan eine heftige Leidenschaft zu ihr gefaßt und geschworen hätte, sich ein Leids anzutun, wenn er nicht erhört würde. Es war nur natürlich, daß sie ihm schließlich hatte nachgeben müssen, um nicht das Herrscherhaus und das Land in namenlose Trauer zu versetzen.

Mit ziemlich gebrochenem Herzen verließ Leisenbohg die Stadt und kehrte nach Wien zurück. Hier begann er, seine Beziehungen spielen zu lassen, und nicht zum geringsten seinen unausgesetzten Bemühungen war es zu danken, daß Kläre schon für das nächste Jahr einen Antrag an die Wiener Oper erhielt. Nach einem erfolgreichen Gastspiel trat sie im Oktober ihr Engagement an, und der herrliche Blumenkorb des Freiherrn, den sie am Abend ihres ersten Auftretens in der Garderobe fand, schien Bitte und Hoffnung zugleich auszusprechen. Aber der begeisterte Spender, der sie nach der Vorstellung erwartete, mußte erfahren, daß er wieder zu spät gekommen war. Der blonde Korrepetitor – auch als Liederkomponist nicht ohne Bedeutung –, mit dem sie in den letzten Wochen studiert hatte, war von ihr in Rechte eingesetzt worden, die sie um nichts in der Welt hätte verletzen wollen.

Seither waren sieben Jahre verstrichen. Dem Korrepetitor war Herr Klemens von Rhodewyl gefolgt, der kühne Herrenreiter; Herrn von Rhodewyl der Kapellmeister Vincenz Klaudi, der manchmal die Opern, die er dirigierte, so laut mitsang, daß man die Sänger nicht hörte; dem Kapellmeister der Graf von Alban-Rattony, ein Mann, der im Kartenspiel seine ungarischen Güter verspielt und dafür später ein Schloß in Niederösterreich gewonnen hatte; dem Grafen Herr Edgar Wilhelm, Verfasser von Ballettexten, deren Komposition er hoch bezahlte, von Tragödien, für deren Aufführung er das Jantschtheater mietete, und von Gedichten, die im dümmsten Adelsblatt der Residenz mit den schönsten Lettern gedruckt wurden; Herrn Edgar Wilhelm ein Herr, namens Amandus Meier, der nichts war als neunzehn Jahre alt und sehr hübsch – und nichts besaß als einen Foxterrier, der auf dem Kopf stehen konnte; Herrn Meier der eleganteste Herr der Monarchie: der Fürst Richard Bedenbruck.

Kläre hatte ihre Beziehungen nie als Geheimnis behandelt. Sie führte jederzeit ein einfaches bürgerliches Haus, in dem nur die Hausherrn zuweilen wechselten. Ihre Beliebtheit im Publikum war außerordentlich. In höheren Kreisen berührte es angenehm, daß sie jeden Sonntag zur Messe ging, zweimal monatlich beichtete, ein vom Papst geweihtes Bildnis der Madonna als Amulett am Busen trug und sich niemals schlafen legte, ohne ihr Gebet zu verrichten. Selten gab es ein Wohltätigkeitsfest, bei dem sie nicht als Verkäuferin beteiligt war, und sowohl Aristokratinnen als Damen der jüdischen Finanzkreise fühlten sich beglückt, wenn sie unter dem gleichen Zelt wie Kläre ihre Waren ausbieten durften. Jugendliche Enthusiasten und Enthusiastinnen, die bei der Bühnentür ihrer harrten, grüßte sie mit einem berückenden Lächeln. Blumen, die ihr gespendet worden, verteilte sie unter die geduldige Schar, und einmal, als die Blumen in der Garderobe zurückgeblieben waren, sagte sie in dem erquickenden Wienerisch, das ihr so gut zu Gesicht stand: »Meiner Seel', jetzt hab' ich den Salat oben in meinem Kammerl vergessen! Kommt's halt morgen nachmittag zu mir, Kinder, wer noch was haben will.« Dann stieg sie in den Wagen, aus dem Fenster steckte sie den Kopf hervor, und im Davonfahren rief sie: »Kriegt's auch ein' Kaffee!«

Zu den wenigen, die den Mut gefunden hatten, dieser Einladung nachzukommen, hatte Fanny Ringeiser gehört. Kläre ließ sich mit ihr in eine scherzhafte Unterhaltung ein, erkundigte sich leutselig wie eine Erzherzogin nach ihren Familienverhältnissen und fand an dem Geplauder des frischen und begeisterten Mädchens soviel Gefallen, daß sie es aufforderte, bald wiederzukommen. Fanny folgte der Einladung, und bald gelang es ihr, im Hause der Künstlerin eine geachtete Stellung einzunehmen, die sie besonders dadurch zu erhalten wußte, daß sie bei allem Vertrauen, das ihr Kläre entgegenbrachte, sich ihr gegenüber nie eine wirkliche Vertraulichkeit erlaubte. Im Laufe der Jahre hatte Fanny eine ganze Reihe von Heiratsanträgen erhalten, meist aus den Kreisen der jungen Mariahilfer Fabrikantensöhne, mit denen sie auf Bällen zu tanzen pflegte. Aber sie wies alle zurück, da sie sich mit unwiderruflicher Regelmäßigkeit in den jeweiligen Liebhaber Klärens verliebte.

Den Fürsten Bedenbruck hatte Kläre durch mehr als drei Jahre ebenso treu, aber mit tieferer Leidenschaft geliebt als seine Vorgänger, und Leisenbohg, der trotz seiner zahlreichen Enttäuschungen die Hoffnung niemals aufgegeben, hatte ernstlich zu fürchten begonnen, daß ihm das seit zehn Jahren ersehnte Glück niemals blühen würde. Immer, wenn er einen in ihrer Gunst wanken sah, hatte er seiner Liebsten den Abschied gegeben, um für alle Fälle und in jedem Augenblick bereit zu sein. So hielt er es auch nach dem plötzlichen Tode des Fürsten Richard; aber zum ersten Male mehr aus Gewohnheit als aus Überzeugung. Denn der Schmerz Klärens schien so grenzenlos, daß jeder glauben mußte, sie hätte nun für alle Zeit mit den Freuden des Lebens abgeschlossen. Jeden Tag fuhr sie auf den Friedhof hinaus und legte Blumen auf das Grab des Dahingeschiedenen. Sie ließ ihre hellen Kleider auf den Boden schaffen und versperrte ihren Schmuck in der unzugänglichsten Lade ihres Schreibtisches. Es bedurfte ernstlichen Zuredens, um sie von der Idee abzubringen, die Bühne für immer zu verlassen.

Nach dem ersten Wiederauftreten, das so glänzend verlaufen war, nahm ihr Leben wenigstens äußerlich den gewohnten Gang. Der frühere Kreis entfernterer Freunde sammelte sich wieder. Der Musikkritiker Bernhard Feuerstein erschien, je nach dem Menü des vergangenen Mittags, mit Spinat- oder Paradeisflecken auf dem Jackett und schimpfte zu Klärens unverhohlenem Vergnügen über Kolleginnen, Kollegen und Direktor. Von den beiden Vettern des Fürsten Richard, den Bedenbrucks aus der anderen Linie, Lucius und Christian, ließ sie sich wie früher in der unverbindlichsten und hochachtungsvollsten Weise den Hof machen; ein Herr von der französischen Botschaft und ein junger tschechischer Klaviervirtuose wurden bei ihr eingeführt, und am zehnten Juni fuhr sie zum ersten Male wieder zum Rennen. Aber, wie sich Fürst Lucius ausdrückte, der nicht ohne poetische Begabung war: Nur ihre Seele war erwacht, ihr Herz blieb nach wie vor in Schlummer versunken. Ja, wenn einer von ihren jüngeren oder älteren Freunden die leiseste Andeutung wagte, als gäbe es irgend etwas wie Zärtlichkeit oder Leidenschaft auf der Welt, so schwand jedes Lächeln von ihrem Antlitz, ihre Augen blickten düster vor sich hin, und zuweilen erhob sie die Hand zu einer seltsam abwehrenden Bewegung, die hinsichtlich aller Menschen und auf ewige Zeiten zu gelten schien.

Da begab es sich in der zweiten Hälfte des Juni, daß ein Sänger aus dem Norden namens Sigurd Ölse in der Oper den Tristan sang. Seine Stimme war hell und kräftig, wenn auch nicht durchaus edel, seine Gestalt beinahe übermenschlich groß, doch mit einer Neigung zur Fülle, sein Antlitz entbehrte im Zustand der Ruhe wohl manchmal des besonderen Ausdrucks; aber sobald er sang, leuchteten seine stahlgrauen Augen wie von einer geheimnisvollen innern Glut, und durch Stimme und Blick schien er alle, besonders die Frauen, wie in einem Taumel zu sich hinzureißen.

Kläre saß mit ihren nicht beschäftigten Kollegen und Kolleginnen in der Theaterloge. Sie als einzige schien ungerührt zu bleiben. Am nächsten Vormittage wurde ihr Sigurd Ölse in der Direktionskanzlei vorgestellt. Sie sagte ihm einige freundliche, aber beinah kühle Worte über die gestrige Leistung. Am selben Nachmittag machte er ihr einen Besuch, ohne daß sie ihn dazu aufgefordert hätte. Baron Leisenbohg und Fanny Ringeiser waren anwesend. Sigurd trank mit ihnen Tee. Er sprach von seinen Eltern, die in einem kleinen norwegischen Städtchen als Fischerleute lebten; von der wunderbaren Entdeckung seines Gesangstalentes durch einen reisenden Engländer, der auf weißer Jacht in dem entlegenen Fjord gelandet war; von seiner Frau, einer Italienerin, die während der Hochzeitsreise auf dem Atlantischen Ozean gestorben und ins Meer gesenkt worden war. Nachdem er sich verabschiedet hatte, blieben die anderen lange in Schweigen versunken. Fanny sah angelegentlich in ihre leere Teetasse, Kläre hatte sich zum Klavier gesetzt und stützte die Arme auf den geschlossenen Deckel, der Freiherr versenkte sich stumm und angstvoll in die Frage, warum Kläre während der Erzählung von Sigurds Hochzeitsreise jene seltsame Handbewegung unterlassen, mit der sie seit dem Tode des Fürsten alle Andeutungen von der weiteren Existenz leidenschaftlicher oder zärtlicher Beziehungen auf Erden abgewehrt hatte.

Als fernere Gastspielrollen sang Sigurd Ölse den Siegfried und den Lohengrin. Jedesmal saß Kläre ungerührt in der Loge. Aber der Sänger, der sonst mit niemandem verkehrte als mit dem norwegischen Gesandten, fand sich jeden Nachmittag bei Kläre ein, selten ohne Fräulein Fanny Ringeiser, niemals ohne den Freiherrn von Leisenbohg dort anzutreffen.

Am siebenundzwanzigsten Juni trat er als Tristan zum letzten Male auf. Ungerührt saß Kläre in der Theaterloge. Am Morgen darauf fuhr sie mit Fanny auf den Friedhof und legte einen riesigen Kranz auf das Grab des Fürsten nieder. Am Abend dieses Tages gab sie ein Fest zu Ehren des Sängers, der tags darauf Wien verlassen sollte.

Der Freundeskreis war vollzählig versammelt. Keinem blieb die Leidenschaft verborgen, von der Sigurd für Kläre erfaßt war. Wie gewöhnlich sprach er ziemlich viel und erregt. Unter anderem erzählte er, daß ihm während der Herreise auf dem Schiff von einer an einen russischen Großfürsten verheirateten Araberin aus den Linien seiner Hand für die nächste Zeit die verhängnisvollste Epoche seines Lebens prophezeit worden war. Er glaubte fest an diese Prophezeiung, wie überhaupt der Aberglaube bei ihm mehr zu sein schien als eine Art, sich interessant zu machen. Er sprach auch von der übrigens allgemein bekannten Tatsache, daß er im vorigen Jahre gleich nach der Landung in New York, wo er ein Gastspiel absolvieren sollte, noch am selben Tag, ja in derselben Stunde trotz des hohen Pönales ein Schiff bestiegen, das ihn nach Europa zurückbrachte, nur weil ihm auf der Landungsbrücke eine schwarze Katze zwischen die Beine gelaufen war. Er hatte freilich allen Grund, an solche geheimnisvolle Beziehungen zwischen unbegreiflichen Zeichen und Menschenschicksalen zu glauben. Eines Abends im Coventgarden-Theater zu London, da er vor dem Auftreten versäumt hatte, eine gewisse, von seiner Großmutter überkommene Beschwörungsformel zu murmeln, hatte ihm plötzlich die Stimme versagt. Eines Nachts im Traum war ihm ein geflügelter Genius in Rosatrikots erschienen, der ihm den Tod seines Lieblingsraseurs verkündet hatte, und tatsächlich fand man den Bedauernswerten am Morgen darauf erhängt auf. Überdies trug er stets einen kurzen, aber inhaltsreichen Brief bei sich, der ihm in einer spiritistischen Sitzung in Brüssel von dem Geist der verstorbenen Sängerin Cornelia Lujan überreicht worden war und der in fließendem Portugiesisch die Weissagung enthielt, daß er bestimmt sei, der größte Sänger der alten und neuen Welt zu werden. Alle diese Dinge erzählte er heute; und als der spiritistische, auf Rosapapier der Firma Glienwood geschriebene Brief von Hand zu Hand ging, war die Bewegung in der Gesellschaft tief und allgemein. Kläre selbst aber verzog kaum eine Miene und nickte nur manchmal gleichgültig mit dem Kopf. Trotzdem erreichte die Unruhe Leisenbohgs einen hohen Grad. Für sein geschärftes Auge sprachen sich die Anzeichen der drohenden Gefahr immer deutlicher aus. Vor allem faßte Sigurd, wie alle früheren Liebhaber Klärens, während des Soupers eine auffallende Sympathie zu ihm, lud ihn auf seine Besitzung am Fjord zu Molde und trug ihm endlich das Du an. Ferner zitterte Fanny Ringeiser am ganzen Leibe, wenn Sigurd das Wort an sie richtete, wurde abwechselnd blaß und rot, wenn er sie mit seinen großen stahlgrauen Augen ansah, und als er von seiner bevorstehenden Abreise sprach, fing sie laut zu weinen an. Aber Kläre blieb auch jetzt ruhig und ernst. Sie erwiderte die sengenden Blicke Sigurds kaum, sie sprach zu ihm nicht lebhafter als zu den anderen, und als er ihr endlich die Hand küßte und dann zu ihr aufsah mit Augen, die zu bitten, zu versprechen, zu verzweifeln schienen, blieben die ihren verschleiert und ihre Züge regungslos. All das beobachtete Leisenbohg nur mit Mißtrauen und Angst. Aber als das Fest zu Ende ging und sich alle empfahlen, erlebte der Freiherr etwas Unerwartetes. Er als letzter reichte Kläre die Hand zum Abschied wie die anderen, und wollte sich entfernen. Sie aber hielt seine Hand fest und flüsterte ihm zu: »Kommen Sie wieder.« Er glaubte, nicht recht gehört zu haben. Doch noch einmal drückte sie seine Hand und, die Lippen ganz nah an seinem Ohr, wiederholte sie: »Kommen Sie wieder, in einer Stunde erwarte ich Sie.«

Taumelnd beinahe ging er mit den anderen fort. Mit Fanny begleitete er Sigurd zum Hotel, und wie aus weiter Ferne hörte er ihm zu von Kläre schwärmen. Dann führte er Fanny Ringeiser durch die stillen Straßen in der linden Nachtkühle nach Mariahilf, und wie hinter einem Nebel sah er über ihre roten Kinderwangen dumme Tränen rinnen. Dann setzte er sich in einen Wagen und fuhr vor Klärens Haus. Er sah Licht durch die Vorhänge ihres Schlafzimmers schimmern; er sah ihren Schatten vorübergleiten, ihr Kopf erschien in der Spalte neben dem Vorhang und nickte ihm zu. Er hatte nicht geträumt, sie wartete seiner.

Am nächsten Morgen machte Freiherr von Leisenbohg einen Spazierritt in den Prater. Er fühlte sich glücklich und jung. In der späten Erfüllung seiner Sehnsucht schien ihm ein tieferer Sinn zu liegen. Was er heute nacht erlebt hatte, war die wunderbarste Überraschung gewesen – und doch wieder nichts als Steigerung und notwendiger Abschluß seiner bisherigen Beziehungen zu Kläre. Er fühlte jetzt, daß es nicht anders hatte kommen können, und machte Pläne für die nächste und fernere Zukunft. »Wie lange wird sie noch bei der Bühne bleiben?« dachte er... »Vielleicht vier, fünf Jahre. Dann, aber auch nicht früher, werde ich mich mit ihr vermählen. Wir werden zusammen auf dem Lande wohnen, ganz nah von Wien; vielleicht in St. Veit oder in Lainz. Dort werde ich ein kleines Haus kaufen oder nach ihrem Geschmacke bauen lassen. Wir werden ziemlich zurückgezogen leben, aber oft große Reisen unternehmen... nach Spanien, Ägypten, Indien...« – So träumte er vor sich hin, während er sein Pferd über die Wiesen am Heustadl rascher laufen ließ. Dann trabte er wieder in die Hauptallee und beim Praterstern setzte er sich in seinen Wagen. Er ließ bei der Fossatti halten und sandte an Kläre ein Bukett von herrlichen dunklen Rosen. Er frühstückte in seiner Wohnung am Schwarzenbergplatz allein wie gewöhnlich, und nach Tisch legte er sich auf den Diwan. Er war von heftiger Sehnsucht nach Kläre erfüllt. Was hatten alle die anderen Frauen für ihn zu bedeuten gehabt?... Sie waren ihm Zerstreuung gewesen – nichts weiter. Und er ahnte den Tag voraus, da ihm auch Kläre sagen würde: Was waren mir alle anderen? – Du bist der einzige und erste, den ich je geliebt habe . . . Und während er auf dem Diwan lag, mit geschlossenen Augen, ließ er die ganze Reihe an sich vorübergleiten . . . Gewiß; sie hatte keinen geliebt vor ihm, und ihn vielleicht immer und in jedem! . . .

Der Freiherr kleidete sich an, und dann ging er langsam, wie um sich ein paar Sekunden länger auf das erste Wiedersehen freuen zu dürfen, den wohlbekannten Weg ihrem Hause zu. Es gab wohl viel Spaziergänger auf dem Ring, aber man konnte doch merken, daß die Saison zu Ende ging. Und Leisenbohg freute sich, daß der Sommer da war, daß er mit Kläre zusammen reisen, mit ihr das Meer oder die Berge sehen würde, und er mußte sich zusammennehmen, um nicht vor Entzücken laut aufzujubeln.

Er stand vor ihrem Hause und sah zu ihren Fenstern auf. Das Licht der Nachmittagssonne strahlte von ihnen wider und blendete ihn beinahe. Er schritt die zwei Treppen hinauf zu ihrer Haustüre und klingelte. Man öffnete nicht. Er klingelte noch einmal. Man öffnete nicht. Jetzt bemerkte Leisenbohg, daß ein Vorhängeschloß an der Türe angebracht war. – Was sollte das bedeuten? War er fehlgegangen? . . . Sie hatte zwar kein Täfelchen an der Türe, aber gegenüber las er wie gewöhnlich: »Oberstleutnant von Jeleskowits . . .« Kein Zweifel: er stand vor ihrer Wohnung, und ihre Wohnung war versperrt . . . Er eilte die Treppen hinunter, riß die Türe zur Hausmeisterwohnung auf. Die Hausmeisterin saß in dem halbdunklen Raum auf dem Bett, ein Kind guckte durch das kleine Souterrainfenster auf die Straße hinaus, das andere blies auf einem Kamm eine unbegreifliche Melodie. »Ist Fräulein Hell nicht zu Hause?« fragte der Freiherr. Die Frau stand auf. »Nein, Herr Baron, das Fräulein Hell ist abgereist . . .«

»Wie?« schrie der Freiherr auf. – »Ja, richtig«, setzte er gleich hinzu . . . »um drei Uhr, nicht wahr?«

»Nein, Herr Baron, um acht in der Früh ist das Fräulein abgereist.«

»Und wohin? . . . Ich meine, ist sie direkt nach –« er sagte es aufs Geratewohl: »ist sie direkt nach Dresden gefahren?«

»Nein, Herr Baron; sie hat keine Adresse dagelassen. Sie hat g'sagt, sie wird schon schreiben, wo sie is.«

»So – ja… ja – so… natürlich… Danke sehr.« Er wandte sich fort und trat wieder auf die Straße. Unwillkürlich blickte er nach dem Haus zurück. Wie anders strahlte die Abendsonne von den Fenstern wider als vorher! Welche dumpfe, traurige Sommerabendschwüle lag über der Stadt. Kläre war fort?!… Warum?… Sie war vor ihm geflohen?… Was sollte das bedeuten?… Er dachte zuerst daran, in die Oper zu fahren. Aber es fiel ihm ein, daß die Ferien schon übermorgen anfingen und daß Kläre in den letzten zwei Tagen nicht mehr beschäftigt war.

Er fuhr also in die Mariahilferstraße sechsundsiebzig, wo die Ringeiser wohnten. Eine alte Köchin öffnete und betrachtete den eleganten Besucher mit einigem Mißtrauen. Er ließ Frau Ringeiser herausrufen. »Ist Fräulein Fanny zu Hause?« fragte er in einer Erregung, die er nicht mehr bemeistern konnte.

»Wie meinen?« fragte Frau Ringeiser scharf.

Der Herr stellte sich vor.

»Ah, so«, sagte Frau Ringeiser. »Wollen sich der Herr Baron nicht weiterbemühen?«

Er blieb im Vorzimmer stehen und fragte nochmals: »Ist Fräulein Fanny nicht zu Hause?«

»Spazieren der Herr Baron doch weiter.« Leisenbohg mußte ihr folgen und befand sich in einem niedern, halbdunkeln Zimmer mit blausamtenen Möbeln und gleichfarbigen Ripsvorhängen an den Fenstern. »Nein«, sagte Frau Ringeiser, »die Fanny ist nicht zu Haus. Fräulein Hell hat sie ja mit auf den Urlaub genommen.«

»Wohin?« fragte der Freiherr und starrte auf eine Photographie Klärens, die in einem schmalen Goldrahmen auf dem Klavier stand.

»Wohin – das weiß ich nicht«, sagte Frau Ringeiser. »Um acht in der Früh war das Fräulein Hell selber da und hat mich gebeten, daß ich ihr die Fanny mitgeb'. Na, und sie hat so schön gebeten – ich hab nicht nein sagen können.«

»Aber wohin… wohin?« fragte Leisenbohg dringend.

»Ja, das könnt' ich nicht sagen. Die Fanny telegraphiert mir, sobald das Fräulein Hell sich entschlossen hat, wo sie bleiben will. Vielleicht schon morgen oder übermorgen.«

»So«, sagte Leisenbohg und ließ sich auf einen kleinen Rohrsessel vor dem Klavier niedersinken. Er schwieg ein paar Sekunden, dann stand er plötzlich auf, reichte Frau Ringeiser die Hand, bat um Entschuldigung wegen der verursachten Störung und ging langsam die dunkle Treppe des alten Hauses hinunter.

Er schüttelte den Kopf. Sie war sehr vorsichtig gewesen – wahrhaftig! ... Vorsichtiger als notwendig... Daß er nicht zudringlich war, hatte sie wohl wissen können.

»Wohin fahren wir denn, Herr Baron?« fragte der Kutscher, und Leisenbohg merkte, daß er schon eine Weile im offenen Wagen gesessen war und vor sich hingestarrt hatte. Und einer plötzlichen Eingebung folgend, antwortete er: »Ins Hotel Bristol.«

Sigurd Ölse war noch nicht abgereist. Er ließ den Freiherrn auf sein Zimmer bitten, empfing ihn mit Begeisterung und bat ihn, den letzten Abend seines Wiener Aufenthaltes mit ihm zu verbringen. Leisenbohg war schon von dem Umstand ergriffen gewesen, daß Sigurd Ölse überhaupt noch in Wien war, seine Liebenswürdigkeit aber rührte ihn geradezu zu Tränen. Sigurd begann sofort, von Kläre zu sprechen. Er bat Leisenbohg, ihm von ihr zu erzählen, so viel er nur konnte, denn er wußte ja, daß in dem Freiherrn ihr ältester und treuester Freund vor ihm stand. Und Leisenbohg setzte sich auf den Koffer und sprach von Kläre. Es tat ihm wohl, von ihr reden zu können. – Er erzählte dem Sänger beinah alles – mit Ausnahme derjenigen Dinge, die er ihm als Kavalier verschweigen zu müssen glaubte. Sigurd lauschte und schien verzückt.

Beim Souper lud der Sänger seinen Freund ein, noch heute abend Wien mit ihm zu verlassen und ihn auf seine Besitzung nach Molde zu begleiten. Der Freiherr fühlte sich wunderbar beruhigt. Er lehnte für heute ab und versprach Ölse, ihn im Laufe des Sommers zu besuchen.

Sie fuhren zusammen zur Bahn. »Du wirst mich vielleicht für

einen Narren halten«, sagte Sigurd, »Aber ich will noch einmal an ihren Fenstern vorbei.« Leisenbohg sah ihn von der Seite an. War dies vielleicht ein Versuch, ihn hinters Licht zu führen? Oder war es der letzte Beweis für die Unverdächtigkeit des Sängers?... Vor Klärens Haus angelangt, warf Sigurd einen Kuß nach den verschlossenen Fenstern. Dann sagte er: »Grüße sie noch einmal von mir.«

Leisenbohg nickte: »Ich will es ihr bestellen, wenn sie wiederkommt.«

Sigurd sah ihn betroffen an.

»Sie ist nämlich schon fort«, setzte Leisenbohg hinzu. »Heute früh ist sie abgereist – ohne Abschied... wie es so ihre Art ist«, log er dazu.

»Abgereist«, wiederholte Sigurd und versank in Sinnen. Dann schwiegen sie beide.

Vor Abfahrt des Zuges umarmten sie sich wie alte Freunde.

Der Freiherr weinte nachts in seinem Bett, wie es ihm seit seinen Kinderjahren nicht mehr geschehen war. Die eine Stunde der Lust, die er mit Kläre verlebt hatte, schien ihm wie von dunkeln Schauern umweht. Es war ihm, als hätten ihre Augen in der gestrigen Nacht wie im Wahnsinn geglüht. Nun begriff er alles. Zu früh war er ihrem Ruf gefolgt. Noch hatte der Schatten des Fürsten Bedenbruck Gewalt über sie, und Leisenbohg fühlte, daß er Kläre nur besessen hatte, um sie auf immer zu verlieren.

Ein paar Tage trieb er sich in Wien herum, ohne zu wissen, was er mit den Tagen und Nächten anfangen sollte; alles, womit er früher seine Zeit hingebracht hatte – Zeitunglesen, Whistspielen, Spazierenreiten –, war ihm vollkommen gleichgültig. Er fühlte, wie sein ganzes Dasein nur von Kläre den Sinn erhielt, ja daß selbst seine Verhältnisse zu anderen Frauen nur von dem Abglanze seiner Leidenschaft für Kläre gelebt hatten. Über der Stadt lag es wie ein ewiger grauer Dunst; die Leute, mit denen er sprach, hatten verschleierte Stimmen und starrten ihn merkwürdig, ja verräterisch an. Eines Abends fuhr er zum Bahnhof und wie mechanisch nahm er sich eine Karte nach Ischl. Dort traf er Bekannte, die sich harmlos nach Kläre erkundigten, er antwortete gereizt und unhöflich und mußte sich mit einem Herrn schlagen, für den er sich nicht im geringsten interessierte. Er trat ohne Erregung an, hörte die Kugel an seinem Ohr vorbeipfeifen, schoß in die Luft und verließ Ischl eine halbe Stunde nach dem Duell. Er reiste nach Tirol, nach dem Engadin, nach dem Berner Oberland, nach dem Genfersee, ruderte, überschritt Pässe, bestieg Berge, schlief einmal in einer Sennhütte und wußte im übrigen an jedem Tag vom vorigen so wenig wie vom nächsten.

Eines Tages erhielt er von Wien aus ein Telegramm nachgesandt. Mit fiebernden Fingern öffnete er es. Er las: »Wenn du mein Freund bist, so halte dein Wort und eile zu mir; denn ich benötige eines Freundes. Sigurd Ölse.« Leisenbohg zweifelte keinen Augenblick, daß der Inhalt dieses Telegramms in irgendeinem Zusammenhang mit Kläre stehen müsse. Er packte so rasch als möglich ein und verließ Aix, wo er sich eben befand, mit der nächsten Gelegenheit. Ohne Unterbrechung reiste er über München nach Hamburg und nahm das Schiff, das ihn über Stavanger nach Molde führte, wo er an einem hellen Sommerabend ankam. Die Reise war ihm endlos erschienen. Von allen Reizen der Landschaft war seine Seele unberührt geblieben. Auch war es ihm in der letzten Zeit nicht mehr gelungen, sich an Klärens Gesang oder auch nur an ihre Züge zu erinnern. Jahrelang, jahrzehntelang glaubte er von Wien fort zu sein. Aber als er Sigurd in weißem Flanellanzug mit weißer Kappe am Ufer stehen sah, war ihm, als hätte er ihn gestern abend zum letzten Male gesehen. Und so zerwühlt er war, er erwiderte lächelnd vom Deck aus den Willkommgruß Sigurds und schritt in guter Haltung die Schiffstreppe hinab.

»Ich danke dir tausendmal, daß du meinem Ruf gefolgt bist«, sagte Sigurd. Und einfach setzte er hinzu: »Mit mir ist es aus.«

Der Freiherr betrachtete ihn. Sigurd sah sehr blaß aus, die Haare an seinen Schläfen waren auffallend grau geworden. Auf dem Arm trug er einen grünen mattglänzenden Plaid.

»Was gibt's? Was ist geschehen?« fragte Leisenbohg mit einem starren Lächeln.

»Du sollst alles erfahren«, sagte Sigurd Ölse. Dem Freiherrn fiel es auf, daß Sigurds Stimme weniger voll klang als früher. – Sie fuhren auf einem kleinen schmalen Wagen durch die liebliche Allee längs des blauen Meeres hin. Beide schwiegen. Leisenbohg wagte nicht zu fragen. Seine Blicke starrten aufs Wasser, das sich kaum bewegte. Er kam auf die sonderbare, aber wie sich herausstellte, undurchführbare Idee, die Wellen zu zählen; dann schaute er in die Luft, und ihm war, als tropften die Sterne langsam herunter. Endlich fiel ihm auch ein, daß eine Sängerin existierte, Kläre Hell mit Namen, die sich irgendwo in der weiten Welt umhertrieb, – aber grade das war ziemlich unwichtig. Nun kam ein Ruck, und der Wagen stand vor einem einfachen weißen Hause still, das ganz im Grünen lag. Auf einer Veranda mit dem Blick aufs Meer speisten sie zu Abend. Ein Diener, mit einem strengen und in den Momenten, da er den Wein einschenkte, geradezu drohenden Gesicht, bediente. Die helle Nordnacht ruhte über den Fernen.

»Nun?« fragte Leisenbohg, über den es mit einem Male wie eine Flut von Ungeduld hinstürzte.

»Ich bin ein verlorener Mensch«, sagte Sigurd Ölse und schaute vor sich hin.

»Wie meinst du das?« fragte Leisenbohg tonlos. »Und was kann ich für dich tun?« setzte er mechanisch hinzu.

»Nicht viel. Ich weiß noch nicht.« Und er blickte über Tischdecke, Geländer, Vorgarten, Gitter, Straße und Meer ins Weite.

Leisenbohg war innerlich starr... Allerlei Ideen zugleich durchzuckten ihn... Was mochte geschehen sein?... Kläre war tot – ?... Sigurd hatte sie ermordet – ?... Ins Meer geworfen – ?... Oder Sigurd war tot – ?... Doch nein, das war unmöglich... der saß ja da vor ihm... Warum aber sprach er nicht?... Und plötzlich, von einer ungeheuren Angst durchjagt, stieß Leisenbohg hervor: »Wo ist Kläre?«

Da wandte sich der Sänger langsam zu ihm. Sein etwas dickes Gesicht begann von innen zu glänzen, und schien zu lächeln, –

wenn es nicht der Mondschein war, der über seinem Gesicht spielte. Jedenfalls fand Leisenbohg in diesem Augenblick, daß der Mann, der hier mit verschleiertem Blick zurückgelehnt neben ihm saß, beide Hände in den Hosentaschen, die Beine lang unter den Tisch hingestreckt, mit nichts auf der Welt mehr Ähnlichkeit hatte als mit einem Pierrot. Der grüne Plaid hing über dem Geländer der Terrasse und schien dem Baron in diesem Moment ein guter alter Bekannter... Aber was ging ihn dieser lächerliche Plaid an? Träumte er vielleicht?... Er war in Molde. Sonderbar genug... Wäre er vernünftig gewesen, so hätte er dem Sänger eigentlich aus Aix telegraphieren können: »Was gibt's? Was willst du von mir, Pierrot?« Und er wiederholte plötzlich seine Frage von früher, nur viel höflicher und ruhiger: »Wo ist Kläre?«

Jetzt nickte der Sänger mehrere Male. »Um die handelt es sich allerdings. – Bist du mein Freund?«

Leisenbohg nickte. Er spürte ein leises Fröstein. Ein lauer Wind kam vom Meere her. »Ich bin dein Freund. Was willst du von mir?«

»Erinnerst du dich des Abends, da wir von einander Abschied nahmen, Baron? An dem wir im Bristol miteinander soupierten und du mich auf die Bahn begleitetest?«

Leisenbohg nickte wieder.

»Du hast wohl nicht geahnt, daß im selben Zuge mit mir Kläre Hell von Wien abreiste.«

Leisenbohg ließ den Kopf schwer auf die Brust herabsinken...

»Ich habe es so wenig geahnt als du«, fuhr Sigurd fort. »Erst am nächsten Morgen auf der Frühstückstation hab' ich Kläre gesehen. Sie saß mit Fanny Ringeiser im Speisesaal und trank Kaffee. Ihr Benehmen ließ mich vermuten, daß ich diese Begegnung nur dem Zufall verdankte. Es war kein Zufall.«

»Weiter«, sagte der Baron und betrachtete den grünen Plaid, der sich leise bewegte.

»Später hat sie mir nämlich gestanden, daß es kein Zufall war. – Von diesem Morgen an blieben wir zusammen, Kläre, Fanny und ich. An einem eurer entzückenden kleinen östreichischen Seen ließen wir uns nieder. Wir bewohnten ein anmutiges Haus zwischen Wasser und Wald, fern von allen Menschen. Wir waren sehr glücklich.«

Er sprach so langsam, daß Leisenbohg toll zu werden glaubte. Wozu hat er mich hierhergerufen? dachte er. Was will er von mir?... Hat sie ihm gestanden – ?... Was geht's ihn an?... Warum blickt er mir so starr ins Gesicht?... Weshalb sitz' ich hier in Molde auf einer Veranda mit einem Pierrot?... Ist es nicht am Ende doch ein Traum?... Ruh' ich vielleicht in Klärens Armen?... Ist es am Ende noch immer dieselbe Nacht?... – Und unwillkürlich riß er die Augen weit auf.

»Wirst du mich rächen?« fragte Sigurd plötzlich.

»Rächen?... Ja warum? Was ist denn geschehen?« fragte der Freiherr und hörte seine eigenen Worte wie von ferne her.

»Weil sie mich zugrunde gerichtet hat, weil ich verloren bin.«

»Erzähle mir endlich«, sagte Leisenbohg mit harter, trockener Stimme.

»Fanny Ringeiser war mit uns«, fuhr Sigurd fort. »Sie ist ein gutes Mädchen, nicht wahr?«

»Ja, sie ist ein gutes Mädchen«, erwiderte Leisenbohg und sah mit einem Male das halbdunkle Zimmer vor sich mit den blausamtenen Möbeln und den Ripsvorhängen, wo er vor mehreren hundert Jahren mit Fannys Mutter gesprochen hatte.

»Sie ist ein ziemlich dummes Mädchen, nicht wahr?«

»Ich glaube«, erwiderte der Freiherr.

»Ich weiß es«, sagte Sigurd. »Sie ahnte nicht, wie glücklich wir waren.« Und er schwieg lange.

»Weiter«, sagte Leisenbohg und wartete.

»Eines Morgens schlief Kläre noch«, begann Sigurd von neuem. »Sie schlief immer weit in den Morgen hinein. Ich aber ging im Walde spazieren. Da kam plötzlich Fanny hinter mir hergelaufen. ›Fliehen Sie, Herr Ölse, eh' es zu spät ist; reisen Sie ab, denn Sie befinden sich in höchster Gefahr!‹ Sonderbarerweise wollte sie mir anfangs durchaus nicht mehr sagen. Aber ich bestand darauf und erfuhr endlich, was für eine Gefahr mir ihrer Meinung nach drohte. Ah, sie glaubte, daß ich noch zu retten wäre, sonst hätte sie mir gewiß nichts gesagt!«

Der grüne Plaid auf dem Geländer blähte sich auf wie ein Segel, das Lampenlicht auf dem Tisch flackerte ein wenig.

»Was hat dir Fanny erzählt?« fragte Leisenbohg streng.

»Erinnerst du dich des Abends«, fragte Sigurd, »an dem wir alle in Klärens Haus zu Gaste waren? Am Morgen dieses Tages war Kläre mit Fanny auf den Friedhof hinausgefahren, und auf dem Grabe des Fürsten hatte sie ihrer Freundin das Grauenhafte anvertraut.«

»Das Grauenhafte –?« Der Freiherr erbebte.

»Ja. – Du weißt, wie der Fürst gestorben ist? Er ist vom Pferd gestürzt und hat noch eine Stunde gelebt.«

»Ich weiß es.«

»Niemand war bei ihm als Kläre.«

»Ich weiß.«

»Er wollte niemanden sehen als sie. Und auf dem Sterbebette tat er einen Fluch.«

»Einen Fluch?«

»Einen Fluch. – ›Kläre‹, sprach der Fürst, ›vergiß mich nicht. Ich hätte im Grabe keine Ruhe, wenn du mich vergäßest.‹ – ›Ich werde dich nie vergessen‹, erwiderte Kläre. – ›Schwörst du mir, daß du mich nie vergessen wirst?‹ – ›Ich schwöre es dir.‹ – ›Kläre, ich liebe dich und ich muß sterben!‹« …

»Wer spricht?« schrie der Freiherr.

»Ich spreche«, sagte Sigurd, »und ich lasse Fanny sprechen, und Fanny läßt Kläre sprechen, und Kläre läßt den Fürsten sprechen. Verstehst du mich nicht?«

Leisenbohg hörte angestrengt zu. Es war ihm, als hörte er die Stimme des toten Fürsten aus dreifach verschlossenem Sarge in die Nacht klingen.

»›Kläre, ich liebe dich, und ich muß sterben! Du bist so jung, und ich muß sterben… Und es wird ein anderer kommen nach mir… Ich weiß es, es wird so sein… Ein anderer wird dich in den Armen halten und mit dir glücklich sein… Er soll nicht – er darf nicht!… Ich fluche ihm. – Hörst du, Kläre? Ich fluche ihm!... Der erste, der diese Lippen küßt, diesen Leib umfängt nach mir, soll in die Hölle fahren!... Kläre, der Himmel hört den Fluch von Sterbenden... Hüte dich – hüte ihn... In die Hölle mit ihm! In Wahnsinn, Elend und Tod! Wehe! Wehe! Wehe!'«

Sigurd, aus dessen Mund die Stimme des toten Fürsten tönte, hatte sich erhoben, groß und feist stand er in seinem weißen Flanellanzug da und blickte in die helle Nacht. Der grüne Plaid sank von dem Geländer in den Garten hinab. Den Freiherrn fror entsetzlich. Es war ihm, als wenn ihm der ganze Körper erstarren wollte. Eigentlich hätte er gern geschrieen, aber er sperrte nur den Mund weit auf... Er befand sich in diesem Augenblick in dem kleinen Saal der Gesangsprofessorin Eisenstein, wo er Kläre das erste Mal gesehen hatte. Auf der Bühne stand ein Pierrot und deklamierte: »Mit diesem Fluch auf den Lippen ist der Fürst Bedenbruck gestorben, und... höre... der Unglückselige, in dessen Armen sie lag, der Elende, an dem sich der Fluch erfüllen soll, bin ich!... Ich!... Ich!...«

Da stürzte die Bühne ein mit einem lauten Krach und versank vor Leisenbohgs Augen ins Meer. Er aber fiel lautlos mit dem Sessel nach rückwärts, wie eine Gliederpuppe.

Sigurd sprang auf, rief nach Hilfe. Zwei Diener kamen, hoben den Ohnmächtigen auf und betteten ihn auf einen Lehnsessel, der seitlich vom Tische stand; der eine lief nach einem Arzt, der andere brachte Wasser und Essig. Sigurd rieb die Stirn und die Schläfen des Freiherrn ein, aber der wollte sich nicht rühren. Dann kam der Arzt und nahm seine Untersuchung vor. Sie währte nicht lange. Am Schlusse sagte er: »Dieser Herr ist tot.«

Sigurd Ölse war sehr bewegt, bat den Arzt, die nötigen Anordnungen zu treffen, und verließ die Terrasse. Er durchschritt den Salon, ging ins obere Stockwerk, betrat sein Schlafzimmer, zündete ein Licht an und schrieb eilends folgende Worte nieder: »Kläre! Deine Depesche habe ich in Molde vorgefunden, wohin ich ohne Aufenthalt geflohen war. Ich will es Dir gestehen, ich habe Dir nicht geglaubt, ich dachte, Du wolltest mich durch eine Lüge beruhigen. Verzeih mir, – ich zweifle nicht mehr. Der Freiherr von Leisenbohg war bei mir. Ich habe ihn gerufen. Aber ich habe ihn um nichts gefragt; denn als Ehrenmann hätte er mich anlügen müssen. Ich hatte eine ingeniöse Idee. Ich habe ihm von dem Fluch des verstorbenen Fürsten Mitteilung gemacht. Die Wirkung war überraschend: der Freiherr fiel mit dem Sessel nach rückwärts und war auf der Stelle tot.«

Sigurd hielt inne, wurde sehr ernst und schien zu überlegen. Dann stellte er sich mitten ins Zimmer und erhob seine Stimme zum Gesang. Anfangs wie furchtsam und verschleiert, hellte sie sich allmählich auf und klang laut und prächtig durch die Nacht, endlich so gewaltig, als wenn sie von den Wellen widerhallte. – Ein beruhigtes Lächeln floß über Sigurds Züge. Er atmete tief auf. Er begab sich wieder an den Schreibtisch und fügte seiner Depesche die folgenden Worte hinzu: »Liebste Kläre! Verzeih' mir – alles ist wieder gut. In drei Tagen bin ich bei dir . . .«

Das neue Lied

»Ich bin nicht schuld daran, Herr von Breiteneder... bitte sehr, das kann keiner sagen!« Karl Breiteneder hörte diese Worte wie von fern an sein Ohr schlagen und wußte doch ganz genau, daß der, der sie sprach, neben ihm einherging – ja, er spürte sogar den Weindunst, in den diese Worte gehüllt waren. Aber er erwiderte nichts. Es war ihm unmöglich, sich in Auseinandersetzungen einzulassen; er war zu müde und zerrüttet von dem furchtbaren Erlebnis dieser Nacht, und es verlangte ihn nur nach Alleinsein und frischer Luft. Darum war er auch nicht nach Hause gegangen, sondern lieber im Morgenwind die menschenleere Straße weiterspaziert, ins Freie hinaus, den bewaldeten Hügeln entgegen, die drüben aus leichten Mainebeln hervorstiegen. Aber ein Schauer nach dem andern durchlief ihn vom Kopf bis zu den Füßen, und er spürte nichts von der wohligen Frische, die ihn sonst nach durchwachten Nächten in der Frühluft zu durchrieseln pflegte. Er hatte immer das entsetzliche Bild vor Augen, dem er entflohen war.

Der Mann neben ihm mußte ihn eben erst eingeholt haben. Was wollte denn der von ihm?... Warum verteidigte er sich?... Und warum gerade vor ihm?... Er hatte doch nicht daran gedacht, dem alten Rebay einen lauten Vorwurf zu machen, wenn er auch sehr gut wußte, daß der die Hauptschuld trug an dem, was geschehen war. Jetzt sah er ihn von der Seite an. Wie schaute der Mensch aus! Der schwarze Gehrock war zerdrückt und fleckig, ein Knopf fehlte, die andern waren an den Rändern ausgefranst; in einem Knopfloch steckte ein Stengel mit einer abgestorbenen Blüte. Gestern abend hatte Karl die Blume noch frisch gesehen. Mit dieser selben Nelke geschmückt, war der Kapellmeister Rebay an einem klappernden Pianino gesessen und hatte die Musik zu sämtlichen Produktionen der Gesellschaft Ladenbauer besorgt, wie er es seit bald dreißig Jahren tat. Das kleine

Wirtshaus war ganz voll gewesen, bis in den Garten hinaus standen die Tische und Stühle, denn heute war, wie es mit schwarzen und roten Buchstaben auf großen, gelben Zetteln zu lesen stand: »Erstes Wiederauftreten des Fräulein Maria Ladenbauer, genannt die ›weiße Amsel‹, nach ihrer Genesung von schwerem Leiden.«

Karl atmete tief auf. Es war ganz licht geworden, er und der Kapellmeister waren längst nicht mehr die einzigen auf der Straße. Hinter ihnen, auch von Seitenwegen, ja sogar von oben aus dem Walde, ihnen entgegen, kamen Spaziergänger. Jetzt erst fiel es Karl ein, daß heute Sonntag war. Er war froh, daß er keinerlei Verpflichtung hatte, in die Stadt zu gehen, obzwar ihm ja sein Vater auch diesmal einen versäumten Wochentag nachgesehen hätte, wie er es schon oft getan. Das alte Drechslergeschäft in der Alserstraße ging vorläufig auch ohne ihn, und der Vater wußte aus Erfahrung, daß sich die Breiteneders bisher noch immer zur rechten Zeit zu einem soliden Lebenswandel entschlossen hatten. Die Geschichte mit Marie Ladenbauer war ihm allerdings nie ganz recht gewesen. »Du kannst ja machen, was du willst«, hatte er einmal milde zu Karl gesagt, »ich bin auch einmal jung gewesen... aber in den Familien von meine Mädeln hab' ich doch nie verkehrt! Da hab' ich doch immer zu viel auf mich gehalten.«

Hätte er auf den Vater gehört – dachte Karl jetzt –, so wäre ihm mancherlei erspart geblieben. Aber er hatte die Marie sehr gern gehabt. Sie war ein gutmütiges Geschöpf, hing an ihm, ohne viel Worte zu machen, und wenn sie Arm in Arm mit ihm spazieren ging, hätte sie keiner für eine gehalten, die schon so manches erlebt hatte. Übrigens ging es bei ihren Eltern so anständig zu wie in einem bürgerlichen Hause. Die Wohnung war nett gehalten, auf der Etagere standen Bücher; öfters kam der Bruder des alten Ladenbauer zu Besuch, der als Beamter beim Magistrat angestellt war, und dann wurde über sehr ernste Dinge geredet: Politik, Wahlen und Gemeindewesen. Am Sonntag spielte Karl oben manchmal Tarock; mit dem alten Ladenbauer und mit dem verrückten Jedek, demselben, der abends im Clownkostüm auf

Gläser- und Tellerrändern Walzer und Märsche exekutierte; und wenn er gewann, bekam er sein Geld ohne weiteres ausbezahlt, was ihm in seinem Kaffeehaus durchaus nicht so regelmäßig passierte. In der Nische am Fenster, vor dem Glasbilder mit Schweizer Landschaften hingen, saß die blasse lange Frau Jedek, die abends in der Vorstellung langweilige Gedichte vortrug, plauderte mit der Marie und nickte dazu beinahe ununterbrochen. Marie aber sah zu Karl herüber, grüßte ihn scherzend mit der Hand oder setzte sich zu ihm und schaute ihm in die Karten. Ihr Bruder war in einem großen Geschäft angestellt, und wenn ihm Karl eine Zigarre gab, so revanchierte er sich sofort. Auch brachte er seiner Schwester, die er sehr verehrte, zuweilen von einem Stadtzuckerbäcker etwas zum Naschen mit. Und wenn er sich empfahl, sagte er mit halbgeschlossenen Augen: »Leider daß ich anderweitig versagt bin...« – Freilich, am liebsten war Karl mit Marie allein. Und er dachte an einen Morgen, an dem er mit ihr denselben Weg gegangen war, den er jetzt ging, dem leise rauschenden Wald entgegen, der dort oben auf dem Hügel anfing. Sie waren beide müde gewesen, denn sie kamen geradenwegs aus dem Kaffeehaus, wo sie bis zum Morgengrauen mit der ganzen Volkssängergesellschaft zusammengesessen waren; nun legten sie sich unter eine Buche am Rand eines Wiesenhanges und schliefen ein. Erst in der heißen Stille des Sommermittags wachten sie auf, gingen noch weiter hinein in den Wald, plauderten und lachten den ganzen Tag, ohne zu wissen, warum, und erst spät abends zur Vorstellung brachte er sie wieder in die Stadt... So schöne Erinnerungen gab es manche, und die beiden lebten sehr vergnügt, ohne an die Zukunft zu denken. Zu Beginn des Winters erkrankte Marie plötzlich. Der Doktor hatte jeden Besuch strenge verboten, denn die Krankheit war eine Gehirnentzündung oder so etwas ähnliches, und jede Aufregung sollte vermieden werden. Karl ging anfangs täglich zu den Ladenbauers, sich erkundigen; später aber, als die Sache sich länger hinzog, nur jeden zweiten und dritten Tag. Einmal sagte ihm Frau Ladenbauer an der Türe: »Also heut' dürfen Sie schon hineinkommen, Herr von Breiteneder. Aber bitt' schön, daß Sie sich nicht verraten.« – »Warum soll denn ich mich verraten?« fragte Karl. »Was ist denn g'schehn?« – »Ja, mit den Augen ist leider keine Hilfe mehr.« – »Wieso denn?« – »Sie sieht halt nichts mehr..., das ist ihr leider Gottes von der Krankheit zurückgeblieben. Aber sie weiß noch nicht, daß es unheilbar ist... Nehmen Sie sich zusammen, daß sie nichts merkt.« Da stammelte Karl nur ein paar Worte und ging. Er hatte plötzlich Angst, Marie wiederzusehen. Es war ihm, als hätte er nichts an ihr so gern gehabt, als ihre Augen, die so hell gewesen waren und mit denen sie immer gelacht hatte. Er wollte morgen kommen. Aber er kam nicht, nicht am nächsten und nicht am übernächsten Tage. Und immer weiter schob er den Besuch hinaus. Er wollte sie erst wiedersehen, nahm er sich vor, bis sie sich selbst in ihr Schicksal gefunden haben konnte. Dann fügte es sich, daß er eine Geschäftsreise antreten mußte, auf die der Vater schon lange gedrungen hatte. Er kam weit herum, war in Berlin, Dresden, Köln, Leipzig, Prag. Einmal schrieb er an die alte Frau Ladenbauer eine Karte, in der stand: Gleich nach seiner Rückkehr würde er hinaufkommen, und er ließe die Marie schön grüßen. – Im Frühjahr kam er zurück; aber zu den Ladenbauers ging er nicht. Er konnte sich nicht entschließen... Natürlich dachte er auch von Tag zu Tag weniger an sie und nahm sich vor, sie ganz zu vergessen. Er war ja nicht der erste und nicht der einzige gewesen. Er hörte auch gar nichts von ihr, beruhigte sich mehr und mehr, und aus irgendeinem Grunde bildete er sich manchmal ein, daß Marie auf dem Land bei Verwandten lebte, von denen er sie manchmal sprechen gehört hatte.

Da führte ihn gestern abends – er wollte Bekannte besuchen, die in der Nähe wohnten – der Zufall an dem Wirtshaus vorüber, wo die Vorstellungen der Gesellschaft Ladenbauer stattzufinden pflegten. Ganz in Gedanken wollte er schon vorübergehen, da fiel ihm das gelbe Plakat ins Auge, er wußte, wo er war, und ein Stich ging ihm durchs Herz, bevor er ein Wort gelesen hatte. Aber dann, wie er es mit schwarzen und roten Buchstaben vor sich sah: »Erstes Auftreten der Maria Ladenbauer, genannt die ›weiße Amsel‹, nach ihrer Genesung«, da blieb er wie gelähmt stehen. Und in diesem Augenblick stand der Rebay neben ihm, wie aus dem Boden gewachsen: den weißen Strubelkopf unbedeckt, den schäbigen schwarzen Zylinder in der Hand und mit einer frischen Blume im Knopfloch. Er begrüßte Karl: »Der Herr Breiteneder – nein, so was! Nicht wahr, beehren uns heute wieder? Die Fräul'n Marie wird ja ganz weg sein vor Freud', wenn sie hört, daß sich die frühern Freund' doch noch um sie umschau'n. Das arme Ding! Viel haben wir mit ihr ausg'standen, Herr von Breiteneder; aber jetzt hat sie sich derfangt.« Er redete noch eine ganze Menge, und Karl rührte sich nicht, obwohl er am liebsten weit fort gewesen wäre. Aber plötzlich regte sich eine Hoffnung in ihm, und er fragte den Rebay, ob denn die Marie gar nichts sehe – ob sie nicht doch wengistens einen Schein habe. »Einen Schein?« erwiderte der andere. »Was fällt Ihnen denn ein, Herr von Breiteneder!... Nichts sieht sie, gar nichts!« Er rief es mit seltsamer Fröhlichkeit. »Alles kohlrabenschwarz vor ihr... Aber werden sich schon überzeugen, Herr von Breiteneder, hat alles seine guten Seiten, wenn man so sagen darf – und eine Stimme hat das Mädel, schöner als je!... Na, Sie werden ja seh'n, Herr von Breiteneder. – Und gut is sie – seelengut! Noch viel freundlicher, als sie eh' schon war. Na, Sie kennen sie ja – haha! – Ah, es kommen heut' mehrere, die sie kennen... natürlich nicht so gut wie Sie, Herr von Breiteneder; denn jetzt ist es natürlich vorbei mit die gewissen G'schichten. Aber das wird auch schon wieder kommen! Ich hab' eine gekannt, die war blind und hat Zwillinge gekriegt – haha! – Schauen S', wer da is«, sagte er plötzlich, und Karl stand mit ihm vor der Kassa, an der Frau Ladenbauer saß. Sie war aufgedunsen und bleich und sah ihn an, ohne ein Wort zu sagen. Sie gab ihm ein Billett, er zahlte, wußte kaum, was mit ihm geschah. Plötzlich aber stieß er hervor: »Nicht der Marie sagen, um Gottes willen Frau Ladenbauer... nichts der Marie sagen, daß ich da bin!... Herr Rebay, nichts ihr sagen!«

»Is schon gut«, sagte Frau Ladenbauer und beschäftigte sich mit anderen Leuten, die Billetts verlangten.

»Von mir kein Wörterl«, sagte Rebay. »Aber nachher, das

wird eine Überraschung sein! Da kommen S' doch mit? Großes Fest –hoho! Habe die Ehre, Herr von Breitenender. « Und er war verschwunden. Karl durchschritt den gefüllten Saal, und im Garten, der sich ohne weiteres anschloß, setzte er sich ganz hinten an einen Tisch, wo vor ihm schon zwei alte Leute Platz genommen hatten, eine Frau und ein Mann. Sie sprachen nichts miteinander, betrachteten stumm den neuen Gast, und nickten einander traurig zu. Karl saß da und wartete. Die Vorstellung begann, und Karl hörte die altbekannten Sachen wieder. Nur schien ihm alles eigentümlich verändert, weil er noch nie so weit vom Podium gesessen war. Zuerst spielte der Kapellmeister Rebay eine sogenannte Ouvertüre, von der zu Karl nur vereinzelte harte Akkorde drangen, dann trat als erste die Ungarin Ilka auf, in hellrotem Kleid, mit gespornten Stiefeln, sang ungarische Lieder und tanzte Czardas. Hierauf folgte ein humoristischer Vortrag des Komikers Wiegel-Wagel; er trat im zeisiggrünen Frack auf, teilte mit, daß er soeben aus Afrika angekommen wäre, und berichtete allerlei unsinnige Abenteuer, deren Abschluß seine Hochzeit mit einer alten Witwe bildete. Dann kam ein Duett zwischen Herrn und Frau Ladenbauer; beide trugen Tiroler Kostüm. Nach ihnen, in schmutziger weißer Clowntracht, folgte der närrische kleine Jedek, zeigte zuerst seine Jongleurkünste, irrte mit riesigen Augen unter den Leuten umher, als wenn er jemanden suchte; dann stellte er Teller in Reihen vor sich auf, hämmerte mit einem Holzstab einen Marsch darauf, ordnete Gläser und spielte auf den Rändern mit feuchten Fingern eine wehmütige Walzermelodie. Dabei sah er zur Decke auf und lächelte selig. Er trat ab, und Rebay hieb wieder auf die Tasten ein, in festlichen Klängen. Ein Flüstern drang vom Saal in den Garten, die Leute steckten die Köpfe zusammen, und plötzlich stand Marie auf dem Podium. Der Vater, der sie hinaufgeführt hatte, war gleich wieder wie hinabgetaucht; und sie stand allein. Und Karl sah sie oben stehen, mit den erloschenen Augen in dem süßen blassen Gesicht; er sah ganz deutlich, wie sie zuerst nur die Lippen bewegte und ein bißchen lächelte. Ohne es selbst zu merken, war er vom Sessel aufgesprungen, lehnte an der grünen Laterne und hätte beinah aufgeschrieen vor Mitleid und Angst. – Und nun fing sie an zu singen. Mit einer ganz fremden Stimme, leise, viel leiser als früher. Es war ein Lied, das sie immer gesungen, und das Karl mindestens fünfzigmal gehört hatte, aber die Stimme blieb ihm seltsam fremd, und erst als der Refrain kam »Mich heißen s' die weiße Amsel, im G'schäft und auch zu Haus«, glaubte er, den Klang der Stimme wiederzuerkennen. Sie sang alle drei Strophen, Rebay begleitete sie, und nach seiner Gewohnheit blickte er öfters streng zu ihr auf. Als sie zu Ende war, setzte Applaus ein, laut und donnernd. Marie lächelte und verbeugte sich. Die Mutter kam die drei Stufen aufs Podium hinauf, Marie griff mit den Armen in die Luft, als suchte sie die Hände der Mutter, aber der Applaus war so stark, daß sie gleich ihr zweites Lied singen mußte, das Karl auch schon an die fünfzigmal gehört hatte. Es fing an: »Heut' geh' ich mit mein' Schatz aufs Land...«, und Marie warf den Kopf so vergnügt in die Höhe, wiegte sich so leicht hin und her, als wenn sie wirklich noch mit ihrem Schatz aufs Land gehen, den blauen Himmel, die grünen Wiesen sehen und im Freien tanzen könnte, wie sie's in dem Lied erzählte. Und dann sang sie das dritte, das neue Lied. –

»Hier wäre ein kleines Garterl«, sagte Herr Rebay, und Karl fuhr zusammen. Es war heller Sonnenschein; weit erglänzte die Straße, ringsum war es licht und lebendig. »Da könnt' man sich hineinsetzen«, fuhr Rebay fort, »auf ein Glas Wein; ich hab' schon einen argen Durst – es wird ein heißer Tag.«

»Ob's heiß wird!« sagte irgendwer hinter ihnen. Breiteneder wandte sich um... Wie, der war ihm auch nachgelaufen?... Was wollte denn der von ihm?... Es war der närrische Jedek; man hatte ihn nie anders geheißen, aber es war zweifellos, daß er in der nächsten Zeit ernstlich und vollkommen verrückt werden mußte. Vor ein paar Tagen hatte er seine lange blasse Frau am Leben bedroht, und es war rätselhaft, daß man ihn frei herumlaufen ließ. Jetzt schlich er in seiner zwerghaften Kleinheit neben Karl einher; aus dem gelblichen Gesichte glotzten aufgerissene, unerklärlich lustige Augen ins Weite, auf dem Kopf saß ihm das stadtbekannte, graue weiche Hütel mit der verschlissenen Feder, in der Hand hielt er ein dünnes Spazierstaberl. Und nun, den andern plötzlich voraus, war er in das kleine Gasthausgärtchen hineingehüpft, hatte auf einer Holzbank, die an dem niederen Häuschen lehnte, Platz genommen, schlug mit dem Spazierstock heftig auf den grüngestrichnen Tisch und rief nach dem Kellner. Die beiden anderen folgten ihm. Längs des grünen Holzgitters zog die weiße Straße weiter nach oben, an kleinen, traurigen Villen vorbei, und verlor sich in den Wald.

Der Kellner brachte Wein. Rebay legt den Zylinder auf den Tisch, fuhr sich durch das weiße Haar, rieb sich dann mit beiden Händen nach seiner Gewohnheit die glatten Wangen, schob Jedeks Glas beiseite, und beugte sich über den Tisch zu Karl hin. »Ich bin doch nicht auf'n Kopf g'fallen, Herr von Breiteneder! Ich weiß doch, was ich tu'!... Warum soll denn ich schuld sein?... Wissen S', für wen ich Couplets geschrieben hab' in meinen jüngeren Jahren?... Für'n Matras! Das ist keine Kleinigkeit! Und haben Aufsehen gemacht! Text und Musik von mir! Und viele sind in andere Stück' eingelegt worden!«

»Lassen S' das Glas steh'n«, sagte Jedek und kicherte in sich hinein.

»Ich bitte, Herr von Breiteneder«, fuhr Rebay fort und schob das Glas wieder von sich. »Sie kennen mich doch, und Sie wissen, daß ich ein anständiger Mensch bin! Auch gibt's in meinen Couplets niemals eine Unanständigkeit, niemals eine Zote!... Und das Couplet, wegen dem der alte Ladenbauer damals is verurteilt worden, war von einem andern!... Und heut' bin ich achtundsechzig, Herr von Breiteneder – das ist ein Numero! Und wissen S', wie lang' ich bei der G'sellschaft Ladenbauer bin?... Da hat der Eduard Ladenbauer noch gelebt, der die G'sellschaft gegründet hat. Und die Marie kenn' ich von ihrer Geburt an. Neunundzwanzig Jahr bin ich bei die Ladenbauers – im nächsten März hab' ich Jubiläum... Und ich hab' meine Melodien nicht g'stohlen – sie sind von mir, alles von mir! Und wissen Sie, wieviel man in der Zeit auf die Werkeln g'spielt hat!... Achtzehn! Net wahr, Jedek?...«

Jedek lachte immerfort lautlos, mit aufgerissenen Augen.

Jetzt hatte er alle drei Gläser vor seinen Platz hingeschoben und begann mit seinen Fingern leicht über die Ränder zu streichen. Es klang fein, ein bißchen rührend, wie ferne Oboen- und Klarinettentöne. Breiteneder hatte diese Kunstfertigkeit immer sehr bewundert, aber in diesem Augenblick vertrug er die Klänge durchaus nicht. An den andern Tischen hörte man zu; einige Leute nickten befriedigt, ein dicker Herr patschte in die Hände. Plötzlich schob Jedek alle drei Gläser wieder fort, kreuzte die Arme und starrte auf die weiße Straße, über die immer mehr und mehr Menschen aufwärts dem Wald entgegenwanderten. Karl flimmerte es vor den Augen, und es war ihm, als wenn die Leute hinter Spinneweben tänzelten und schwebten. Er rieb sich die Stirn und die Lider, er wollte zu sich kommen. Er konnte ja nichts dafür! Es war ein schreckliches Unglück – aber er hatte doch nicht Schuld daran! Und plötzlich stand er auf, denn als er an das Ende dachte, wollte es ihm die Brust zersprengen. »Gehen wir«, sagte er.

»Ja, frische Luft ist die Hauptsache«, entgegnete Rebay.

Jedek war plötzlich böse geworden, kein Mensch wußte, warum. Er stellte sich vor einen Tisch hin, an dem ein friedliches Paar saß, fuchtelte mit seinem Spazierstaberl herum und schrie mit hoher Stimme: »Da soll der Teufel ein Glaserer werden – Himmelsakerment!« Die beiden friedlichen Leute wurden verlegen und wollten ihn beschwichtigen; die übrigen lachten und hielten ihn für betrunken.

Breiteneder und Rebay waren schon auf der weißen Straße, und Jedek, wieder ganz ruhig geworden, kam ihnen nachgetänzelt. Er nahm sein graues Hütel ab, hing es an seinen Spazierstock und hielt den Stock mit dem Hut über den Schultern wie ein Gewehr, während er mit der anderen Hand gewaltige grüßende Bewegungen zum Himmel empor vollführte.

»Sie brauchen nicht zu glauben, daß ich mich entschuldigen will«, sagte Rebay mit klappernden Zähnen. »Oho, hab' gar keine Ursache! Durchaus nicht! Ich hab' die beste Absicht gehabt, und jedermann wird es mir zugestehen. Hab' ich denn das Lied nicht selber mit ihr einstudiert?... Bitte sehr, jawohl! Ja, noch wie sie mit den verbundenen Augen im Zimmer gesessen is, hab' ich's einstudiert mit ihr... Und wissen S', wie ich auf die Idee kommen bin? Es ist ein Unglück, hab' ich mir gedacht, aber es ist doch nicht alles verloren. Ihre Stimme hat sie noch, und ihr schönes Gesicht... Auch der Mutter hab' ich's g'sagt, die ganz verzweifelt war. Frau Ladenbauer, hab' ich ihr gesagt, da ist noch nichts verloren – passen S' nur auf! Und dann, heutzutage, wo es diese Blindeninstitute gibt, wo sie sogar mit der Zeit wieder lesen und schreiben lernen... Und dann hab' ich einen gekannt – einen jungen Menschen, der ist mit zwanzig Jahren blind worden. Der hat jede Nacht von die schönsten Feuerwerk geträumt, von alle möglichen Beleuchtungen...«

Breiteneder lachte auf. »Reden S' im Ernst?« fragte er ihn.

»Ach was!« entgegnete Rebay grob. »Was wollen Sie denn? Soll ich mich umbringen, ich?... Warum denn? – Meiner Seel', ich hab' Unglück genug gehabt auf der Welt! – Oder meinen Sie, das ist ein Leben, Herr von Breiteneder, wenn man einmal Theaterstück' geschrieben hat, wie ich als junger Mensch, und man ist mit achtundsechzig schließlich so weit, daß man auf einem elenden Klimperkasten für schäbige paar Kreuzer die heisern Ludern begleiten muß, und ihnen die Couplets schreiben... Wissen S', was ich für ein Couplet krieg'?... Sie möchten sich wundern, Herr von Breiteneder!«

»Aber man spielt sie auf dem Werkel«, sagte Jedek, der jetzt ganz ernst und manierlich, ja elegant neben ihnen herging.

»Was wollen denn Sie von mir?« sagte Breiteneder. Es war ihm plötzlich, als verfolgten ihn die beiden, und er wußte nicht, warum. Was hatte er mit den Leuten zu tun?... Rebay aber sprach weiter: »Eine Existenz hab' ich dem Mädel gründen wollen!... Verstehen S', eine neue Existenz!... Grad mit dem neuen Lied!... Grad mit dem!... Und ist es vielleicht nicht schön?... Ist es nicht rührend?...«

Der kleine Jedek hielt plötzlich Breiteneder am Rockärmel zurück, erhob den Zeigefinger der linken Hand, Aufmerksamkeit gebietend, spitzte die Lippen und pfiff. Er pfiff die Melodie des neuen Liedes, das Marie Ladenbauer, genannt die »weiße Amsel«, heute nachts gesungen hatte. Er pfiff sie geradezu vollendet; denn auch das gehörte zu seinen Kunstfertigkeiten.

»Die Melodie hat's nicht gemacht«, sagte Breiteneder.

»Wieso?« schrie Rebay. – Sie gingen alle rasch, liefen beinahe, trotzdem der Weg beträchtlich anstieg. »Wieso denn, Herr von Breiteneder?... Der Text ist schuld, glauben S'?... Ja, um Gottes willen, steht denn in dem Text was anderes, als was die Marie selbst gewußt hat?... Und in ihrem Zimmer, wie ich's ihr einstudiert hab', hat sie nicht ein einziges Mal geweint. Sie hat g'sagt: ›Das ist ein trauriges Lied, Herr Rebay, aber schön ist's!...‹ ›Schön ist's‹, hat sie gesagt... Ja freilich ist es ein trauriges Lied, Herr von Breiteneder – es ist ja auch ein trauriges Los, was ihr zugestoßen ist. Da kann ich ihr doch kein lustiges Lied schreiben?...«

Die Straße verlor sich in den Wald. Durch die Äste schimmerte die Sonne; aus den Büschen tönte Lachen, klangen Rufe. Sie gingen alle drei nebeneinander, so schnell, als wollte einer dem andern davonlaufen. Plötzlich fing Rebay wieder an: »Und die Leut' – Kreuzdonnerwetter! – haben sie nicht applaudiert wie verrückt?... Ich hab's ja im voraus gewußt, mit dem Lied wird sie einen Riesenerfolg haben! – Und es hat ihr auch eine Freud' gemacht... förmlich gelacht hat sie übers ganze Gesicht, und die letzte Strophe hat sie wiederholen müssen. Und es ist auch eine rührende Strophe! Wie sie mir eingefallen ist, sind mir selber die Tränen ins Aug' gekommen – wissen S' wegen der Anspielung auf das andere Lied, das sie immer singt...« Und er sang, oder er sprach vielmehr, nur daß er die Reimworte immer herausstieß wie einen Orgelton: »Wie wunderschön war es doch früher a u f d e r W e l t, – Wo die Sonn' mir hat g'schienen auf Wald und a u f F e l d, – Wo i Sonntag mit mein' Schatz spaziert bin aufs L a n d – Und er hat mich aus Lieb' nur geführt bei der H a n d. – Jetzt geht mir die Sonn' nimmer auf und die S t e r n', – Und das Glück und die Liebe, die sind mir so f e r n!«

»Genug!« schrie Breiteneder. »Ich hab's ja gehört!«

»Ist's vielleicht nicht schön?« sagte Rebay und schwang den Zylinder. »Es gibt nicht viele, die solche Couplets machen heutzutag. Fünf Gulden hat mir der alte Ladenbauer gegeben... das sind meine Honorare, Herr von Breiteneder. Dabei hab' ich's noch einstudiert mit ihr.«

Und Jedek hob wieder den Zeigefinger und sang sehr leise den Refrain: »O Gott, wie bitter ist mir das gescheh'n – Daß ich nimmer soll den Frühling seh'n...«

»Also w a r u m, frag' ich!...« rief Rebay. »Warum?... Gleich nachher war ich doch bei ihr drin... Ist nicht wahr, Jedek?... Und sie ist mit einem glückseligen Lächeln dag'sessen, hat ihr Viertel Wein getrunken, und ich hab' ihr die Haar' gestreichelt und hab' ihr g'sagt: ›Na, siehst du, Marie, wie's den Leuten g'fallen hat? Jetzt werden gewiß auch Leut' aus der Stadt zu uns herauskommen; das Lied wird Aufsehen machen... Und singen tust du's prachtvoll...‹ Und so weiter, was man halt so red't, bei solchen Gelegenheiten... Und der Wirt ist auch hereingekommen und hat ihr gratuliert. Und Blumen hat sie bekommen – von Ihnen waren s' nicht, Herr von Breiteneder... Und alles war in bester Ordnung... Also, warum soll da mein Couplet schuld sein? Das ist ja ein Blödsinn!«

Plötzlich blieb Breiteneder stehen und packte den Rebay bei den Schultern. »Warum haben S' ihr denn gesagt, daß ich da bin?... Warum denn?... Hab' ich Sie nicht gebeten, daß Sie's ihr nicht sagen sollen?«

»Lassen S' mich aus! Ich hab' ihr nichts gesagt! Von der Alten wird sie's gehört haben!«

»Nein«, sagte Jedek verbindlich und verbeugte sich, »ich war so frei, Herr von Breiteneder – ich war so frei. Weil ich g'wußt hab', Sie sein da, hab' ich ihr g'sagt, daß Sie da sein. Und weil sie so oft nach Ihnen g'fragt hat, während sie krank war, hab' ich ihr g'sagt: ›Der Herr Breiteneder is da... hinten bei der Latern' is er g'standen‹, hab ich ihr g'sagt, ›und hat sich großartig unterhalten!‹«

»So?« sagte Breiteneder. Es schnürte ihm die Kehle zu, und er mußte die Augen fortwenden von dem starren Blick, den Jedek auf ihn gerichtet hielt. Ermattet ließ er sich auf eine Bank nieder, an der sie eben vorbeikamen, und schloß die Augen. Er sah sich plötzlich wieder im Garten sitzen, und die Stimme der alten Frau Ladenbauer klang ihm im Ohr: »Die Marie laßt Ihnen schön grüßen: ob Sie nicht mit uns mitkommen möchten nach der Vorstellung?« Er erinnerte sich, wie ihm da mit einem Mal zumute geworden war, so wunderbar wohl, als hätte ihm die Marie alles verziehen. Er trank seinen Wein aus und ließ sich einen besseren geben. Er trank so viel, daß ihm das ganze Leben leichter vorkam. Geradezu vergnügt sah und hörte er den folgenden Produktionen zu, klatschte wie die anderen Leute, und als die Vorstellung aus war, ging er wohlgelaunt durch den Garten und den Saal ins Extrazimmer des Wirtshauses, an den runden Ecktisch, wo sich die Gesellschaft nach der Vorstellung gewöhnlich versammelte. Einige saßen schon da: der Wiegel-Wagel, Jedek mit seiner Frau, irgendein Herr mit einer Brille, den Karl gar nicht kannte – alle begrüßten ihn und waren gar nicht besonders erstaunt, ihn wiederzusehen. Plötzlich hörte er die Stimme der Marie hinter sich: »Ich find' schon hin, Mutter, ich kenn' ja den Weg.« Er wagte nicht, sich umzuwenden, aber da saß sie schon neben ihm und sagte: »Guten Abend, Herr Breiteneder – wie geht's Ihnen denn?« Und in diesem Augenblick erinnerte er sich auch, daß sie seinerzeit zu irgendeinem jungen Menschen, der früher einmal ihr Liebhaber gewesen war, später immer »Sie« und »Herr« gesagt hatte. Und dann aß sie ihr Nachtmahl; man hatte ihr alles vorgeschnitten hingesetzt, und die ganze Gesellschaft war heiter und vergnügt, als hätte sich gar nichts geändert. »Gut is' gangen«, sagte der alte Ladenbauer. »Jetzt kommen wieder bessere Zeiten.« Frau Jedek erzählte, daß alle die Stimme der Marie viel schöner gefunden hatten als früher, und Herr Wiegel-Wagel erhob sein Glas und rief: »Auf das Wohl der Wiedergenesenen!« Marie hielt ihr Glas in die Luft, alle stießen mit ihr an, auch Karl rührte mit seinem Glas an das ihre. Da war ihm, als ob sie ihre toten Augen in die seinen versenken wollte, und als könnte sie tief in ihn hineinschauen. Auch der Bruder war da, sehr elegant gekleidet, und offerierte Karl eine Zigarre. Am lustigsten war Ilka; ihr Verehrer, ein junger dicker Mann mit angstvoller Stirn, saß ihr gegenüber und unterhielt sich lebhaft mit Herrn Ladenbauer. Frau Jedek aber hatte ihren gelben Regenmantel nicht abgelegt und schaute in irgendeine Ecke, wo nichts zu sehen war. Zwei- oder dreimal kamen Leute von einem benachbarten Tisch herüber und gratulierten Marie; sie antwortete in ihrer stillen Weise wie früher, als hätte sich nicht das Allergeringste verändert. Und plötzlich sagte sie zu Karl: »Aber warum denn gar so stumm?« Jetzt erst merkte er, daß er die ganze Zeit dagesessen war, ohne den Mund aufzutun. Aber nun wurde er lebhafter als alle, beteiligte sich an der Unterhaltung; nur an Marie richtete er kein Wort. Rebay erzählte von der schönen Zeit, da er Couplets für Matras geschrieben hatte, trug den Inhalt einer Posse vor, die er vor fünfunddreißig Jahren verfertigt hatte, und spielte die Rollen selbst gewissermaßen vor. Insbesondere als böhmischer Musikant erregte er große Heiterkeit. Um eins brach man auf. Frau Ladenbauer nahm den Arm ihrer Tochter. Alle lachten, schrieen... es war ganz sonderbar; keiner fand mehr etwas Besonderes daran, daß um Marie die Welt nun ganz finster war. Karl ging neben ihr. Die Mutter fragte ihn harmlos nach allerlei: Wie's zu Hause ginge, wie er sich auf der Reise unterhalten hätte, und Karl erzählte hastig von allerlei Dingen, die er gesehen, insbesondere von den Theatern und Singspielhallen, die er besucht hatte, und wunderte sich nur immer, wie sicher Marie ihren Weg ging, von der Mutter geführt, und wie ruhig und heiter sie zuhörte. Dann saßen sie alle im Kaffeehaus, einem alten, rauchigen Lokal, das um diese Zeit schon ganz leer war; und der dicke Freund der ungarischen Ilka hielt die Gesellschaft frei. Und nun, im Lärm und Trubel ringsum, war Marie ganz nah an Karl gerückt, geradeso wie manchmal in früherer Zeit, so daß er die Wärme ihres Körpers spürte. Und plötzlich fühlte er gar, wie sie seine Hand berührte und streichelte, ohne daß sie ein Wort dazu sprach. Nun hätte er so gern etwas zu ihr gesagt: irgend was Liebes, Tröstendes – aber er konnte nicht... Er schaute sie von der Seite an, und wieder war ihm, als sähe ihn aus ihren Augen etwas an; aber nicht ein Menschenblick, sondern etwas Unheimliches, Fremdes, das er früher nicht gekannt – und es erfaßte ihn ein Grauen, als wenn ein Gespenst neben ihm säße... Ihre Hand bebte und entfernte sich sachte von der seinen, und sie sagte leise: »Warum hast du denn Angst? Ich bin ja dieselbe.« Er vermochte wieder nicht zu antworten und redete gleich mit den andern. Nach einiger Zeit rief plötzlich eine Stimme: »Wo ist denn die Marie?« Es war die Frau Ladenbauer. Nun fiel allen auf, daß Marie verschwunden war. »Wo ist denn die Marie?« riefen andere. Einige standen auf, der alte Ladenbauer stand an der Tür des Kaffeehauses und rief auf die Straße hinaus: »Marie!« Alle waren aufgeregt, redeten durcheinander. Einer sagte: »Aber wie kann man denn so ein Geschöpf überhaupt allein aufstehen und fortgehen lassen?« Plötzlich drang ein Ruf aus dem Hof des Hauses herein: »Bringt's Kerzen!... Bringt's Laternen!« Und eine schrie: »Jesus Maria!« Das war wieder die Stimme der alten Frau Ladenbauer. Alle stürzten durch die kleine Kaffeehausküche in den Hof. Die Dämmerung kam schon über die Dächer geschlichen. Um den Hof des einstöckigen Hauses lief ein Holzgang, an der Brüstung oben lehnte ein Mann in Hemdärmeln, einen Leuchter mit brennender Kerze in der Hand, und schaute herunter. Zwei Weiber im Nachtkleid erschienen hinter ihm, ein anderer Mann rannte über die knarrende Stiege herunter. Das war es, was Karl zuerst sah. Dann sah er irgend etwas vor seinen Augen schimmern, jemand hielt einen weißen Spitzenschal in die Höhe und ließ ihn wieder fallen. Er hörte Worte neben sich: »Es hilft ja nichts mehr... sie rührt sich nimmer... Holt's doch einen Doktor!... Was ist denn mit der Rettungsgesellschaft?... Ein Wachmann! Ein Wachmann!...« Alle flüsterten durcheinander, einige eilten auf die Straße hinaus, der einen Gestalt folgte Karl unwillkürlich mit den Augen; es war die lange Frau Jedek in dem gelben Mantel, sie hielt beide Hände verzweifelt an die Stirn, lief davon und kam nicht zurück... Hinter Karl drängten Leute. Er mußte mit den Ellbogen nach rückwärts stoßen, um nicht über die Frau Ladenbauer zu stürzen, die auf der Erde kniete, Mariens beide Hände in ihrer Hand hielt, sie hin und her bewegte und dazu schrie: »So red' doch!... So red' doch!...« Jetzt kam endlich einer mit einer Laterne, der Hausbesorger, in einem braunen

Schlafrock und in Schlappschuhen; er leuchtete der Liegenden ins Gesicht. Dann sagte er: »Aber so ein Malheur! Und g'rad da am Brunnen muß sie mit'm Kopf aufg'fallen sein.« Und nun sah Karl, daß Marie neben der steinernen Umfassung des Brunnens ausgestreckt lag. Plötzlich meldete sich der Mann in Hemdärmeln auf dem Gange: »Ich hab' was poltern gehört, es ist noch keine fünf Minuten!« Und alle sahen zu ihm hinauf, aber er wiederholte nur immer: »Es sind noch keine fünf Minuten, da hab' ich's poltern gehört...« – »Wie hat sie denn nur heraufg'funden?« flüsterte jemand hinter Karl. »Aber bitt' Sie«, erwiderte ein anderer, »das Haus ist ihr doch bekannt; da hat sie sich durch die Küche halt herausgetastet, dann hinauf über die Holzstiegen, und dann über die Brüstung hinunter – is ja net so schwer!« So flüsterte es rings um Karl, aber er kannte nicht einmal die Stimmen, obwohl es sicher lauter Bekannte waren, die redeten; und er wandte sich auch nicht um. Irgendwo in der Nachbarschaft krähte ein Hahn. Karl war es zumut wie in einem Traum. Der Hausmeister stellte die Laterne auf die Umfassung des Brunnens; die Mutter schrie: »Kommt denn nicht bald ein Doktor?« Der alte Ladenbauer hob den Kopf der Marie in die Höhe, so daß das Licht der Laterne ihr gerade ins Gesicht schien. Nun sah Karl deutlich, wie die Nasenflügel sich regten, die Lippen zuckten und wie die offenen toten Augen ihn geradeso anschauten, wie früher. Er sah jetzt auch, daß es an der Stelle, von der man den Kopf der Marie emporgehoben hatte, rot und feucht war. Er rief: »Marie! Marie!« Aber es hörte ihn niemand, und er hörte sich selber nicht. Der Mann oben im Gang stand noch immer da, lehnte über die Brüstung, die zwei Frauen neben ihm, als wohnten sie einer Vorstellung bei. Die Kerze war ausgelöscht. Violetter Frühdämmer lag über dem Hof. Frau Ladenbauer hatte den Kopf der Marie auf das zusammengefaltete weiße Spitzentuch gebettet; Karl blieb regungslos stehen und starrte hinab. Es war hell genug mit einem Mal. Er sah jetzt, daß alles in Mariens Gesicht vollkommen ruhig war und daß sich nichts bewegte als die Blutstropfen, die von der Stirne, aus den Haaren über die Wangen, über den Hals langsam auf das feuchte Steinpflaster hinabbrannten; und er wußte nun, daß Marie tot war...

Karl öffnete die Augen, wie um einen bösen Traum zu verscheuchen. Er saß allein auf der Bank am Wegrande, und er sah, wie der Kapellmeister Rebay und der verrückte Jedek dieselbe Straße hinuntereilten, die sie alle miteiannder heraufgegangen waren. Die beiden schienen heftig miteinander zu reden, mit fuchtelnden Händen und gewaltigen Gebärden, der Spazierstock Jedeks zeichnete sich wie eine feine Linie am Horizont ab; immer rascher gingen sie, von einer leichten Staubwolke begleitet, aber ihre Worte verklangen im Wind. Ringsherum glänzte die Landschaft, und tief unten in der Glut des Mittags schwamm und zitterte die Stadt.

Der tote Gabriel

Sie tanzte an ihm vorüber, im Arme eines Herrn, den er nicht kannte, neigte ganz leise den Kopf, und lächelte. Ferdinand Neumann verbeugte sich tiefer, als es sonst seine Art war. Sie ist auch da, dachte er verwundert und fühlte sich mit einem Male freier als vorher. Wenn Irene es über sich vermochte, schon vier Wochen nach Gabriels Tod in weißem Kleide mit einem beliebigen unbekannten Herrn durch einen lichten Saal zu schweben, so durfte er sich's auch nicht länger übelnehmen, an diesen Ort der lauten Freude gekommen zu sein. Heute abend zum erstenmal nach vier Wochen stiller Zurückgezogenheit war er von dem Wunsch erfaßt worden, wieder unter Menschen zu gehen. Zur angenehmen Überraschung seiner Eltern, die sich ihres Sohnes tiefe Verstimmung über den Tod eines doch nur flüchtigen Bekannten kaum zu erklären gewußt hatten, war er zum Abendessen im Frack erschienen, hatte die Absicht geäußert, den Juristenball zu besuchen, und entfernte sich bald mit dem angenehmen Gefühl, den guten alten Leuten ohne besondere Mühe eine kleine Freude bereitet zu haben.

Im Fiaker, der ihn nach den Sophiensälen führte, wurde ihm wieder etwas beklommen ums Herz. Er dachte der Nacht, in der er von Wilhelminens Fenster aus drüben am Stadtparkgitter eine dunkle Gestalt hatte auf und ab wandeln sehen; des Morgens, an dem er, noch im Bette liegend, die Nachricht von dem Selbstmord Gabriels in der Zeitung gefunden; der Stunde, da ihm Wilhelmine den ergreifenden Brief zu lesen gegeben, in dem Gabriel von ihr, ohne ein Wort des Vorwurfs, ewigen Abschied genommen hatte. Auch während er über die breite Treppe emporstieg und selbst im Saal beim Rauschen der Musik war ihm nicht heiterer zumute geworden; erst Irenens Anblick hatte seine Stimmung erhellt.

Er kannte Irene schon einige Jahre, ohne je ein sonderliches

Interesse an ihr genommen zu haben, und wie allen Bekannten des Hauses war auch ihm ihre Neigung zu Gabriel kein Geheimnis geblieben. Als Ferdinand ein paar Tage vor Weihnachten im Hause ihrer Eltern zu Gaste gewesen war, hatte sie mit ihrer angenehmen dunklen Stimme ein paar Lieder gesungen. Gabriel hatte sie auf dem Klavier begleitet, und Ferdinand erinnerte sich deutlich, daß er sich gefragt hatte: Warum heiratet denn der gute Junge nicht das liebe, einfache Geschöpf, statt sich an diese großartige Wilhelmine zu hängen, die ihn sicher demnächst betrügen wird? Daß gerade er vom Schicksal ausersehen war, diese Ahnung wahr zu machen, das hatte Ferdinand an jenem Tage freilich noch nicht geahnt. Doch was den wahren Anteil seiner Schuld an Gabriels Tod anbelangte, so hatte Anastasius Treuenhof, der Versteher aller irdischen und göttlichen Dinge, sofort festgestellt, daß ihm in dieser ganzen Angelegenheit nicht die Rolle eines Individuums, sondern die eines Prinzips zugefallen, daß daher wohl zu gelinder Wehmut, keineswegs aber zu ernsthafter Reue ein Anlaß vorhanden sei. Immerhin war es ein peinlicher Augenblick für Ferdinand gewesen, als er mit Wilhelmine an Gabriels Grabe stand, auf dem noch die welkenden Kränze lagen, und seine Begleiterin plötzlich mit jenem Tonfall, den er von der Bühne her so gut kannte, zu ihm, dem Tränen über die Wangen liefen, die Worte sprach: »Ja, du Schuft, nun kannst du freilich weinen.« Eine Stunde später schwor sie allerdings, daß um seinetwillen auch Bessere als Gabriel hätten sterben dürfen, und in den letzten Tagen schien es Ferdinand manchmal, als hätte sie alles Traurige, was geschehen war, einfach vergessen. Treuenhof wußte auch diesen seltsamen Umstand zu erklären, und zwar damit, daß die Frauen mit den Urelementen verwandter als die Männer und daher von Anbeginn dazu geschaffen wären, das Unabänderliche mit Ruhe hinzunehmen.

Zum zweitenmal tanzte Irene an Ferdinand vorüber und wieder lächelte sie. Aber ihr Lächeln schien ein anderes als das erstemal; beziehungsreicher, grüßender, und ihr Blick blieb auf Ferdinand haften, während sie schon wieder davonschwebte und mit ihrem Tänzer in der Menge verschwand. Als der Walzer zu

Ende war, spazierte Ferdinand im Saal herum, fragte sich, was ihn eigentlich hergelockt hatte, und ob es der Mühe wert gewesen war, die edle Melancholie seines Daseins, der in der letzten Zeit die leidenschaftlichen Stunden in Wilhelminens Armen nur einen düstern Reiz mehr verliehen, von der rauschenden Banalität dieses Ballabends stören zu lassen. Und er bekam plötzlich Sehnsucht, sich nicht nur von dem Balle zu entfernen, sondern in den allernächsten Tagen, vielleicht morgen, die Stadt zu verlassen und eine Reise nach dem Süden anzutreten, nach Sizilien oder Ägypten. Er überlegte eben, ob er vor seiner Abfahrt Wilhelminen Lebewohl sagen sollte – als plötzlich Irene vor ihm stand. Leicht neigte sie den Kopf und erwiderte seinen Gruß; er reichte ihr den Arm und führte sie durch das Gedränge im Saal die wenigen Stufen hinauf zu dem breiten Gang mit den gedeckten Tischen, der rings um den Tanzsaal lief. Eben fing die Musik wieder an und beim ersten Schwellen der Akkorde sagte Irene leise: »Er ist tot – und wir zwei sind da.« Ferdinand erschrak ein wenig, beschleunigte unwillkürlich seine Schritte und bemerkte endlich: »Es ist heute das erstemal seither, daß ich unter so vielen Menschen bin.«

»Für mich ist's heute schon das drittemal«, erwiderte Irene mit klarer Stimme. »Einmal bin ich im Theater gewesen und einmal auf einer Soiree.«

»War es amüsant?« fragte Ferdinand.

»Ich weiß es nicht. Irgendwer hat Klavier gespielt, irgendein anderer hat komische Sachen vorgetragen, und dann hat man getanzt.«

»Ja es ist immer dasselbe«, bemerkte Ferdinand.

Sie standen vor einer Tür. »Ich bin zur Quadrille engagiert«, sagte Irene, »aber ich will sie nicht tanzen. Flüchten wir auf die Galerie.« Ferdinand führte Irene über die schmale, kühle Wendeltreppe hinauf. Er sah einzelne feine Puderstäubchen auf Irenes Schultern. Das schwarze Haar trug sie in einem schweren Knoten tief im Nacken. Ihr Arm lag leicht in dem seinen. Die Tür zur Galerie stand offen, in der ersten Loge saß ein Kellner, der sich nun eilig erhob.

»Ich will ein Glas Champagner trinken«, sagte Irene.

Oh! dachte Ferdinand – sollte sie interessanter sein, als ich vermutete? Oder ist es Affektation?

Er bestellte den Wein, dann rückte er ihr einen Sessel zurecht, so daß man sie von unten nicht sehen konnte.

»Sie waren sein Freund?« fragte Irene und sah ihm fest ins Auge.

»Sein Freund? Das kann man eigentlich nicht sagen. Jedenfalls waren unsere Beziehungen in den letzten Jahren nur sehr lose.« Und er dachte: Wie sonderbar sie mich ansieht. Sollte sie ahnen, daß ich... Doch er sprach weiter: »Vor fünf oder sechs Jahren habe ich zugleich mit ihm an der Universität einige Vorlesungen gehört. Wir haben nämlich beide Jus studiert, überflüssgerweise. Dann, vor drei Jahren, im Herbst, haben wir miteinander eine Radpartie gemacht, von Innsbruck aus, wo wir uns ganz zufällig getroffen hatten. Über den Brenner. In Verona haben wir uns wieder getrennt. Ich bin nach Hause gereist, er nach Rom.«

Irene nickte manchmal, als wenn sie lauter bekannte Dinge zu hören bekäme. Ferdinand fuhr fort: »In Rom hat er übrigens sein erstes Stück geschrieben, vielmehr das erste, das aufgeführt wurde.«

»Ja«, sagte Irene.

»Er hat nicht viel Glück gehabt«, bemerkte Ferdinand. Der Champagner stand auf dem Tisch. Ferdinand schenkte ein. Sie ließen die Gläser aneinanderklingen, und während sie tranken, sahen sie einander ernst ins Auge, als gälte das erste Glas dem Gedächtnis des Entschwundenen. Dann setzte Irene das Glas nieder und sagte ruhig: »Wegen der Bischof hat er sich umgebracht.«

»Das wird behauptet«, erwiderte Ferdinand einfach und empfand Befriedigung darüber, daß er sich mit keiner Miene verriet.

Die Einleitungsklänge der Quadrille schmetterten so heftig, daß die Champagnerkelche leise bebten.

»Kennen Sie die Bischof persönlich?« fragte Irene.

»Ja«, erwiderte Ferdinand. Also, sie hat keine Ahnung, dachte er. Natürlich. Wenn sie es ahnte, tränke sie wohl nicht hier heroben mit mir Champagner. Oder vielleicht erst recht...?

»Ich habe die Bischof neulich als Medea gesehen«, sagte Irene. »Nur ihretwegen bin ich ins Theater gegangen. Seit der Premiere des Stückes von Gabriel im vorigen Winter hatte ich sie nicht auf der Bühne gesehen. Damals hat die Geschichte wohl angefangen?«

Ferdinand zuckte die Achseln, er wußte gar nichts. Und er stellte fest: »Sie ist eine große Künstlerin.«

»Das ist wohl möglich«, erwiderte Irene, »aber ich glaube nicht, daß sie darum das Recht hat...«

»Was für ein Recht?« fragte Ferdinand, während er die Gläser von neuem füllte.

»Das Recht, einen Menschen in den Tod zu treiben«, schloß Irene und blickte ins Leere.

»Ja, mein Fräulein«, sagte Ferdinand bedächtig, »wo hier einerseits das Recht, andererseits die Verantwortung anfängt, das läßt sich schwer entscheiden. Und wenn man die näheren Umstände nicht kennt, wie kann man da... Jedenfalls gehört Fräulein Bischof zu den Wesen, die, wie soll ich nur sagen, mit den Elementargeistern verwandter sind als wir anderen Menschen, und man darf an solche Geschöpfe wahrscheinlich nicht das gleiche Maß legen wie an unsereinen.«

Irene hatte ihren kleinen altmodischen Elfenbeinfächer auf den Tisch gelegt, nahm ihn nun wieder auf und führte ihn an Wange und Stirn, wie zur Kühlung. Dann trank sie ihr Glas auf einen Zug aus und sagte: »Daß sie ihm nicht treu geblieben ist – nun, das ist ja vielleicht zu verstehen. Aber warum ist sie nicht aufrichtig zu ihm gewesen? Warum hat sie ihm nicht gesagt: Es ist aus. Ich liebe einen andern, laß uns scheiden. Es hätte ihm gewiß sehr weh getan, aber in den Tod getrieben hätt' es ihn nicht.«

»Wer weiß«, sagte Ferdinand langsam.

»Gewiß nicht«, wiederholte Irene hart. »Nur der Ekel war es, der ihn dahin gejagt hat. Der Ekel. Daß er denken mußte: dieselben Worte, die ich heute gehört, dieselben Zärtlichkeiten, die ich heute empfangen..." Ein Zucken ging durch ihren Körper, ihr Blick schweifte über die Brüstung in den Saal hinaus, und sie schwieg.

Ferdinand sah sie an und begriff nicht, daß sich irgendein Mensch auf Erden Wilhelminens wegen umbringen konnte, der von diesem Mädchen geliebt war. Er zweifelte in diesem Moment auch stärker als je, daß Gabriel jemals Talent gehabt hätte. Freilich konnte er sich des Stückes nur dunkel entsinnen, in dem Wilhelmine voriges Jahr die Hauptrolle gespielt hatte und nach dessen Mißerfolg sie, wie zur Entschädigung, Gabriels Geliebte geworden war. Sehr leise sagte Irene jetzt, mit abgewandtem Blick: »Sie haben also in den letzten Jahren nicht mit ihm verkehrt?«

»Wenig«, erwiderte Ferdinand. »Erst im letzten Herbst sind wir wieder einige Male zusammengekommen. Ich bin ihm zufällig einmal auf dem Ring begegnet. Er war gerade in Gesellschaft der Bischof, und wir haben dann alle drei im Volksgarten miteinander soupiert. Es war ein sehr gemütlicher Abend. Man konnte noch im Freien sitzen, obwohl es schon Ende Oktober war. Dann sind wir noch ein paarmal zusammen gewesen nach diesem Abend – ein- oder zweimal sogar oben bei Fräulein Bischof. Ja, es hatte gewissermaßen den Anschein, als wenn man einander wiedergefunden hätte, nach langer Zeit. Aber es wurde nichts daraus.« Ferdinand sah an Irene vorbei und lächelte.

»Nun will ich Ihnen etwas erzählen«, sagte Irene. »Ich hatte die Absicht, Fräulein Bischof zu besuchen.«

»Wie?« rief Ferdinand und betrachtete Irenens Stirn, die sehr weiß war und höher, als Mädchenstirnen zu sein pflegen.

Die Quadrille war zu Ende und die Musik schwieg. Lärmend von unten drang das Gewirr der Stimmen. Einige gleichgültige Worte, als hätten sie die Kraft, sich von den anderen loszulösen, drangen deutlicher herauf.

»Ich war sogar fest entschlossen«, sagte Irene, während sie den elfenbeinernen Fächer auf- und zuklappte. »Aber – denken sie, wie kindisch, im letzten Moment versagte mir immer der Mut.«

»Warum wollten Sie sie denn besuchen?« fragte Ferdinand.

»Warum? Das ist doch sehr einfach. Ich wollte sie eben von Angesicht zu Angesicht sehen, ihre Stimme hören, wollte wissen, wie sie im gewöhnlichen Leben spricht und sich bewegt, sie um allerlei alltägliche Dinge fragen. Begreifen Sie denn das nicht?« fügte sie plötzlich heftig hinzu, lachte kurz, trank einen Schluck aus ihrem Glase und redete weiter. »Es interessiert einen doch, wie diese Frauen eigentlich sind, diese geheimnisvollen, die man mit anderem Maße messen muß, wie Sie behaupten, die, für die gute Menschen sich umbringen, und die drei Tage später wieder auf der Bühne stehen, so herrlich und so groß, als hätte sich nichts auf der Welt verändert.«

Zwei Herren gingen vorüber, blieben stehen, wandten sich um und starrten Irene an. Ferdinand war ärgerlich und entschlossen, wenn diese Ungezogenheit nur eine Sekunde länger andauerte, aufzustehen und die beiden Herren zur Rede zu stellen. Und er sah sich schon Karten wechseln, Zeugen empfangen, im Morgengrauen durch den Prater fahren, durch die Brust getroffen auf die feuchte Erde sinken und endlich Wilhelminen mit irgendeinem Komödianten an seinem Grabe stehen. Aber noch vor Ablauf der Sekunde, die er den Herren Frist gegönnt hatte, starrten sie nicht mehr und spazierten weiter. Und Ferdinand hörte wieder Irenens Stimme: »Jetzt hätte ich Mut«, sagte sie mit einem seltsamen, wie verzweifelten Lächeln.

»Wozu Mut?« fragte Ferdinand.

»Mut, das Fräulein Bischof zu besuchen.«

»Das Fräulein Bischof zu besuchen... jetzt – ?«

»Ja, gerade jetzt. Was denken Sie dazu?« Und sie wiegte die Schultern im Takte der Musik. »Oder sollen wir Walzer tanzen?«

»Immerhin liegt es näher«, meinte Ferdinand.

»Ist es nicht sonderbar«, sagte Irene mit lustigen Augen. »Was hat sich denn geändert, seitdem wir hier in der Loge sitzen und Champagner trinken? Nichts. Nicht das geringste. Und plötzlich kommt einem vor, daß der Tod gar nichts so Schreckliches ist, als man sich gewöhnlich vorstellt. Sehen Sie; ohne weiteres könnte ich mich hier herunterstürzen – oder auch von einem Turm. Wie nichts erscheint mir das. Ein Spaß. Und wie gut bekannt wir zwei miteinander geworden sind! Aber das verdanken Sie nur Gabriel.«

»Ich habe mir nie eingebildet...« sagte Ferdinand verbindlich lächelnd und merkte, daß er ein wenig Herzklopfen hatte.

Irenens Augen waren nicht mehr lustig, sie waren groß, schwarz und ernst. »Und wissen Sie, wie ich mir das dachte«, sagte sie, ohne auf ihn zu hören. »Ich wollte mich als angehende Künstlerin vorstellen oder einfach als glühende Verehrerin. Schon lange sehne ich mich... schon lange schmachte ich danach... in der Art wollte ich beginnen. Sie sind doch alle sehr eitel diese Frauen, nicht?«

»Das gehört zum Beruf«, erwiderte Ferdinand.

»Ah, ich hätte ihr so geschmeichelt, daß sie ganz entzückt gewesen wäre und mich gewiß aufgefordert hätte, wiederzukommen... Und ich wär' auch wiedergekommen, öfters sogar, ganz intim wären wir geworden, Freundinnen geradezu; bis ich eines Tages... – ja – bis ich ihr's ins Gesicht geschrieen hätte, in irgendeiner Stunde: ›Wissen Sie auch, was Sie getan haben... Wissen Sie, was Sie sind? Eine Mörderin! Ja, das sind Sie, Fräulein Bischof.‹«

Ferdinand betrachtete sie mit Staunen und dachte wieder: Was für ein Narr dieser Gabriel gewesen ist.

Die Quadrille war aus, unten summte und rauschte es, und alles kam von ferner als vorher. Zwei Paare spazierten vorbei, setzten sich gar nicht weit zu einem der Tische an der Wand, unterhielten sich und lachten ganz laut. Dann fing die Musik wieder an; es klang und schwoll durch den Raum.

»Und wenn ich jetzt zu ihr hinginge?« fragte Irene.

»Jetzt?«

»Was denken Sie, empfinge sie mich?«

»Es wäre eine sonderbare Stunde«, sagte Ferdinand lächelnd.

»Ach, es kann noch lange nicht Mitternacht sein, und sie hat ja heute gespielt.«

»Sie wissen das?«

»Was ist daran verwunderlich, steht es nicht in der Zeitung? Sie wird eben erst nach Hause gekommen sein. Wäre es nicht die einfachste Sache von der Welt? Man läßt sich melden, erzählt irgendeine Geschichte oder ganz einfach die Wahrheit. Ja. Ich komme geradewegs von einem Ball, meine Sehnsucht, Sie kennenzulernen, war unüberwindlich, nur einmal wollt' ich die göttliche Hand küssen... und so weiter. – Indessen wartet unten der Wagen, noch vor der großen Pause ist man zurück. Kein Mensch hat es bemerkt.«

»Wenn Sie dazu bereit sind, Fräulein«, sagte Ferdinand, »so erlauben Sie mir wohl, Sie zu begleiten.«

Irene sah ihn an. Der Ausdruck seiner Mienen war entschlossen und erregt. »Sie glauben doch nicht, daß ich wirklich...«

»Aber von einem Turm zu springen, Fräulein, dazu hätten Sie Mut genug?...«

Irene schaute ihm ins Auge, und plötzlich stand sie auf. »Dann aber gleich«, sagte sie, und über ihre Stirn lief ein dunkler Schatten.

Ferdinand rief den Kellner, bezahlte, reichte Irene den Arm und führte sie über die zwei Treppen hinab in die Vorhalle. Dort half er ihr in den hellgrauen Mantel, sie schlug den Pelzkragen in die Höhe und nahm ein Spitzentuch über den Kopf. Ohne ein Wort miteinander zu reden, traten beide unter das Tor in die Einfahrt. Ein Wagen fuhr herbei, und lautlos über die beschneite Straße rollten sie ihrem Ziele zu.

Ferdinand sah Irene zuweilen von der Seite an. Sie saß regungslos, und aus ihrem verhüllten Gesicht starrten die Augen ins Dunkle. Als nach wenigen Minuten der Wagen vor dem Hause auf dem Parkring stehen blieb, wartete Irene, bis Ferdinand geklingelt hatte und das Tor geöffnet war. Dann erst stieg sie aus und beide gingen langsam die Treppen hinauf. Ferdinand fühlte sich wie aus einem Traum erwachen, als das wohlbekannte Kammermädchen vor ihm stand und ihn und seine Begleiterin verwundert betrachtete.

»Bitte, fragen Sie das Fräulein«, sagte Ferdinand, »ob sie die Güte haben möchte, uns zu empfangen.«

Das Mädchen lächelte dumm und führte das Paar in den Salon. Die Flammen des Deckenlüsters strahlten auf, und Ferdinand sah Irene und sich selbst wie zwei fremde Menschen in dem venezianischen Spiegel schweben, der schiefgeneigt über dem schwarzen, glänzenden Flügel hing. Plötzlich fuhr ihm ein Gedanke durch den Kopf. Wie, wenn Irene sich nur darum hierher hätte führen lassen, um Wilhelmine zu ermorden? Der Einfall schwand so schnell, als er gekommen war; aber jedenfalls erschien ihm das junge Mädchen, wie es neben ihm stand und ihm das Spitzentuch langsam vom Kopf herabglitt, völlig verändert, ja, wie irgendein fremdes Wesen, dessen Stimme er noch nicht einmal kannte.

Eine Tür öffnete sich, und Wilhelmine trat ein in einem glatten samtnen Hauskleid, das den Hals frei ließ. Sie reichte Ferdinand die Hand und betrachtete ihn und das Fräulein mit Blicken, die eher Heiterkeit als Verwunderung ausdrückten. Ferdinand versuchte den Anlaß des nächtlichen Besuches mit scherzhaften Worten zu erklären. Er berichtete, wie seine Begleiterin während des Tanzes von nichts anderem gesprochen als von ihrer Bewunderung für Fräulein Bischof, und wie er sich in einer Art von Faschingslaune erbötig gemacht hatte, das Fräulein zu nachtschlafener Stunde in das Haus der Wunderbaren zu geleiten – auf die Gefahr hin, daß sie beide gleich wieder die Treppe hinunterbefördert würden.

»Was fällt Ihnen ein«, erwiderte Wilhelmine, »im Gegenteil, ich bin entzückt«, und sie reichte Irene die Hand. »Nur muß ich die Herrschaften bitten, mir beim Abendessen Gesellschaft zu leisten, ich komme nämlich eben aus dem Theater.« Man begab sich in den Nebenraum, wo unter einer grünlichen Kristallglocke drei matte Glühlampen einen nur zur Hälfte gedeckten Tisch beleuchteten. Während Ferdinand seinen Pelz ablegte und ihn auf den Diwan warf, nahm Wilhelmine Irenen den Mantel selbst von den Schultern und hing ihn über eine Stuhllehne. Hierauf nahm sie Gläser aus der Kredenz, füllte sie mit weißem Wein, stellte sie vor Ferdinand und Irene hin, dann erst setzte sie sich nieder, nahm sich ruhig ein Stück kaltes Fleisch auf den Teller, zerschnitt es, sagte »Erlauben Sie« und begann zu essen. Von Zeit zu Zeit warf sie einen gutmütigen, wie von fern lächelnden Blick auf Irene und Ferdinand.

Sie findet es natürlich selbstverständlich, dachte Ferdinand ein wenig enttäuscht. Und wenn ich mit der Kaiserin von China gekommen wäre und ihr jetzt meine Ernennung zum Mandarin mitteilte, es käme ihr auch nicht sonderbar vor. Schade eigentlich. »Denn Frauen, die niemals staunen, gehören niemandem ganz...« Es war ein Wort von Treuenhof, das ihm ziemlich ungenau durch den Kopf ging.

»War es lustig auf dem Ball?« fragte Wilhelmine. Ferdinand berichtete, daß der Saal überfüllt wäre, meist von häßlichen Menschen, und auch mit der Musik wär' es nicht zum Besten bestellt. Er redete so hin. Wilhelmine blickte ihm wohlgelaunt ins Gesicht und wandte sich an Irene mit der Frage, ob ihr Begleiter ein flotter Tänzer wäre.

Irene nickte und lächelte. Ihr »Ja« war beinahe unhörbar.

»Sie haben heute ›Feodora‹ gespielt, Fräulein?« fragte Ferdinand, um das Gespräch nicht stocken zu lassen. »War es gut besucht?«

»Ausverkauft«, erwiderte Wilhelmine.

Irene sprach: »Als Feodora habe ich Sie leider noch nicht gesehen, Fräulein Bischof. Aber neulich als Medea. Es war herrlich.«

»Heißen Dank«, entgegnete Wilhelmine.

Irene äußerte noch einige Worte der Bewunderung, dann fragte sie Wilhelmine nach ihren Lieblingsrollen und schien ihren Antworten mit Anteilnahme zu lauschen; endlich kam es zu einem oberflächlich wirren Gespräch darüber, wer der größere Schauspieler sei, der in der darzustellenden Gestalt sich völlig verliere oder der über seiner Rolle stehe. Hier erwähnte Ferdinand, daß er mit einem jungen Komiker bekannt gewesen sei, der ihm selbst erzählt hatte, wie er eine gewisse höchst lustige Rolle gerade am Begräbnistage seines Vaters wirkungsvoller gespielt hätte als je.

»Sie haben ja nette Freunde«, bemerkte hierauf Wilhelmine und steckte eine Orangenschnitte in den Mund.

Wie ist es nun eigentlich? dachte Ferdinand. Hat Fräulein Irene vergessen, daß sie Wilhelmine ins Gesicht eine Mörderin heißen wollte...? Und weiß Wilhelmine überhaupt noch, daß ich ihr Geliebter bin, ich, der mit einer fremden jungen Dame ihr mitten in der Nacht einen Besuch abstattet...?

»Sie haben ein so reges Interesse fürs Theater, Fräulein«, bemerkte Wilhelmine, »sollten Sie vielleicht einmal daran gedacht haben, selbst die Karriere einzuschlagen?«

Irene schüttelte den Kopf. »Ich habe leider kein Talent.«

»Nun danken Sie Gott«, sagte Wilhelmine, »es ist ein Sumpf.«

Und jetzt, während sie begann, von den Niederträchtigkeiten zu erzählen, die man als Künstlerin von allen Seiten zu erdulden habe, sah Ferdinand, wie Irene, gleichsam gebannt, zu einer Tür hinschaute, die angelehnt war und durch deren Spalt es bläulich hereinschimmerte. Und er bemerkte, wie Irenes Antlitz, das bisher regungslos gewesen war, unter seiner Blässe sich leise zu bewegen, wie die schweigenden Lippen seltsam zu zucken begannen. Und ihm war, als gewahrte er in ihren weit geöffneten Augen eine frevelhafte Lust, in das bläuliche Zimmer einzudringen und ihr Gesicht in den Polster zu graben, auf dem Gabriels Haupt einmal geruht hatte. Dann fiel ihm ein, daß ein längeres Ausbleiben Irenens, wenn es schon bis jetzt unbemerkt geblieben sein mochte, immerhin von unangenehmen Folgen für sie und vielleicht auch für ihn begleitet sein könnte; und er rückte seinen Sessel.

Irene wandte sich ihm zu, wie aus einem Traum erwachend. Noch war ein Nachklang von Wilhelminens letzten Worten in der Luft, die keiner gehört hatte.

»Es ist wohl Zeit, daß wir gehen«, sagte Irene und erhob sich.

»Ich bedaure sehr«, erwiderte Wilhelmine, »daß ich nicht länger das Vergnügen habe.«

Irene betrachtete sie mit einem ruhig prüfenden Blick.

»Nun, mein Kind?« fragte Wilhelmine.

»Es ist sonderbar«, sagte Irene, »wie Sie mich an ein Bild erinnern, Fräulein, das bei uns zu Hause hängt. Es stellt eine kroatische oder slowakische Bäuerin vor, die auf einer beschneiten Landstraße vor einem Heiligenbild betet.«

Wilhelmine nickte gedankenvoll, als erinnerte sie sich ganz deutlich des Wintertages, an dem sie irgendwo in Kroatien vor jenem Heiligenbild im Schnee gekniet war. Dann ließ sie es sich nicht nehmen, Irenen selbst den Mantel um die Schultern zu legen, und begleitete ihre Gäste ins Vorzimmer. »Nun tanzen Sie lustig weiter«, sagte sie. »Das heißt, wenn Sie wirklich auf den Ball zurückfahren.«

Irene wurde totenblaß, aber sie lächelte.

»Man muß sich vor ihm hüten«, fügte Wilhelmine hinzu und warf einen Blick auf Ferdinand, den ersten, in dem irgend etwas wie die Erinnerung an die vergangene Nacht lag.

Ferdinand erwiderte nichts und fühlte nur, wie Irene ihn und Wilhelmine mit einem und demselben dunklen Blick umfaßte.

Das Stubenmädchen erschien, Wilhelmine reichte nochmals ihren Gästen die Hand, sprach die Hoffnung aus, das junge Mädchen bald wieder bei sich zu sehen, und lächelte Ferdinand an, als hätte sie ein verabredetes Spiel gegen ihn gewonnen.

Von dem Stubenmädchen mit der Kerze geleitet, schweigend, schritten Ferdinand und Irene die Treppe hinunter. Bald schloß sich das Haustor hinter ihnen. Der Kutscher öffnete den Schlag, Irene stieg ein, Ferdinand setzte sich an ihre Seite. Die Pferde trabten durch den stillen Schnee. Von einer Straßenlaterne fiel plötzlich ein Strahl auf Irenens Antlitz. Ferdinand sah, wie sie ihn anstarrte und die Lippen halb öffnete.

»Also Sie«, sagte sie leise. Und es war ihm, als bebte Staunen, Grauen, Haß in ihrer Stimme. Sie waren im Dunkeln. Wenn sie einen Dolch bei sich hätte, dachte Ferdinand, ob sie ihn mir ins Herz stieße...? Wie man's auch nimmt, dazu käm' ich recht unschuldig. War ich nicht vielmehr ein Prinzip, als... Und er überlegte, ob er nicht versuchen sollte, ihr die Sache zu erklären. Nicht etwa, um sich zu rechtfertigen, sondern eher, weil dieses kluge Geschöpf es wohl verdiente, in die tieferen Zusammenhänge der ganzen Geschichte eingeweiht zu werden.

Plötzlich fühlte er sich umklammert und auf seinen Lippen die

Irenens, wild, heiß und süß. Es war ein Kuß, wie er noch niemals einen gefühlt zu haben glaubte, so duftend und so geheimnisvoll; und er wollte nicht enden. Erst als der Wagen stehen blieb, löste sich Mund von Mund.

Ferdinand verließ den Wagen und war Irenen beim Aussteigen behilflich.

»Sie werden mir nicht folgen«, sagte sie hart und war auch schon in der Halle verschwunden. Ferdinand blieb draußen stehen. Er dachte keinen Augenblick daran, ihren Befehl zu mißachten. Er fühlte ganz deutlich und mit plötzlichem Schmerz, daß es vorbei war und daß diesem Kuß nichts folgen konnte. –

Drei Tage später berichtete er sein Abenteuer Anastasius Treuenhof, dem man nichts zu verschweigen brauchte, da Diskretion ihm gegenüber geradeso kindisch gewesen wäre wie vor dem lieben Gott.

»Es ist schade«, sagte Anastasius nach kurzem Besinnen, »daß sie nicht Ihre Geliebte geworden ist. Euer Kind hätte mich interessiert. Kinder der Liebe haben wir genug, Kinder der Gleichgültigkeit allzuviel, an Kindern des Hasses herrscht ein fühlbarer Mangel. Und es ist nicht unmöglich, daß uns gerade von ihnen das Heil kommen wird.«

»Sie glauben also«, fragte Ferdinand...

»Nun was denn bilden Sie sich ein?« entgegnete Anastasius streng.

Ferdinand senkte das Haupt und schwieg.

Im übrigen hatte er sein Schlafwagenbillett nach Triest in der Tasche, von dort ging es dann weiter nach Alexandrien, Kairo, Assuan... Seit drei Tagen begriff er auch, daß Menschen aus hoffnungsloser Liebe sterben können... andere natürlich... andere.

Geschichte eines Genies

»So wär' ich denn auf die Welt gekommen«, sagte der Schmetterling, schwebte über einem braunen Zweig hin und her und betrachtete die Gegend. Milde Märzsonne war über dem Park, drüben auf den Hängen lag noch einiger Schnee, und feucht glänzend zog die Landstraße zu Tal. Zwischen zwei Gitterstäben flog er ins Freie. »Dieses also ist das Universum«, dachte der Schmetterling, fand es im ganzen bemerkenswert und machte sich auf die Reise. Es fror ihn ein wenig, aber da er so rasch als möglich weiterflog und die Sonne immer höher stieg, wurde ihm allmählich wärmer.

Anfangs begegnete er keinem lebenden Wesen. Später kamen ihm zwei kleine Mädchen entgegen, die sehr erstaunt waren, als sie ihn gewahrten, und in die Hände klatschten.

»Ei«, dachte der Schmetterling, »ich werde mit Beifall begrüßt, offenbar seh' ich nicht übel aus.« Dann begegnete er Reitern, Maurergesellen, Rauchfangkehrern, einer Schafherde, Schuljungen, Bummlern, Hunden, Kindermädchen, Offizieren, jungen Damen; und über ihm in der Luft kreisten Vögel aller Art.

»Daß es nicht viel meinesgleichen gibt«, dachte der Schmetterling, »das hab' ich vermutet, aber daß ich der Einzige meiner Art bin, das übertrifft immerhin meine Erwartungen.«

Er segelte weiter, wurde etwas müde, bekam Appetit und ließ sich zum Erdboden nieder; aber nirgends fand er Nahrung.

»Wie wahr ist es doch«, dachte er, »daß es das Los des Genies ist, Kälte und Entbehrungen zu leiden. Aber nur Geduld, ich werde mich durchringen.«

Indes stieg die Sonne immer höher, dem Schmetterling wurde wärmer, und mit neuen Kräften flog er weiter. Nun erhob sich die Stadt vor ihm, er schwebte durchs Tor, über Plätze und Straßen, wo sich viele Menschen ergingen; und alle, die ihn bemerkten, waren erstaunt, lächelten einander vergnügt zu und sagten: »Nun will es doch Frühling werden.« Der Schmetterling setzte sich auf den Hut eines jungen Mädchens, wo eine Rose aus Samt ihn anlockte, aber die seidenen Staubfäden schmeckten ihm durchaus nicht. »Daran sollen es sich andre genügen lassen«, dachte er, »ich für meinen Teil will weiter hungern, bis ich einen Bissen finde, der meines Gaumens würdig ist.«

Er erhob sich aus dem Kelch, und durch ein offenes Fenster schwebte er in ein Zimmer, wo Vater, Mutter und drei Kinder bei Tische saßen.

Die Kinder sprangen auf, als der Schmetterling über den Suppentopf geflattert kam, der große Junge haschte nach ihm und hatte ihn gleich bei den Flügeln.

»Also auch das muß ich an mir erfahren«, dachte der Schmetterling nicht ohne Bitterkeit und Stolz, »daß ein Genie Verfolgungen preisgegeben ist.« Diese Tatsache war ihm ebenso bekannt wie alle übrigen, denn da er ein Genie war, hatte er die Welt antizipiert.

Da der Vater dem Jungen einen Schlag auf die Hand gab, ließ er den Schmetterling los, und dieser flog eiligst wieder ins Freie, nicht ohne den Vorsatz, seinen Retter bei nächster Gelegenheit fürstlich zu belohnen.

Durch das Stadttor flatterte er wieder auf die Landstraße hinaus. »Nun wäre es wohl genug für heute«, dachte er. »Meine Jugend war so reich an Erlebnissen, daß ich daran denken muß, meine Memoiren zu diktieren.«

Ganz in der Ferne winkten die Bäume des heimatlichen Gartens. Immer heftiger wurde die Sehnsucht des Schmetterlings nach einem warmen Plätzchen und nach Blütenstaub. Da gewahrte er mit einem Mal irgend etwas, das ihm entgegengeflattert kam und im übrigen genauso aussah wie er selbst. Einen Augenblick lang stutzte er, gleich aber besann er sich und sagte: »Über diese höchst sonderbare Begegnung hätte sich ein anderer wahrscheinlich gar keine Gedanken gemacht. Für mich aber ist sie der Anlaß zu der Entdeckung, daß man in gewissen durch Hunger und Kälte erzeugten Erregungszuständen sein eigenes Spiegelbild in der Luft zu gewahren vermag.«

Ein Junge kam gelaufen und fing den neuen Schmetterling mit der Hand. Da lächelte der erste und dachte: »Wie dumm die Menschen sind. Nun denkt er, er hat mich, und er hat doch nur mein Spiegelbild gefangen.«

Es flimmerte ihm vor den Augen, und er wurde immer matter. Und als er gar nicht mehr weiterkonnte, legte er sich an den Rand des Wegs, um zu schlummern. Die Kühle, der Abend kam, der Schmetterling schlief ein. Die Nacht zog über ihn hin, der Frost hüllte ihn ein. Beim ersten Sonnenstrahl wachte er noch einmal auf. Und da sah er vom heimatlichen Garten her Wesen herbeigaukeln, eines... zwei... drei... immer mehr, die alle so aussahen wie er und über ihn hinwegflogen, als bemerkten sie ihn nicht. Müde sah der Schmetterling zu ihnen auf und versank in tiefes Sinnen. »Ich bin groß genug«, dachte er endlich, »meinen Irrtum einzusehen. Gut denn, es gibt im Universum Wesen, die mir ähnlich sind, wenigstens äußerlich.«

Auf der Wiese blühten die Blumen, die Falter ruhten auf den Kelchen aus, nahmen herrliche Mahlzeiten ein und flatterten weiter.

Der alte Schmetterling blieb auf dem Boden liegen. Er fühlte eine gewisse Verbitterung in sich aufsteigen. »Ihr habt es leicht«, dachte er. »Nun ist es freilich keine Kunst, zur Stadt zu fliegen, da ich euch den Weg gesucht habe und mein Duft euch auf der Straße voranzieht. Aber das tut nichts. Bleib' ich nicht der einzige, so war ich doch der erste. Und morgen werdet ihr am Rande des Weges liegen, gleich mir.«

Da kam ein Wind über ihn geweht, und seine armen Flügel bewegten sich noch einmal sanft hin und her. »Oh, ich beginne mich zu erholen«, dachte er erfreut. »Nun wartet nur, morgen flattere ich so über euch hin, wie ihr heut' über mich geflogen seid.« Da sah er etwas Riesiges, Dunkles immer näher an sich herankommen. »Was ist das?« dachte er erschrocken. »Oh, ich ahne es. So erfüllt sich mein Los. Ein ungeheures Schicksal naht sich, um mich zu zermalmen.« Und während das Rad eines Bierwagens über ihn hinwegging, dachte er mit einer letzten Regung seiner verscheidenden Seele: »Wo werden sie wohl mein Denkmal hinsetzen?«

Der Tod des Junggesellen

Es wurde an die Türe geklopft, ganz leise, doch der Arzt erwachte sofort, machte Licht und erhob sich aus dem Bett. Er warf einen Blick auf seine Frau, die ruhig weiterschlief, nahm den Schlafrock um und trat ins Vorzimmer. Er erkannte die Alte nicht gleich, die mit dem grauen Tuch um den Kopf dastand.

»Unserm gnädigen Herrn ist plötzlich sehr schlecht geworden«, sagte sie, »der Herr Doktor möchte so gut sein und gleich hinkommen.«

Nun erkannte der Arzt die Stimme. Es war die der Wirtschafterin seines Freundes, des Junggesellen. Der erste Gedanke des Doktors war: Mein Freund ist fünfundfünfzig Jahre alt, das Herz ist schon seit zwei Jahren nicht in Ordnung, es könnte wohl etwas Ernstes sein. Und er sagte: »Ich komme sofort, wollen Sie so lange warten?«

»Herr Doktor entschuldigen, ich muß noch geschwind zu zwei anderen Herren fahren.« Und sie nannte die Namen des Kaufmanns und des Dichters.

»Was haben Sie bei denen zu tun?«

»Der gnädige Herr will sie noch einmal sehen.«

»Noch – einmal – sehen?«

»Ja, Herr Doktor.«

Er läßt seine Freunde rufen, dachte der Arzt, so nahe fühlt er sich dem Tode... Und er fragte: »Ist wer bei Ihrem Herrn?«

Die Alte erwiderte: »Freilich, Herr Doktor, der Johann rührt sich nicht fort.« Und sie ging.

Der Doktor trat ins Schlafzimmer zurück, und während er sich rasch und möglichst geräuschlos ankleidete, stieg etwas Bitteres in seiner Seele auf. Es war weniger der Schmerz, daß er vielleicht bald einen guten alten Freund verlieren sollte, als die peinliche Empfindung, daß sie nun so weit waren, sie alle, die noch vor wenig Jahren jung gewesen.

In einem offenen Wagen, durch eine milde, schwere Frühlingsnacht fuhr der Arzt in die nahe Gartenstadt, wo der Junggeselle wohnte. Er sah zum Fenster des Schlafzimmers hinauf, das weit offen stand, und aus dem ein blasser Lichtschein in die Nacht herausgeflimmert kam.

Der Arzt ging die Treppe hinauf, der Diener öffnete, grüßte ernst und senkte traurig die linke Hand.

»Wie?« fragte der Arzt mit stockendem Atem. »Komm ich zu spät?«

»Ja, Herr Doktor«, erwiderte der Diener, »vor einer Viertelstunde ist der gnädige Herr gestorben.«

Der Arzt atmete tief auf und trat ins Zimmer. Sein toter Freund lag da, mit schmalen, bläulichen, halb geöffneten Lippen, die Arme über der weißen Decke ausgestreckt; der dünne Vollbart war zerrauft, in die Stirne, die blaß und feucht war, fielen ein paar graue Haarsträhnen. Vom Seidenschirm der elektrischen Lampe, die auf dem Nachtkästchen stand, breitete ein rötlicher Schatten sich über die Polster. Der Arzt betrachtete den Toten. Wann ist er das letztemal in unserem Haus gewesen, dachte er. Ich erinnere mich, es schneite an dem Abend. Im vergangenen Winter also. Man hat sich recht selten gesehen in der letzten Zeit.

Von draußen kam ein Geräusch vom Scharren der Pferde. Der Arzt wandte sich von dem Toten ab und sah drüben dünne Äste in die Nachtluft fließen.

Der Diener trat ein, und nun erkundigte sich der Arzt, wie alles gekommen sei.

Der Diener erzählte dem Arzt eine wohlbekannte Geschichte, von plötzlichem Übelbefinden, Atemnot, Herausspringen aus dem Bett, Auf- und Abgehen im Zimmer, Hineineilen zum Schreibtisch und Wiederzurückwanken ins Bett, von Durst und Stöhnen, von einem letzten Indiehöhefahren und Hinsinken in die Polster. Der Arzt nickte dazu, und seine rechte Hand hielt die Stirne des Toten berührt.

Ein Wagen fuhr vor. Der Arzt trat zum Fenster. Er sah den Kaufmann aussteigen, der einen fragenden Blick zu ihm heraufwarf. Der Arzt senkte unwillkürlich die Hand, wie früher der Diener, der ihn empfangen hatte. Der Kaufmann warf den Kopf zurück, als wollte er's nicht glauben, der Arzt zuckte die Achseln, trat vom Fenster fort und setzte sich, plötzlich ermüdet, auf einen Sessel zu Füßen des Toten hin.

Der Kaufmann trat ein, im offenen, gelben Überzieher, legte seinen Hut auf ein kleines Tischchen nahe der Tür und drückte dem Arzte die Hand. »Das ist ja furchtbar«, sagte er, »wie ist es denn geschehen?« Und er starrte den Toten mit mißtrauischen Augen an.

Der Arzt berichtete, was er wußte, und setzte hinzu: »Auch wenn ich zurecht gekommen wäre, so hätt' ich nicht helfen können.« »Denken Sie«, sagte der Kaufmann, »es sind heute gerade acht Tage, daß ich ihn zuletzt im Theater gesprochen habe. Ich wollte nachher mit ihm soupieren, aber er hatte wieder eine seiner geheimnisvollen Verabredungen.« »Hatte er die noch immer?« fragte der Arzt mit einem trüben Lächeln.

Wieder hielt ein Wagen. Der Kaufmann trat ans Fenster. Als er den Dichter aussteigen sah, zog er sich zurück, denn nicht einmal durch eine Miene wollte er der Künder der traurigen Neuigkeit sein. Der Arzt hatte aus seinem Etui eine Zigarette genommen und drehte sie verlegen hin und her. »Es ist eine Gewohnheit aus meiner Spitalzeit«, bemerkte er entschuldigend. »Wenn ich nachts ein Krankenzimmer verließ, das erste war immer, daß ich mir draußen eine Zigarette anzündete, ob ich nun eine Morphiuminjektion gemacht hatte oder eine Totenbeschau.« »Wissen Sie«, sagte der Kaufmann, »wie lang' ich keinen Toten gesehen habe? Vierzehn Jahre – seit mein Vater auf der Bahre lag.« »Und – Ihre Frau?« »Meine Frau hab' ich wohl in den letzten Augenblicken gesehen, aber – nachher nicht mehr.«

Der Dichter erschien, reichte den anderen die Hand, einen unsichern Blick zum Bett gerichtet. Dann trat er entschlossen näher und betrachtete den Leichnam ernst, doch nicht ohne ein verachtungsvolles Zucken der Lippen. Also er, sprach es in seinem Sinn. Denn oft hatte er mit der Frage gespielt, wer von seinen näheren Bekannten bestimmt sein mochte, als der Erste den letzten Weg zu gehen.

Die Wirtschafterin trat ein. Mit Tränen in den Augen sank sie vor dem Bette nieder, schluchzte und faltete die Hände. Der Dichter legte leicht und tröstend die Hand auf ihre Schulter.

Der Kaufmann und der Arzt standen am Fenster, die dunkle Frühlingsluft spielte um ihre Stirnen.

»Es ist eigentlich sonderbar«, begann der Kaufmann, »daß er um uns alle geschickt hat. Wollte er uns um sein Sterbebett versammelt sehen? Hatte er uns irgend etwas Wichtiges zu sagen?«

»Was mich anbelangt«, sagte der Doktor schmerzlich lächelnd, »so wär' es weiter nicht sonderbar, da ich ja Arzt bin. Und Sie«, wandte er sich an den Kaufmann, »waren wohl zuweilen sein geschäftlicher Beirat. So handelte es sich vielleicht um letztwillige Verfügungen, die er Ihnen persönlich anvertrauen wollte.«

»Das wäre möglich«, sagte der Kaufmann.

Die Wirtschafterin hatte sich entfernt, und die Freunde konnten hören, wie sie im Vorzimmer mit dem Diener redete. Der Dichter stand noch immer am Bett und hielt geheimnisvolle Zwiesprache mit dem Toten. »Er«, sagte der Kaufmann leise zum Arzt, »er, glaub' ich, war in der letzten Zeit häufiger mit ihm zusammen. Vielleicht wird er uns Aufschluß geben können.« Der Dichter stand regungslos; er bohrte seine Blicke in die verschlossenen Augen des Toten. Die Hände, die den breitrandigen grauen Hut hielten, hatte er am Rücken gekreuzt. Die beiden andern Herren wurden ungeduldig. Der Kaufmann trat näher und räusperte. »Vor drei Tagen«, trug der Dichter vor, »hab ich einen zweistündigen Spaziergang mit ihm gemacht, draußen auf den Weinbergen. Wollen Sie wissen, wovon er sprach? Von einer Reise nach Schweden, die er für den Sommer vorhatte, von der neuen Rembrandtmappe, die in London bei Watson herausgekommen ist und endlich von Santos Dumont. Er gab allerlei mathematisch-physikalische Erörterungen über das lenkbare Luftschiff, die ich, ehrlich gestanden, nicht vollkommen kapiert habe. Wahrhaftig, er dachte nicht an den Tod. Allerdings dürfte es sich ja so verhalten, daß man in einem gewissen Alter wieder aufhört, an den Tod zu denken.«

Der Arzt war ins Nebenzimmer getreten. Hier konnte er es wohl wagen, sich seine Zigarette anzuzünden. Es berührte ihn eigentümlich, gespensterhaft geradezu, als er auf dem Schreibtisch, in der bronzenen Schale, weiße Asche liegen sah. Warum bleib' ich eigentlich noch da, dachte er, indem er sich auf dem Sessel vor dem Schreibtisch niederließ. Ich hätte am ehesten das Recht fortzugehen, da ich doch offenbar nur als Arzt gerufen wurde. Denn mit unserer Freundschaft war es nicht weit her. In meinen Jahren, dachte er weiter, ist es für einen Menschen meiner Art wohl überhaupt nicht möglich, mit einem Menschen befreundet zu sein, der keinen Beruf hat, ja der niemals einen hatte. Wenn er nicht reich gewesen wäre, was hätte er wohl angefangen? Wahrscheinlich hätte er sich der Schriftstellerei ergeben; er war ja sehr geistreich. – Und er erinnerte sich mancher boshaft-treffenden Bemerkung des Junggesellen, insbesondere über die Werke ihres gemeinsamen Freundes, des Dichters.

Der Dichter und der Kaufmann traten herein. Der Dichter machte ein verletztes Gesicht, als er den Doktor auf dem verwaisten Schreibtischsessel sitzen sah, eine Zigarette in der Hand, die übrigens noch immer nicht angebrannt war, und er schloß die Türe hinter sich zu. Nun war man hier doch gewissermaßen in einer anderen Welt. »Haben Sie irgendeine Vermutung?« fragte der Kaufmann. »Inwiefern?« fragte der Dichter zerstreut. »Was ihn veranlaßt haben könnte, nach uns zu schicken, gerade nach uns!« Der Dichter fand es überflüssig nach einer besonderen Ursache zu forschen. »Unser Freund«, erklärte er, »fühlte eben den Tod herannahen, und wenn er auch ziemlich einsam lebte, wenigstens in der letzten Zeit, – in einer solchen Stunde regt sich in Naturen, die ursprünglich zur Geselligkeit geschaffen sind, wahrscheinlich das Bedürfnis, Menschen um sich zu sehen, die ihnen nahe standen.« »Er hatte doch jedenfalls eine Geliebte«, bemerkte der Kaufmann. »Geliebte«, wiederholte der Dichter und zog die Augenbrauen verächtlich in die Höhe.

Jetzt gewahrte der Arzt, daß die mittlere Schreibtischlade halb geöffnet war. »Ob hier nicht sein Testament liegt«, sagte er. »Was kümmert uns das«, meinte der Kaufmann, »zum mindesten in diesem Augenblick. Übrigens lebt eine Schwester von ihm verheiratet in London.«

Der Diener trat ein. Er war so frei sich Ratschläge zu erbitten wegen der Aufbahrung, des Leichenbegräbnisses, der Partezettel. Ein Testament sei wohl seines Wissens beim Notar des gnädigen Herrn hinterlegt, doch ob es Anordnungen über diese Dinge enthielte, sei ihm zweifelhaft. Der Dichter fand es dumpf und schwül im Zimmer. Er zog die schwere rote Portiere von dem einen Fenster fort und öffnete beide Flügel. Ein breiter dunkelblauer Streifen Frühlingsnacht floß herein. Der Arzt fragte den Diener, ob ihm nicht etwa bekannt sei, aus welchem Anlaß der Verstorbene nach ihnen habe senden lassen, denn wenn er es recht bedenke, in seiner Eigenschaft als Arzt sei er doch schon jahrelang nicht mehr in dieses Haus gerufen worden. Der Diener begrüßte die Frage wie eine erwartete, zog ein übergroßes Portefeuille aus seiner Rocktasche, entnahm ihm ein Blatt Papier und berichtete, daß der gnädige Herr schon vor sieben Jahren die Namen der Freunde aufgezeichnet hätte, die er an seinem Sterbebett versammelt wünschte. Also auch, wenn der gnädige Herr nicht mehr bei Bewußtsein gewesen wäre, er selbst aus eigener Machtvollkommenheit hätte sich erlaubt, nach den Herren auszusenden.

Der Arzt hatte dem Diener den Zettel aus der Hand genommen und fand fünf Namen aufgeschrieben: außer denen der drei Anwesenden den eines vor zwei Jahren verstorbenen Freundes und den eines Unbekannten. Der Diener erläuterte, daß dieser letztere ein Fabrikant gewesen sei, in dessen Haus der Junggeselle vor neun oder zehn Jahren verkehrt hatte, und dessen Adresse in Verlust und Vergessenheit geraten wäre. Die Herren sahen einander an, befangen und erregt. »Wie ist das zu erklären?« fragte der Kaufmann. »Hatte er die Absicht, eine Rede zu halten in seiner letzten Stunde?« »Sich selbst eine Leichenrede«, setzte der Dichter hinzu.

Der Arzt hatte den Blick auf die offene Schreibtischschublade gerichtet und plötzlich, in großen, römischen Lettern, starrten ihm von einem Kuvert die drei Worte entgegen: »An meine Freunde«. »O«, rief er aus, nahm das Kuvert, hielt es in die Höhe und wies es den anderen. »Dies ist für uns«, wandte er sich an den Diener und deutete ihm durch eine Kopfbewegung an, daß er hier überflüssig sei. Der Diener ging. »Für uns«, sagte der Dichter mit weit offenen Augen. »Es kann doch kein Zweifel sein«, meinte der Arzt, »daß wir berechtigt sind, dies zu eröffnen.« »Verpflichtet«, sagte der Kaufmann und knöpfte seinen Überzieher zu.

Der Arzt hatte von einer gläsernen Tasse ein Papiermesser genommen, öffnete das Kuvert, legte den Brief hin und setzte den Zwicker auf. Diesen Augenblick benutzte der Dichter, um das Blatt an sich zu nehmen und zu entfalten. »Da er für uns alle ist«, bemerkte er leicht und lehnte sich an den Schreibtisch, so daß das Licht des Deckenlüsters über das Papier hinlief. Neben ihn stellte sich der Kaufmann. Der Arzt blieb sitzen. »Vielleicht lesen Sie laut«, sagte der Kaufmann. Der Dichter begann:

»An meine Freunde.« Er unterbrach sich lächelnd. »Ja, hier steht es noch einmal, meine Herren«, und mit vorzüglicher Unbefangenheit las er weiter. »Vor einer Viertelstunde ungefähr hab' ich meine Seele ausgehaucht. Ihr seid an meinem Totenbett versammelt und bereitet Euch vor, gemeinsam diesen Brief zu lesen, – wenn er nämlich noch existiert in der Stunde meines Todes, füg ich hinzu. Denn es könnte sich ja ereignen, daß wieder eine bessere Regung über mich käme.« »Wie?« fragte der Arzt. »Bessere Regung über mich käme«, wiederholte der Dichter und las weiter, »und daß ich mich entschlösse, diesen Brief zu vernichten, der ja mir nicht den geringsten Nutzen bringt und Euch zum mindesten unangenehme Stunden verursachen dürfte, falls er nicht etwa einem oder dem anderen von Euch geradezu das Leben vergiftet.« »Leben vergiftet«, wiederholte fragend der Arzt und wischte die Gläser seines Zwickers. »Rascher«, sagte der Kaufmann mit belegter Stimme. Der Dichter las weiter. »Und ich frage mich, was ist das für eine seltsame Laune, die mich heute an den Schreibtisch treibt und mich Worte niederschreiben läßt, deren Wirkung ich ja doch nicht mehr auf Euren Mienen werde lesen können? Und wenn ich's auch könnte, das Vergnügen wäre zu mäßig, um als Entschuldigung gelten zu dürfen für die fabelhafte Gemeinheit, der ich mich soeben, und zwar mit dem Gefühle herzlichsten Behagens schuldig mache.« »Ho«, rief der Arzt mit einer Stimme, die er an sich nicht kannte. Der Dichter warf dem Arzt einen hastig-bösen Blick zu und las weiter, schneller und tonloser als früher. »Ja, Laune ist es, nichts anderes, denn im Grunde habe ich gar nichts gegen Euch. Hab' Euch sogar alle recht gern, in meiner, wie Ihr mich in Eurer Weise. Ich achte Euch nicht einmal gering, und wenn ich Eurer manchmal gespottet habe, so hab' ich Euch doch nie verhöhnt. Nicht einmal, ja am allerwenigsten in den Stunden, von denen in Euch allen sogleich die lebhaftesten und peinlichsten Vorstellungen sich entwickeln werden. Woher also diese Laune? Ist sie vielleicht doch aus einer tiefen und im Grunde edlen Lust geboren, nicht mit allzuviel Lügen aus der Welt zu gehen? Ich könnte mir's einbilden, wenn ich auch nur ein einziges Mal die leiseste Ahnung von dem verspürt hätte, was die Menschen Reue nennen.« »Lesen Sie doch endlich den Schluß«, befahl der Arzt mit seiner neuen Stimme. Der Kaufmann nahm dem Dichter, der eine Art Lähmung in seine Finger kriechen fühlte, den Brief einfach fort, ließ die Augen rasch nach unten fahren und las die Worte: »Es war ein Verhängnis, meine Lieben, und ich kann's nicht ändern. Alle Eure Frauen habe ich gehabt. Alle.« Der Kaufmann hielt plötzlich inne und blätterte zurück. »Was haben Sie?« fragte der Arzt. »Der Brief ist vor neun Jahren geschrieben«, sagte der Kaufmann. »Weiter«, befahl der Dichter. Der Kaufmann las: »Es waren natürlich sehr verschiedene Arten von Beziehungen. Mit der einen lebte ich beinahe wie in einer Ehe, durch viele Monate. Mit der andern war es ungefähr das, was man ein tolles Abenteuer zu nennen pflegt. Mit der dritten kam es gar so weit, daß ich mit ihr gemeinsam in den Tod gehen wollte. Die vierte habe ich die Treppe hinunter geworfen, weil sie mich mit einem anderen betrog. Und eine war meine Geliebte nur ein einziges Mal. Atmet

Ihr alle zugleich auf, meine Teuern? Tut es nicht. Es war vielleicht die schönste Stunde meines... und ihres Lebens. So meine Freunde. Mehr habe ich Euch nicht zu sagen. Nun falte ich dieses Papier zusammen, lege es in meinen Schreibtisch, und hier mag es warten, bis ich's in einer anderen Laune vernichte, oder bis es Euch übergeben wird in der Stunde, da ich auf meinem Totenbette liege. Lebt wohl.«

Der Arzt nahm dem Kaufmann den Brief aus der Hand, las ihn anscheinend aufmerksam vom Anfang bis zum Ende. Dann sah er zum Kaufmann auf, der mit verschränkten Armen dastand und wie höhnisch zu ihm hinuntersah. »Wenn Ihre Frau auch im vorigen Jahre gestorben ist«, sagte der Arzt ruhig, »deswegen bleibt es doch wahr.« Der Dichter ging im Zimmer auf und ab, warf einige Male den Kopf hin und her, wie in einem Krampf, plötzlich zischte er zwischen den Zähnen hervor »Kanaille« und blickte dem Worte nach, wie einem Ding, das in der Luft zerfloß. Er versuchte sich das Bild des jungen Wesens zurückzurufen, das er einst als Gattin in den Armen gehalten. Andere Frauenbilder tauchten auf, oft erinnerte und vergessen geglaubte, gerade das erwünschte zwang er nicht hervor. Denn seiner Gattin Leib war welk und ohne Duft für ihn, und allzu lange war es her, daß sie aufgehört hatte, ihm die Geliebte zu bedeuten. Doch anderes war sie ihm geworden, mehr und Edleres: eine Freundin, eine Gefährtin; voll Stolz auf seine Erfolge, voll Mitgefühl für seine Enttäuschungen, voll Einsicht in sein tiefstes Wesen. Es erschien ihm gar nicht unmöglich, daß der alte Junggeselle in seiner Bosheit nichts anderes versucht hatte, als ihm, dem insgeheim beneideten Freunde, die Kameradin zu nehmen. Denn all jene anderen Dinge, – was hatten sie im Grunde zu bedeuten? Er gedachte gewisser Abenteuer aus vergangener und naher Zeit, die ihm in seinem reichen Künstlerleben nicht erspart geblieben waren, und über die seine Gattin hinweggelächelt oder -geweint hatte. Wo war dies heute alles hin? So verblaßt, wie jene ferne Stunde, da seine Gattin sich in die Arme eines nichtigen Menschen geworfen, ohne Überlegung, ohne Besinnung vielleicht; so ausgelöscht beinahe, wie die Erinnerung dieser selben Stunde in dem toten Haupt, das da drinnen auf qualvoll zerknülltem Polster ruhte. Ob es nicht sogar Lüge war, was in dem Testament geschrieben stand? Die letzte Rache des armseligen Alltagsmenschen, der sich zu ewigem Vergessen bestimmt wußte, an dem erlesenen Mann, über dessen Werke dem Tode keine Macht gegeben war? Das hatte manche Wahrscheinlichkeit für sich. Aber wenn es selbst Wahrheit war, – kleinliche Rache blieb es doch und eine mißglückte in jedem Fall.

Der Arzt starrte auf das Blatt Papier, das vor ihm lag, und er dachte an die alternde, milde, ja gütige Frau, die jetzt zu Hause schlief. Auch an seine drei Kinder dachte er; den Ältesten, der heuer sein Freiwilligenjahr abdiente, die große Tochter, die mit einem Advokaten verlobt war, und die Jüngste, die so anmutig und reizvoll war, daß ein berühmter Künstler neulich erst auf einem Balle gebeten hatte, sie malen zu dürfen. Er dachte an sein behagliches Heim, und alles das, was ihm aus dem Brief des Toten entgegenströmte, schien ihm nicht so sehr unwahr, als vielmehr von einer rätselhaften, ja erhabenen Unwichtigkeit. Er hatte kaum die Empfindung, daß er in diesem Augenblick etwas Neues erfahren hatte. Eine seltsame Epoche seines Daseins kam ihm ins Gedächtnis, die vierzehn oder fünfzehn Jahre weit zurücklag, da ihn gewisse Unannehmlichkeiten in seiner ärztlichen Laufbahn betroffen und er, verdrossen und endlich bis zur Verwirrung aufgebracht, den Plan gefaßt hatte, die Stadt, seine Frau, seine Familie zu verlassen. Zugleich hatte er damals begonnen eine Art von wüster, leichtfertiger Existenz zu führen, in die ein sonderbares, hysterisches Frauenzimmer hineingespielt hatte, das sich später wegen eines anderen Liebhabers umbrachte. Wie sein Leben nachher allmählich wieder in die frühere Bahn eingelaufen war, daran vermochte er sich überhaupt nicht mehr zu erinnern. Aber in jener bösen Epoche, die wieder vergangen war, wie sie gekommen, einer Krankheit ähnlich, damals mußte es geschehen sein, daß seine Frau ihn betrogen hatte. Ja, gewiß verhielt es sich so, und es war ihm ganz klar, daß er es eigentlich immer gewußt hatte. War sie nicht einmal nahe daran gewesen, ihm die Sache zu gestehen? Hatte sie nicht Andeutungen gemacht? Vor dreizehn oder vierzehn Jahren... Bei welcher Gelegenheit nur...? War es nicht einmal im Sommer gewesen, auf einer Ferienreise – spät abends auf einer Hotelterrasse?... Vergebens sann er den verhallten Worten nach.

Der Kaufmann stand am Fenster und sah in die milde, weiße Nacht. Er hatte den festen Willen, sich seiner toten Gattin zu erinnern. Aber so sehr er seine innern Sinne bemühte, anfangs sah er immer nur sich selbst im Lichte eines grauen Morgens zwischen den Pfosten einer ausgehängten Türe stehen, in schwarzem Anzug, teilnahmvolle Händedrücke empfangen und erwidern, und hatte einen faden Geruch von Karbol und Blumen in der Nase. Erst allmählich gelang es ihm, sich das Bild seiner Gattin ins Gedächtnis zurückzurufen. Doch war es zuerst nichts als das Bild eines Bildes. Denn er sah nur das große goldgerahmte Porträt, das daheim im Salon über dem Klavier hing und eine stolze Dame von dreißig Jahren in Balltoilette vorstellte. Dann erst erschien sie ihm selbst als junges Mädchen, das vor beinahe fünfundzwanzig Jahren, blaß und schüchtern, seine Werbung entgegengenommen hatte. Dann tauchte die Erscheinung einer blühenden Frau vor ihm auf, die neben ihm in der Loge gethront hatte, den Blick auf die Bühne gerichtet und innerlich fern. Dann erinnerte er sich eines sehnsüchtigen Weibes, das ihn mit unerwarteter Glut empfangen hatte, wenn er von einer langen Reise zurückgekehrt war. Gleich darauf gedachte er einer nervösen, weinerlichen Person, mit grünlich matten Augen, die ihm seine Tage durch allerlei schlimme Launen vergällt hatte. Dann wieder zeigte sich in hellem Morgenkleid eine geängstigte, zärtliche Mutter, die an eines kranken Kindes Bette wachte, das auch hatte sterben müssen. Endlich sah er ein bleiches Wesen daliegen mit schmerzlich heruntergezogenen Mundwinkeln, kühlen Schweißtropfen auf der Stirn, in einem von Äthergeruch erfüllten Raum, das seine Seele mit quälendem Mitleid erfüllt hatte. Er wußte, daß alle diese Bilder und noch hundert andere, die nun unbegreiflich rasch an seinem innern Auge vorüberflogen, ein und dasselbe Geschöpf vorstellten, das man vor zwei Jahren ins Grab gesenkt, das er beweint, und nach dessen Tod er sich erlöst gefühlt hatte. Es war ihm, als müßte er aus all den Bildern sich eines wählen, um zu einem unsicheren Gefühl zu gelangen; denn nun flatterten Beschämung und Zorn suchend ins Leere. Unentschlossen stand er da und betrachtete die Häuser drüben in den Gärten, die gelblich und rötlich im Mondschein schwammen und nur blaßgemalte Wände schienen, hinter denen Luft war.

»Gute Nacht«, sagte der Arzt und erhob sich. Der Kaufmann wandte sich um. »Ich habe hier auch nichts mehr zu tun.« Der Dichter hatte den Brief an sich genommen, ihn unbemerkt in seine Rocktasche gesteckt und öffnete nun die Tür ins Nebenzimmer. Langsam trat er an das Totenbett, und die anderen sahen ihn, wie er stumm auf den Leichnam niederblickte, die Hände auf dem Rücken. Dann entfernten sie sich.

Im Vorzimmer sagte der Kaufmann zum Diener: »Was das Begräbnis anbelangt, so wär' es ja doch möglich, daß das Testament beim Notar nähere Bestimmungen enthielte.« »Und vergessen Sie nicht«, fügte der Arzt hinzu, »an die Schwester des gnädigen Herrn nach London zu telegraphieren.« »Gewiß nicht«, erwiderte der Diener, indem er den Herren die Türe öffnete.

Auf der Treppe noch holte sie der Dichter ein. »Ich kann Sie beide mitnehmen«, sagte der Arzt, den sein Wagen erwartete. »Danke«, sagte der Kaufmann, »ich gehe zu Fuß.« Er drückte den beiden die Hände, spazierte die Straße hinab, der Stadt zu und ließ die Milde der Nacht um sich sein.

Der Dichter stieg mit dem Arzt in den Wagen. In den Gärten begannen die Vögel zu singen. Der Wagen fuhr an dem Kaufmann vorbei, die drei Herren lüfteten jeder den Hut, höflich und ironisch, alle mit den gleichen Gesichtern. »Wird man bald wieder etwas von Ihnen auf dem Theater zu sehen bekommen?« fragte der Arzt den Dichter mit seiner alten Stimme. Dieser erzählte von den außerordentlichen Schwierigkeiten, die sich der Aufführung seines neuesten Dramas entgegenstellten, das freilich, wie er gestehen müsse, kaum erhörte Angriffe auf alles mögliche enthielte, was den Menschen angeblich heilig sei. Der Arzt nickte und hörte nicht zu. Auch der Dichter tat es nicht, denn die oft gefügten Sätze kamen längst wie auswendig gelernt von seinen Lippen.

Vor dem Hause des Arztes stiegen beide Herren aus und der Wagen fuhr davon.

Der Arzt klingelte. Beide standen und schwiegen. Als die Schritte des Hausmeisters nahten, sagte der Dichter: »Gute Nacht, lieber Doktor« und dann mit einem Zucken der Nasenflügel, langsam: »Ich werd' es übrigens der meinen auch nicht sagen.« Der Arzt sah an ihm vorbei und lächelte süß. Das Tor wurde geöffnet, sie drückten einander die Hand, der Arzt verschwand im Flur, das Tor fiel zu. Der Dichter ging.

Er griff in seine Brusttasche. Ja, das Blatt war da. Wohlverwahrt und versiegelt sollte es die Gattin in seinem Nachlaß finden. Und mit der seltenen Einbildungskraft, die ihm nun einmal eigen war, hörte er sie schon an seinem Grabe flüstern: Du Edler... Großer...

Bibliographischer Nachweis

Leutnant Gustl. (1900.) Erstmals u. d. T. ›Lieutenant Gustl‹ in ›Neue Freie Presse‹, Wien, 25. Dezember 1900, Nr. 13 053, S. 34–41 – beim Druck wurde aber Seite 41 der Zeitung durch ein technisches Versehen mit der Druckplatte der Seite 47 verwechselt und diese zweimal verwendet; der Text endet dort auf Seite 40 mit den Worten: »... ah, so leicht sollt' der doch nicht davonkommen! – Ah was, ist das nicht [...]« (vgl. Seite 38, Zeile 3 der vorliegenden Ausgabe). Erste Buchausgabe: Lieutenant Gustl. Novelle von Arthur Schnitzler. Illustriert von M[oritz] Coschell. S. Fischer Verlag, Berlin 1901 (= Textvorlage).

Der blinde Geronimo und sein Bruder. (1900.) Erstmals u. d. T. ›Der blinde Hieronymo und sein Bruder‹ mit der Bezeichnung »Erzählung« in Fortsetzungen in ›Die Zeit‹, Wien, 22. Dezember 1900, 29. Dezember 1900, 5. Jänner 1901 und 12. Jänner 1901. Aufgenommen in A. Schnitzler, ›Die griechische Tänzerin‹, Novellen, Wiener Verlag, Wien 1905 (= Textvorlage). Einzelausgabe (mit einer Originalradierung von Ferdinand Schmutzer): S. Fischer Verlag, Berlin 1915.

Legende. (Fragment, 1900?) Erstmals in A. Schnitzler, ›Die kleine Komödie‹, Frühe Novellen, S. Fischer Verlag, Berlin 1932 (= Textvorlage).

Der Leuchtkäfer. Aus der Ferialkorrespondenz zweier Jünglinge. (1900.) Erstmals in A. Schnitzler, ›Entworfenes und Verworfenes‹, Aus dem Nachlaß, Herausgegeben von Reinhard Urbach, S. Fischer Verlag, Frankfurt am Main 1977 (= Textvorlage).

Boxeraufstand. (1900/01?) Erstmals mit dem Zusatz »Entwurf zu einer Novelle« in ›Neue Rundschau‹, Berlin und Frankfurt am Main, 68. Jg., H. 1, 1957, S. 84–87 (= Textvorlage).

Die grüne Krawatte. (1901.) Erstmals u. d. T. ›Die grüne Cravatte‹ in ›Neues Wiener Journal‹, 25. Oktober 1903, S. 3–4. Aufgenommen in A. Schnitzler, ›Die kleine Komödie‹, Frühe Novellen, S. Fischer Verlag, Berlin 1932 (= Textvorlage).

Die Fremde. (1902.) Erstmals u. d. T. ›Dämmerseele‹ in ›Neue Freie Presse‹, Wien, 18. Mai 1902, Pfingst-Beilage der ›Neuen Freien Presse‹, S. 31–33. Aufgenommen u. d. T. ›Die Fremde‹ in A. Schnitzler, ›Dämmerseelen‹, Novellen, S. Fischer Verlag, Berlin 1907 (= Textvorlage).

Die griechische Tänzerin. (1902.) Erstmals mit der Bezeichnung »Novelette« in ›Die Zeit‹, Wien, 28. September 1902, ›Die Sonntags-Zeit, Belletristische Beilage zu N° 2 der Wiener Tageszeitung‹ ›Die Zeit‹, S. 4–7. Aufgenommen in A. Schnitzler, ›Die griechische Tänzerin‹, Novellen, Wiener Verlag, Wien 1905 (= Textvorlage).

Wohltaten, still und rein gegeben. (1902?) Erstmals – mit dem Vorsatz »Diese jetzt zum erstenmal veröffentlichte Erzählung stammt aus dem literarischen Nachlaß Arthur Schnitzlers. Sie dürfte im Jahre 1900 entstanden sein« – in ›Neues Wiener Journal‹, 25. Dezember 1931, Weihnachten, S. 27–28. Aufgenommen in A. Schnitzler, ›Die kleine Komödie‹, Frühe Novellen, S. Fischer Verlag, Berlin 1932 (= Textvorlage).

Die Weissagung. (1902.) Erstmals mit der Bezeichung »Erzählung« in ›Neue Freie Presse‹, Wien, 24. Dezember 1905, Weihnachtsbeilage der ›Neuen Freien Presse‹, S. 31–38. Aufgenommen in A. Schnitzler, ›Dämmerseelen‹, Novellen, S. Fischer Verlag, Berlin 1907 (= Textvorlage).

Das Schicksal des Freiherrn von Leisenbohg. (1903.) Erstmals mit der Bezeichnung »Novelette« in ›Neue Rundschau‹, Berlin, 15. Jg., H. 7, Juli 1904, S. 829–842. Aufgenommen in A. Schnitzler, ›Dämmerseelen‹, Novellen, S. Fischer Verlag, Berlin 1907 (= Textvorlage).

Das neue Lied. (1905.) Erstmals mit der Bezeichnung »Erzählung« in ›Neue Freie Presse‹, Wien, 23. April 1905, Osterbeilage der ›Neuen Freien Presse‹, S. 31–34. Aufgenommen in A. Schnitzler, ›Dämmerseelen‹, S. Fischer Verlag, Berlin 1907 (= Textvorlage).

Der tote Gabriel. (1905 / 06.) Erstmals mit der Bezeichnung »Novelle« in ›Neue Freie Presse‹, Wien, 19. Mai 1907, PfingstBeilage der ›Neuen Freien Presse‹, S. 31–35. Aufgenommen in A. Schnitzler, ›Masken und Wunder‹, Novellen, S. Fischer Verlag, Berlin 1912 (= Textvorlage).

Geschichte eines Genies. (1907.) Erstmals in ›Arena‹, Berlin, II. Jg., H. 12, März 1907, S. 1290–1292. Aufgenommen in A. Schnitzler, ›Die kleine Komödie‹, Frühe Novellen, S. Fischer Verlag, Berlin 1932 (= Textvorlage).

Der Tod des Junggesellen. (1907.) Erstmals mit der Bezeichnung »Novelle« in ›Österreichische Rundschau‹, Jg. 15, H. 1, 1. April 1908, S. 19–26. Aufgenommen in A. Schnitzler, ›Masken und Wunder‹, Novellen, S. Fischer Verlag, Berlin 1912 (= Textvorlage).